守望者的凝思
读懂学校
读懂校长
系列论丛

教育部哲学社会科学研究重大课题攻关项目“我国学校教育创新研究”成果
“守望者的凝思：读懂学校、读懂校长”系列论丛

主编 裴娣娜

做堂堂正正的中国人

ZUO TANGTANGZHENGZHENG DE ZHONGGUOREN

——北京市中关村中学教育创新研究

邢筱萍 等 著

教育科学出版社
·北京·

做堂堂正正的中国人

——北京市中关村中学教育创新研究

本册主编：邢筱萍

本册副主编：祁建欣　高俊英

本册编委：黄文萍　柳　琦　刘　艳
王　欢　李冬梅　范振欢
鲁小凡　金恩华　杨淑军
郑　冲　申本刚　周　岩
邓荟予　李　梅　佟秋敏

基于学校教育变革性实践的反思与建构
——中国基础教育改革创新之路

裴娣娜

学校教育创新是目前世界各国基础教育改革中一个具有战略意义的重要问题。如何变革学校教育观念，培养具有创新精神和实践能力的高素质人才，是世界各国共同关注的问题。事实证明，以创新挑战危机，谁最先把握了时代发展变化的需求，谁就掌握了发展的主动权。

“守望者的凝思：读懂学校、读懂校长”系列论丛，是“十一五”期间教育部哲学社会科学研究重大课题攻关项目“我国学校教育创新研究”的研究成果，是对改革开放三十多年来中国基础教育阶段学校教育创新发展的思路、策略及方法基本脉络的全面系统的反思梳理。这套论丛有着独特的时空定位，限定在我国改革开放以来学校办学层面的改革与创新，采取自下而上的分析思路，是对学校已有的基于变革性实践的学校现代发展经验的总结提升。系列论丛中一本本研究性的专著翔实地记录了这些学校的校长基于不同的办学实际带领各自团队所走过的学校发展之路，这些学校的办学理念及经验经过了时间积淀和实践的检验，是富有鲜明特色、带有中国本土气息的原创性实践。

反思总结来自实践的学校创新经验，从中解读并汇集学校教育创新力指标，从而为进一步探讨学校教育创新发展理论模型与实践模式的建构、形成有较强的实践操作策略奠定坚实的基础。因此，我们的研究，以反思与建构为主线，聚焦“两个读懂”：读懂学校、读懂校长。这套系列论丛所呈现的不仅是每个学校独特的“我”，更重要的是通过一个个独特的“我”集合形成的具有一定典范意义的学校变革性实践的基本认识。

一、学校教育创新理论反思与现实建构的战略性意义

进入21世纪，面对世界各国对于经济社会可持续发展目标的诉求以及日益激烈的国际竞争对高素质人才提出的更高要求，面对工业社会和信息社会发展的要求，面对极不平衡的区域性社会经济发展以及多元文化价值取向、伦理道德问题、文化生态危机等一系列严峻挑战，中国基础教育的改革与发展进入一个十分关键的时期，正是社会转型凸显了中国学校教育创新发展的主题。

教育创新是学校教育发展的根本动力。学校需要变革，学校必须变革，变革的目的在于坚持“以人为本”的科学发展观，办好让人民满意的学校。学校教育创新研究的重要意义在于以下三个方面。

（一）为构建优质高效的学校办学模式提供一种理论分析框架

学校教育创新研究旨在对中国学校教育创新发展进程中的若干重要问题作出理性的思考和科学的回答，探索适应社会发展和人的自身发展需要的、优质高效的学校教育发展模式与育人模式。通过教育学、心理学工作者的跨学科研究，跨校际的教育工作者协同研究，以及理论与实践工作者的合作研究，为有中国特色的基础教育改革和发展提供思路，为构建优质高效的学校教育提供一种理论准备和分析框架，为促进青少年儿童全面发展提供一种新的教育方式，为教育行政部门和教育机构的相关决策与措施的制定提供科学依据。因此，这一研究成果是中华民族的，也是世界的；既有本土性，又有国际的普遍意义。

（二）通过典型个案研究，呈现我国当前具有特色的和有代表性的学校教育创新发展实践模式、评价指标、推进机制及成功经验

系列论丛的内容强调以下三点。

一是以学校教育改革与发展为中心线索，阐明项目学校从学校教育价值观念的重新定位到学校教育体系的全面更新，从改造教育过程到改

变教育教学各个环节中的方法与手段，从全方位地营造育人环境到创造性地开拓各种教育教学模式，从而提升学校整体的综合实力，形成学校教育创新的思路和特色的历程。

二是尝试揭示学校教育创新主体的培育与生成过程。论丛力图在深层次上揭示创新主体如何建构一种创新的观念、思想与目标，从而进一步生成为具体的办学行为的复杂过程。

三是表明学校创新发展是基于学校自身条件的特殊性，展现我国中小学校现代发展的多样化发展形态，同时也展现我国中小学校长追求持续发展和创建一流教育的特色与智慧。

(三) 通过解读，将学校办学理念与行为提升到自觉和自为层面，进一步促进学校教育创新的实践探索

通过对不同学校教育创新力形成与发展过程的审视，有效促进科学的质量意识、特色意识的确立，提升对学校办学特色和学校潜在的创新能力的认识。

当然还应看到，项目研究成为高师院校集教育科研、人才培养、为基础教育改革提供咨询服务三种职能于一体的重要平台，从而对参与研究的高等院校在凝练学术方向、汇聚学术队伍、开展高水平学术交流等方面同样发挥重要作用。

通过研究，我们认识到，尽管学校发展存在差异，但有一点是共同的。那就是随着国家教育体制改革的推进，学校作为办学主体，面临前所未有的生存和发展的压力。实质是，变革的时代要求学校通过变革进行根本性的转型。我国的中小学校，正是顺应时代发展的潮流，不失时机地抓住发展机遇，凭借校长的胆识和战略思想，挖掘学校的优势和潜力，形成应对变革的自我更新机制，提升学校整体的综合实力，从而走出竞争中的劣势处境，构筑起了学校新的竞争优势。创新已成为学校发展的内在生命力。

论丛的撰写是一个大工程，不仅推动了学校对自我办学理念、举措的反思，而且为项目研究在理论的概括提升上提供了丰富厚实的思想资源。研究具有开拓意义，而且是原创性的，是项目研究重要的标志性

成果。

二、项目研究的共识与思考

作为一项国家级的高端科研项目，论丛从实践研究层面反映了研究成果的创新性及实践效益，我们概括为以下几个主要方面。

（一）回应了我国社会转型时期政治、经济、文化变革关于教育的现实诉求

一个具有强大生命力的思想和理论的孕育形成与发展，关键在于它对所处时代改革中重大的理论和实践问题的回答。始于20世纪末的中国社会转型，将现代化、市场化、社会主义改革三重重大的社会变革浓缩在同一时空，构成了一场既特殊复杂又波澜壮阔的社会变迁。正如有的学者所指出的，社会变迁的核心在于人的生存方式的变化。

正是当前中国社会的现代转型，从根本上决定了中国基础教育学校创新发展的主题，而回应中国社会的现代化发展与基础教育改革提出的新矛盾、新问题，在很大程度上又进一步决定了中国学校教育创新发展过程中关注和研究的问题。

现代教育的本质在于解决人自身的发展与价值问题，是人的发展的潜在可能的现实实现，而不是把人作为社会的被动客体来塑造。人的个体与群体的发展是现代教育的出发点和归宿，是使学校实现跨越式超常发展的生命力，是激发教育工作者潜在创造力的原动力。将这一主题置于中国社会的特殊语境中，置于中国基础教育现代化发展的历史进程中，置于多元文化的多种价值选择并存的环境中，从而形成了目前研究的论域（范畴）和主线。这就是在学校教育中，关注学生的文化生存环境和活动方式，关注学生的生存状况和生命价值，尊重学生的主体地位和主体人格，培养学生自主性、主动性和创造性，使他们在掌握人类优秀文化基础上学会学习、学会创造。这一价值目标定位，从根本上反映了学校教育创新发展研究主题从工具理性到价值理性的转化。

学校教育的创新发展，不仅是对工具化的教育追求、人的发展目标偏离、主体缺位的反动，而且是对迷茫的教育理论、观念的价值澄清。正是敏锐地抓住了时代的挑战，回应了时代发展的需求，才形成了学校

现代发展的视阈，导致学校教育进行结构性调整而实现了功能、形态上的根本性转变。

（二）形成我国学校教育创新的基本理论分析框架

1. 学校教育创新是学校教育主体，通过新的创意、新的构想、新的思维和行为方式、新的教育技术和手段，对原有不合理的理论观点、思想方法、技术手段进行突破和超越，在学校变革与发展中更有效地实现教育目的的一种创造性活动。这一定义强调通过创新性活动，构建有变革创新能力的学校教育，从而突破种种阻碍学校改革与发展的限制，使学校实现根本性的变革。

2. 学校教育创新的基本内涵是以科学发展观为核心的现代教育理念，是一种勇于变革的实践活动，是一种先进的学校文化，是一种在不断回答每一时代提出的重大问题的过程中获得发展的内在生命力。创新是一个过程，创新的实质在于变革、超越和发展。

3. 学校教育创新的目标是促进高素质人才的培育成长和学校的现代发展。(1) 培养学生的自主性、主动性和创造性，使他们具有正确人生观、价值观，基础扎实，有创新精神、独立思考和实践能力，从而最大限度地实现每个人的个性与才能的发展。(2) 形成锐意改革、张扬个性、鼓励探索、宽容失误的有特色的学校教育创新文化。(3) 创建具有生成性的学校生态制度与管理系统。(4) 营造内外部良好育人环境。(5) 塑造具有“生成”意识、“理论”气质、“变革”能力的校长。

（三）初步构建学校教育创新力评价指标

学校教育创新力评价指标，旨在用统计体系构建学校教育创新的内涵与本质。通过研究，我们初步构建了由四个要素组成的学校教育创新力评价指标体系：办学理念、办学目标组成的价值目标系统；课程开发、课堂教学、班级建设组成的育人模式系统；人事制度、组织管理制度组成的制度与管理系统；战略性谋划能力、领导者品格组成的校长领导力。通过四个子系统以及系统的优化组合，学校不断调整内部结构，扩大自组织的功能，成为一个自我更新、自我发展的有机体，成为一个具有强适应能力的教育生态系统，以期达到提高质量、增长效益、有序运行的效果。

（四）形成学校育人模式创新的基本思路和举措

立足于读懂变革性实践，我们将“优质高效的学校教育发展模式及育人模式”作为探讨的重要内容。汇集众多学校的实践探索，形成的基本思路是：依据学校的培养目标及办学方略，重点在育人模式的创新。

1. 学校课程系统的创新

取得的主要突破如下。

第一，以人为本的课程目标的创新以及课程功能的创新。

基础教育的课程功能，由普及功能与选拔（筛选）功能、个体功能与社会功能、适应功能与超越功能之间的矛盾关系所构成。然而应试教育在将“课程考试化”的同时，也造成基础教育课程功能关系的错位、扭曲和失谐。学校课程开发首先要正确处理不同功能之间的矛盾，课程的设置应关注学生学习能力、实践能力和创新能力的培养，并坚持能力培养的层次性。

第二，课程领导力的提升以及基础教育课程结构与形式的变革。

课程领导力指学校按照一定的办学定位、培养目标进行课程开发建设，全面提升学校教育质量的能力。课程领导力的内涵，指校长领导教师团队创造性地实施国家课程计划的能力，合理开发和整合教育资源建设校本课程的能力，组织学校课程实践的决策、引领和调控能力。

针对以学科课程为主课程形态的弊端，我们探索新的课程结构体系的构建，使分科课程与综合课程、必修课程与选修课程、普通教育课程与职业技术教育课程相结合，并设置旨在指导学生进行专题研究性学习的综合实践课程、地方自主选择的课程，体现灵活性、多样性和选择性，从而为不同地区、不同学校以及学生发展提供更大的选择余地。

学校课程结构与形式的变革，大致呈现为以学生素养发展目标为依据，按照课程功能和学习领域知识的重新整合来构建学校课程结构，以及基于学校办学特色的体现对国家规定的课程进行重组和改造几种不同的思路，展现了中国课程存在形态的丰富多样性。

课程建设的创新，还表现在面向社会、生活实践的课程内容的创新以及校本课程开发中的创新。

2. 学校教学系统的创新

学校教学创新发展研究聚焦于从多视角讨论学科教学本质，学生的学习与创造性思维的培养，发展性教学策略，教学内容改革，课堂教学质量观与有效教学的水平评估，教师专业化发展等问题，并形成了若干有创意的认识。

第一，确立现代教学观，关注学生的文化生存环境和活动方式，实现学生的发展。

第二，学生的学习具有选择性、研究性、体验性和反思性，教学设计应体现学生学习的内在机制及学习特点。

第三，教学内容的选择与设计，重在理解和掌握知识，加强学科知识的整合，面向生活实际，体现教学的实践性以及文化性。

第四，通过教与学的行为分析，实施以主体参与、合作学习、差异发展、体验成功为内涵的发展性教学策略。

第五，确立体现学生发展的课堂教学质量观，进行有效教学的水平评估，促进教与学方式变革，使学生会学习、会创造。

第六，揭示现代课堂教学的基本特色，形成教学的不同流派与风格。教师应有发展意识、反思意识、效率意识、特色意识。教学系统要创新就要读懂教师，要培养一批学科带头人并形成教学风格与特色。

3. 学校德育系统的创新

主要包括以下几点。

第一，对德育功能的重新理解。

以“人在社会中生活”为主线，揭示德育的正义功能、意义功能与幸福功能。旨在培养具有独立人格、民主意识、人权理念和公共责任的公民基本特质。对意义的追寻，构成了人之独特的存在方式。通过人性化、个性化和创造性，使人的自由本性得以充分展呈。

第二，构建了“经验—体悟”定向的德育创新体系。

强调通过经验和体悟过程来培养受教育者的价值取向体系，并通过行为实践经验及内在的自我调整和重构的体悟过程，形成稳定的行为驱动体系，并在此基础上逐步养成稳定的行为习惯，形成固化为内在的自觉价值取向体系和外在的习惯化行为方式的稳定品德特点。

第三，在分析当今中国德育实践及其根本性挑战基础上，形成学校德育创新的几个基本命题：

（1）批判德育中的工具论立场，确立“人是目的”的核心理念；

（2）道德教育的逻辑起点、核心是价值取向与行为习惯；

（3）通过对道德教育内容与形式加以审美化改造，实现“价值引导”与“道德主体的自主建构”的统一；

（4）德育实践需要创造性地拓展有促进意义的资源，引导学生积累经验与重构性体悟（体验）。

项目研究实现了15所高校的跨校际、10个专业方向的跨学科整合，以及高校理论工作者、地方教育行政领导干部、中小学实践工作者多方研究力量的整合，组成优势互补的科研群体协作攻关①，从而使研究体现原创性、过程性和整合性。

三、论丛撰写的特色

论丛从历史、现实和未来三个视角把握总体，每一部专著内容框架由三部分组成。第一部分是学校发展历史及传承文化传统的审视，第二部分是全书主体，以学校教育创新力指标为依据，对学校办学的目标与价值系统、育人模式系统、制度与管理系统以及校长领导力几个方面的改革创新进行全面系统总结，第三部分是学校未来发展的设想。

每部专著的撰写前后历时2—3年，是一个再研究再思考的过程。我们深感每所学校、每位校长本身就是一个故事，而每部专著的问世也

① 15所高等师范院校分别为北京师范大学、西北师范大学、哈尔滨师范大学、南京师范大学、华中师范大学、河南大学、东北师范大学、天津师范大学、广西师范大学、首都师范大学、山东师范大学、四川师范大学、上海师范大学、浙江师范大学、江西师范大学鹰潭分院；3所科研机构分别为中央教育科学研究所、天津教育科学研究院、四川省教育科学研究所；7个区域性教育行政部门分别为北京市海淀区、湖北武汉市武昌区、四川成都市、河北石家庄市桥东区、深圳市南山区、甘肃省兰州市、四川阿坝藏族羌族自治州理县的教育行政部门；参加项目研究的中小学共有95所。

是一个故事。要保证著述的质量，关键在于如何对每所学校多年积淀的丰富鲜活的实践研究成果进行筛选、整理与提升，而不仅是对事实材料的罗列。

反思论丛撰写的全过程，在以下几方面呈现出其独特性。

1. 起点高位。立论于“中国具有进行原创性研究的优势，这种优势潜力的挖掘，主要在于充分调动深厚的本土资源、经验和智慧”这一论断，立论于学校的现代发展实质是变革性实践的判断，所以采用从变革实践的经验中提升的研究范式，定位于读懂学校、读懂校长、读懂变革性实践。

2. 立足研究。每本书的问世，是一系列的选择、提炼、重组、建构的过程。经过多次研讨碰撞，几上几下的反复修改，凝结的是每所学校对变革性实践的基本认识，同时也渗透了热情参与和关注基础教育改革发展的有识之士的心血，它是用“心”写出来的。

3. 理性思考。遵循“问题—思路—举措”这一叙事逻辑，尽可能处理好反思与建构、理论的概括提炼与实际问题的阐述解释、继承与超越、共性与个性的关系，认真搜索和挖掘创新点，在这个过程中不断提升研究意识和研究能力。

4. 个性特色。教育研究需要宽容、尊重和理解。二十余所学校有不同的身份和角色，每位校长也有不同的成长背景和工作风格，正是每个独特的“我”带来了丰富和生动，而在每个个别中展现的是学校锐意改革、开拓创新的可贵精神，因为高尚的心灵都是相通的。

本论丛是教育部哲学社会科学重大攻关项目的研究成果，我们在此谨对教育部社科司批准立项，对社科司杨光司长、张东刚副司长，基础教育司王定华副司长，以及社科司的同志们给予本项目研究的关怀和指导表示衷心感谢。以德高望重的顾明远教授为首的项目指导专家组——谈松华、郭振有、卓晴君、张民生、文喆、谢维和、朱小蔓、周满生、吕达、曹志祥、杨银付等专家，他们四年来对项目研究发表了富有启发性的重要见解并对项目研究寄予了殷切的期盼，他们的很多重要思想和观点对项目研究产生了深远影响，我们将铭记在心。

论丛出版之际，我们还要特别感谢教育科学出版社，感谢李东总编辑以及教育科学出版社的所有编辑出版人员。教育科学出版社热心奖掖学术与创新，他们不仅为论丛的出版付出了辛劳，更难能可贵的是对论丛出版予以无偿支持，从而使我们的成果远离了“文化包装”之嫌而保持了学术研究的纯洁，他们的支持和鼓励是我们做好这一论丛的重要动力。

对中国基础教育学校创新发展这一具有战略性、全局性问题的探讨和研究还刚刚起步。《国家中长期教育改革和发展规划纲要（2010—2020年）》（以下简称《教育规划纲要》）描绘了未来10年我国教育改革发展的宏伟蓝图，特别强调“改革创新是教育事业发展的强大动力”。我们将遵循《教育规划纲要》的指示精神，继续不懈地探索，以求在学校教育创新问题上不断取得新的认识。我们深知，在中国基础教育改革的大潮中我们是“之一”而不是唯一，若干重要的理论与实践问题还需要进一步的展开、充实、挖掘和进行深层次的理性思考。我们坚信，在这条教育改革创新之路上，我们会越走越踏实。

目 录
CONTENTS

文化决定发展

1982年，时任全国政协常委的汪德昭院士及一大批著名科学家高瞻远瞩，竭力倡导在中关村这个中国科学院研究所聚集地创办一所高水平的中学，中关村中学就这样沐浴着科学的春风诞生了。寄隅于首都优质教育资源最密集之地，中关村中学凭着一股“誓于争锋”的信念，在波澜壮阔的改革序幕缓缓拉开时启航，并以其磅礴的激情和活力走上了时代潮流的前列。

时光如梭，岁月如歌。转瞬间，中关村中学已经走过自强不息的青春年华，步入了而立之年。30年风雨兼程、30年春华秋实，中关村中学跨入北京市普通示范性高中校的行列，成为了“全国红十字模范学校”“全国规范化管理先进学校”“全国学校艺术教育先进集体”“北京市基础教育课程改革先进校”“北京市金帆艺术团”“北京市金鹏科技团”“北京市体育项目传统校”“北京市中小学文明礼仪先进集体”“海淀区教育先进集体”，被社会誉为“素质教育的典范和家长放心的学校”。30年，对于一所学校的发展建设来说，弹指一挥间，但中关村中学人却用这短暂的30年成长为一所坚实、挺拔的北京现代化名校，巍然屹立于中国硅谷——中关村的核心地带，为世人所感叹、仰慕。

回顾中关村中学的发展历程，可谓“天时、地利、人和”，适逢改革开放，科技教育大发展的盛世，拥有雄厚的科技文化教育地域优势，三任中关村中学领头人以强烈的不屈不挠的改革创新的精神，团结和打造了一支“追求卓越，勇创一流”的干部教师队伍，形成了不甘平庸、励精图治、艰苦奋斗、爱拼才会赢的学校精神。从建校初期任联卿校长提出的“艰苦奋斗，力争上游，创造一等工作，把中关村中学办成一流学校”的奋斗目标，到段兴起校长“勇攀教育事业高峰，办一流特色学校”的精神，无不体现出中关村中学人直面挑战、开拓进取的拼搏精神。

尽管中关村中学诞生在“知识就是力量”的20世纪80年代，但是从一开始，学校就把“育人”放在办学第一位。“千教万教，教人学做真人”，这是陶行知先生从教的至理名言。中关村中学坚守“做人教育高于一切”的教育思想，把“做一个堂堂正正的有骨气的中国人”作为中关村中学的育人目标。1997年，段兴起校长将这一掷地有声、彰显中关村中学人红色文化魅力的“校魂”，以苍劲有力、雄浑厚重的大字篆刻在宏大的石碑上，醒目地伫立在校园里。

围绕“做一个堂堂正正的有骨气的中国人”的育人目标，学校以学习周恩来“为中华之崛起”的精神，争创周恩来班、周恩来奖章的活动为载体，教育学生传承中华民族的传统美德，形成高尚的情操和顽强的意志力，积极开拓，勇于进取，最终担负起建设祖国的重任。

中关村中学的发展过程，实际上是中国基础教育改革最激烈的时期。在这期间，经历了人事制度改革、办学体制改革和课程改革。特别是全国范围内的示范性高中的评选，给了中关村中学跻身于教育行政部门和老百姓认可的市级优质学校行列的机会，争办北京市示范高中，对中关村中学来说既是机遇也是挑战，为了学校更好地发展，就必须从名校的包围中“杀”出一条路。我在学校教职工会上立下“军令状”：“示范校拿不下来，我先辞职”。我们没给自己留退路。因为在激烈的教育竞争中我们没有退路。在全校师生共同努力下，2003年中关村中学申办市级示范高中校成功，学校的发展插上了腾飞的翅膀。

在成功申办了示范高中校之后，我们没有停止改革发展的脚步，不断寻找学校发展新的途径。努力创设适合学生发展的教育，搭建引领师生成功的舞台，全面实施以培养学生创新精神和实践能力为重点的素质教育。通过积极参与国家级教育体制改革高中特色发展试验项目“整合教育资源，提升科学素养”，为学校发展注入了新的生机与活力，通过挖掘和固化科学教育的优势，逐步形成科学教育方面优质、独特、稳定的品质，进而形成特色，并以此为突破口促进师生发展和学校发展。

文化决定思想，思想决定态度，态度决定行动，行动决定质量。

一所学校能否基业长青，关键在于学校积淀的优秀文化能否传承与创新。从学校秉承的“崇德、尚礼、笃学、求真”的校训，“文明、诚信、勤勉、奋进”的校风，倡导的“敬业、爱生、合作、创新”的教风，“乐学、好问、勤思、博览”的学风，就不难窥视到中关村中学的办学思想、理念与风格，更不难看出办学人的教育理想和价值追求。最为可贵的是这种办学理想和“爱拼才会赢”的学校精神，历经数次学校规模的扩大和校长的更迭，被坚守了下来，成为中关村中学人的精神追求，成为学校的核心价值观，形成学校的文化根基。

我始终坚信：“传承与创新学校文化，坚守学校精神，学校才能基业长青。”

为了提升中关村中学的文化品质，总结提炼学校的优秀文化传统，在我担任校长的12年里，带领全校师生开展学校文化的专题研究，总结、提炼中关村中学学校文化特征、价值取向和奋斗目标，制定了《中关村中学学校文化建设纲要》和《中关村中学章程》，2006年和2011年两次制定《中关村中学五年发展规划》，两次修改完善《中关村中学管理制度》，对学校的办学定位、办学理念、教育目标和办学方略进行了系统的界定和规范，把学校发展过程中积淀了30年的学校文化，通过文本的形式固化了下来。形成了师生共同传承和遵守的学校文化，使共同价值观成为凝聚人心、激发活力的源泉和促进学校发展的核心动力。

30年来，中关村中学人以“爱拼才会赢”的精神，绘制了一幅学校发展的美丽画卷。一支专业化水平高、管理经验丰富、奉献精神强、团结协作、群众信任度高、凝聚力强的干部队伍基本建成；一支师德高尚、业务精湛、教育思想先进、富于创新精神、有较强的科研能力和水平的优秀教师队伍在逐渐壮大；快乐、民主、和谐的校园氛围和以“学习、创新、协作、竞争、民主”为特征的校园文化正逐步形成；与素质教育相吻合的评价观和发展性评价体系已经初步建立并在逐步完善；以艺术教育、科技教育、体育为突破口的特色教育已经在北京市处于领先位置，正在向全国和世界先进水平迈进；完善而先进的基础设施，优雅的学校环境正潜移默化地发挥着服务和育人的作用；一批批品德良好、身心健康、有主动进取的人生态度、勇于探索的科学精神和实践能力的学生走向高一级学校，走向社会，成为祖国建设的栋梁。

如今的中关村中学已经从一所普通的“中国科学院子弟初中学校”，快速发展成为被首都市民誉为素质教育的典范和家长放心的学校，成为在全国有一定影响力和知名度的基础教育品牌学校。

“我们是新的一代，闪耀着新的风采，我们在科学城学习，开拓新的世界。迎着科学的星光，驶向知识的大海，为建设现代化祖国奋发成才！我们是新的一代，都拥有宽广胸怀，我们让青春年华，闪出智慧光彩。办成一流的学校，处处洋溢着友爱，为挑起跨世纪重担团结朝前迈！……”嘹亮的校歌在校园回荡，歌声中，鲜红的太阳正在冉冉升起，孕育着希望，昭示着未来！30 载春华秋实，桃李芬芳，一路风雨，一路长歌，中关村中学风华正茂。秉承赢的精神、赢的信念，追求赢的激情、赢的气度，她正绽放出耀眼光辉，放飞美丽的希望！今天，中关村中学正以“面向现代化、面向世界、面向未来”的雄姿，笑迎时代的天风海雨，一路高歌奋进在现代文化名校的征程中！我们相信她的未来会愈加美妙，她的青春会愈加灿烂！

邢筱萍

2012 年 9 月

第一章

挑战与机遇：30年艰苦奋斗与改革创新的历程

应国运而生，撷硅谷之灵，春风化雨结硕果。

顺时势而进，怀霄汉之志，鲲鹏展翅续华章。

年轻的中关村中学在改革开放的大潮中应运而生，沐浴着党的十一届三中全会的春风，诞生于中国高科技人才聚集地中国科学院区，毗邻名校清华大学和北京大学。三任校长高瞻远瞩，秉承着“追求卓越，勇创一流”的宗旨，铭记“崇德、尚礼、笃学、求真”的校训，弘扬“乐学、好问、勤思、博览”的学风，坚持“一切为了学生，为了学生的一切，为了一切学生”的办学原则，在短短30年里，中关村中学已经成为科技氛围浓郁、人文特色鲜明的北京市一流现代化名校，成为镶嵌在中国乃至世界高科技前沿——中关村“硅谷”的一颗璀璨的明珠。

始建于1982年的中关村中学，1995年曾更名为中国科学技术大学附属中学，1998年将清华园中学并入，2001年5月恢复中关村中学校名，2003年将双榆树中学并入，2004年8月光荣跨入北京市示范性普通高中校行列，2010年承办学院路中学。至此，中关村中学成为一所拥有3400多名学生、330多名在职教职员工的完全中学，在北京市市级示范性普通高中校中，是建设历史最短的年轻学校。

回顾学校的发展历程，总有一种精神振奋人心，那就是不甘平庸、励精图治的奋斗精神；总有一种观念凝聚力量，那就是直面挑战、开拓进取的创新理念。正是这样的奋斗精神和创新理念，使年轻的中关村中学不断超越自我，铸就辉煌。

一、历史溯源：艰苦奋斗奠基业

1982年，正值改革开放初期，在党的十一届三中全会前夕，面对百废待兴的局面，邓小平同志提出了“科学技术是生产力”的著名论断，公开表示他要当好“科学家的后勤部长”。这是一个极好的历史契机，为解决科学院子女的入学问题，在全国政协常委汪德昭院士等人大代表及一批科学家的积极倡导下，海淀区教育局果断作出决策，中关村中学应运而生。

任联卿同志任第一届校长兼党支部书记，学校聘任汪德昭院士为中关村中学名誉校长。1982 年的暑假，海淀区教育局代中关村中学招生，第一批学生约 300 多人。当时，学校的教学楼还没有竣工，没有教师、没有教室、没有办公室、没有课桌椅、没有教学设备，学校领导班子也刚刚组建，但 9 月 1 日必须准时开学。以任联卿校长为首的领导班子用忘我的精神投入了建校工作，招教师、借校舍、征设备，到科学院各研究所去求援……

图 1－1　第一届开学典礼

1982 年 9 月 1 日，中关村中学第一届开学典礼在中关村的“四不要礼堂”（现在的“中关村礼堂”）举行，科学院多位领导参加会议，表达了他们对中关村中学成立的重视与支持。全体学生家长也都到会参加，表达了他们的关心与感谢。开学典礼上，学校领导向全校师生提出的办学目标是：艰苦奋斗，力争上游，创造一等工作，把中关村中学办成一流学校。为了实现这一目标，全体教职工发扬艰苦奋斗、严谨办学的精神，殚心竭力，团结实干，在教育教学资源有限的情况下，充分发挥地区优势，利用科学院的资源，经常邀请科学家来校作报告，并带领学生到科研院所参观，了解最新的科学技术，尽最大努力开阔师生视野，激发学生学习科学知识的兴趣。重视品德教育，积极开展学雷锋活动，参加在抚顺召开的“全国学习雷锋研讨会”，渐渐形成“用雷锋精神建校育人”的德育工作思路。重视课堂教学研究，向课堂45分钟要效率，在海淀区第一次期中和期末考试中，学校的教学成绩便名列区中学的前十名。1984年，学校被评为北京市和海淀区“五讲四美三热爱”文明单位，刚刚成立两年的中关村中学在海淀区渐渐有了知名度，为中关村中学的后续发展奠定了良好的基础。

党的十一届三中全会后，改革开放的春风吹拂神州大地，“第一个吃螃蟹的人”——中科院物理所陈春先教授，尝试与海淀区政府合作办公司。当时，因急需一批电脑操作的中级技术人员，他希望中关村承办一个电脑实验班，并答应为学校提供电脑设备，学生毕业后到公司工作。时任海淀区区委书记的贾春旺表示支持。他认为这对海淀区的科技发展及教育发展都大有裨益。区长史定潮主持了会议，征求中关村中学领导的意见后，由海淀区教育局作出决定。1984年5月14日，学校行政会通过了一个决议，为顺应中关村地区对人才的需求，打破只办普通中学的思路，同时办电子计算机职业高中班，招收两个班的学生，9月1日上课。

这是机遇，更是挑战！刚刚成立3年的中关村中学，又开始了新的教育探索。面对着全新的课程与管理，全校师生敢于挑战。领导和教师皆以最大的热情极细致地做工作。学校以最快的速度建设机房，派年轻教师袁凯峰到科学院去学习，为中关村的相关企业培养了一批技术骨干。这也是一种不甘平庸，励精图治的精神使然吧！后来公司撤了，这条资金链也断了，海淀区教育局决定将中关村中学计算机班调整到海淀中学，学校就此结束了这一短暂的尝试。

随着中关村地区的高科技定位渐渐明朗，周边小区及中科院科研人员的子女越来越多地希望跨入大学殿堂，1987年，学校行政会再一次调整了办学方向——专心办普通完全中学。学校领导找到汪德昭院士，希望德高望重的汪院士利用他的社会影响助学校一臂之力。汪德昭院士十分重视这个提议，为了地区教育的发展，为解决科技工作者子女入高中问题，他找了海淀区人大、海淀区政协和科学院的相关部门与领导，同意增设高中班，实现了学校发展的新跨越。

学校的这段历史，是一段艰苦创业的历史。在极其困难的情况下，学校全体同仁艰苦奋斗奠基业，明确了中关村中学的办学方向，并奠定了学校办学基础。

二、继往开来：科学定位创一流

党的十四大明确提出，“必须把教育摆在优先发展的战略地位，努力提高全民族的思想道德和科学文化水平，这是实现我国现代化的根本大计”。这给了每一位有志于教育的人大展宏图的机会。第二任校长段兴起同志就是在此形势下来到中关村中学担起掌门人的重任，就任校长兼党支部书记。他一到任就以极大的魄力带领全校教职工扩大学校规模，改善办学条件，提出“奋斗 3—5 年，把中关村中学建成让领导放心，社会、家长、学生信得过的学校，力争办成有特色的一流学校”。他引进名师，争取优良生源，改善教学设备，千方百计提高教学质量；重视育人环境，充分利用伟人的教育作用，成立了北京市第一个“周恩来班”，并且在南京建立了学校的爱国主义教育基地。将中关村中学的知名度提升到一个新的高度。

图 1－2　校园中的周恩来雕像

1995 年，学校更名为“中国科技大学附属中学”，中国科学技术大学是中国科学院所属的一所以前沿科学和高新技术为主、兼有特色管理和人文学科的综合性大学，是全国唯一由中国科学院直属管理的全国重点大学。学校想借助科技大学的名声与资源，扩大中关村中学的知名度，提高与周围各大学附中的竞争力度。这个设想得到中国科学院与海淀教育局的支持，被批准后，时任中国科学院院长的周光召院士和全国政协常委、学校名誉校长汪德昭院士亲自为新校牌揭牌。

同年，段校长又提出了“抓住时机，加快速度，把中关村中学办成有特色的一流学校”的目标，目标的调整使学校的定位更加清晰，要在周围名校包围圈中创出“一流”和“特色”是学校突破的切入点。

中关村中学校园面积不大，如何在有限的空间构筑良好的教育环境，段校长的策略是“人无我有，人有我优，注重超前使用”。学校充分利用中关村科技园区科技教育资源优势，兴建了若干“人无我有”的科学展室与设施。例如，兴建了300多平方米的野生动物标本室，收集了1400多个动物标本，其中不少是珍稀动物标本，在中国乃至世界的中学中也是少见的；兴建了史学馆和珍藏上百种矿石和宝石标本的地学室，建设了天文台、天象厅、星空走廊等。这些设施是中关村中学学子的第二课堂和实验基地，培养了一批又一批科技爱好者。许多学生从这里起步，走上了从事科学研究工作的道路。同时，学校也被授予“全国青少年科普基地”和“社会大课堂”，服务于全国各地的中小学生。

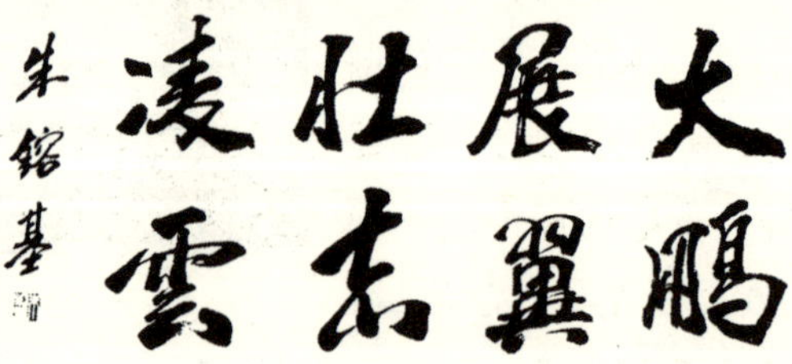

图1-3　国家领导人题词

段校长非常重视发挥环境育人的作用。例如，校园里有毛泽东、周恩来、邓小平三位伟人的雕像，镌刻着“做一个堂堂正正的有骨气的中国人”“师魂”的巨石。领导题词室有李先念、乔石、李鹏、朱镕基、宋任穷、杨成武等近百位党和国家领导人及知名人士勉励学校师生的题词，院士题词室有诺贝尔奖获得者杨振宁、李政道、丁肇中及著名科学家钱三强、陈景润、袁隆平、王选、钟南山等140多位院士的题词。

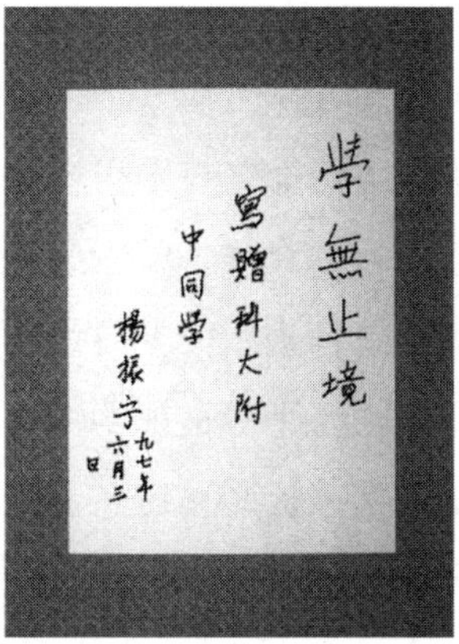

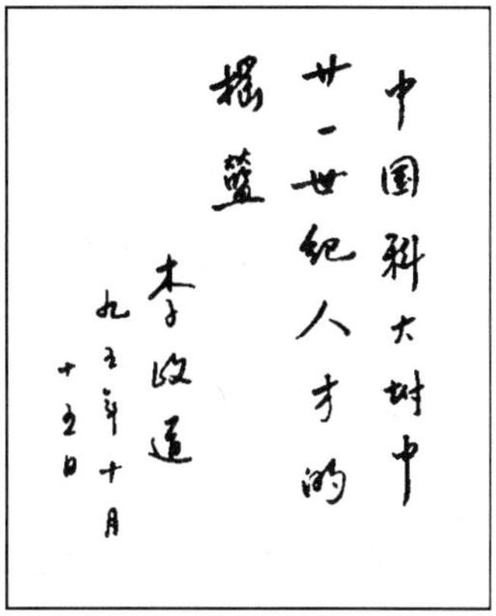

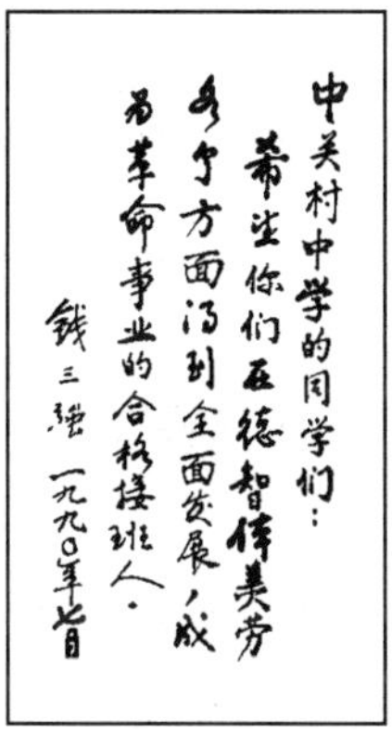

图 1-4　著名科学家题词

漫步校园，师生们时刻会被一种爱国爱党的社会主义主流文化感染着，被一种蓬勃向上的精神激励着，学生争做“四有”人才，学校为培养“具有为国家富强和人民富裕而艰苦奋斗的献身精神”的人才而努力奋斗。

为提高教学质量，段校长创造条件千方百计引进名师，作为各学科的带头人，通过“师带徒、传帮带”的办法培养青年教师，极大地提高了教学水平。为“打响高考第一炮”，高三老师们都以高度负责的精神与学生交流，逐一分析学生在学习中遇到的问题，并订出具体帮扶措施，帮助学生树立信心。从1988年起，学校的中考成绩始终保持在海淀区前10名，高考升学率也连续多年保持在95%以上。

学校重视体育和美育。根据学生发展需求，先后成立了田径队、武术队和篮球队等，建成了塑胶操场、武术馆、篮球馆等专用场地，经过多年的建设，学校实现了在海淀区运动会上零的突破，并逐渐形成了篮球、武术、田径三个特色体育项目，带动全体师生积极参与到体育锻炼中来。在大力发展学校体育教育的同时，学校也十分重视学生的美育教育，先后成立了管乐、民乐、合唱、舞蹈等文艺社团，建立了相关社团专用训练场地，经过多年的实践探索，学校在美育教育上也硕果累累，多次在北京中山音乐堂举办学生专场音乐会，多次获得国际国内各类学生类专业比赛金奖。

在硬件设备不断更新的同时，学校的教育教学质量也在稳步提高。高尚的师爱、雄厚的师资以及“衣带渐宽终不悔”的拼搏奋进精神，使年轻的中关村中学借着改革的春风已然走上了一条特色发展之路。

1999年12月26日下午，中国科技大学附属中学的全体师生、部分家长及来宾共6000多人汇聚在庄严的人民大会堂，召开“迎接新世纪大会”。全国人大副委员长周光召在会上作了重要讲话。作为一所中学，其声势之大，组织之严谨，来宾规格之高，内容之充实，真是令人叹为观止。年轻的中关村中学已经跻身于海淀区名校的行列，并在“德智体美”特色发展上崭露头角，她像一只奋飞冲天的鲲鹏，在中国普教的蓝天上展翅翱翔。

回顾历史，展望未来，中关村中学师生充满了自豪与信心。大家似乎已经登上高速前行的列车，朝着名副其实的“一流”愿景奔驰着，迅不可当。

三、跨越发展：特色教育铸辉煌

回顾过去的历史，展望未来的发展，在新世纪新形势下如何再上新台阶，学校新的生长点在哪里，如何在全校形成一种规范、开放、多元、民主的文化氛围，如何能让这样一所蓄势腾飞的学校翱翔天宇，实现跨越发展。校长认识到，凝聚人的力量与智慧，不断改革创新是中关村中学发展的关键。

2000 年伊始，迈入新的世纪，学校处在了新的发展时期，学校制定了“坚持以发展为主题，努力在最短的时间内把中关村中学建设成在北京市有较大影响，在全国有一定知名度的现代化、示范性的一流学校”的目标，打造科技与人文特色鲜明的学校。为此，学校决定从两件事情开始：一是中关村科技园区的兴盛与发展已经成为全国科技园区发展的前沿，成为享誉世界的中国硅谷，“中关村中学”的称谓更有品牌效应，学校决定恢复使用“中关村中学”校名；二是北京市实施示范高中建设工程，5 年内将创建 60 余所高中示范校。我校决定争办北京市示范高中，以期在短时期内提高学校高中教育的整体水平，成就学校从普通学校到示范高中的飞跃。

在历经 4 年的示范校创建过程，我校努力推行制度改革，向管理要效益。加强干部队伍建设，实行干部竞争上岗制，有效地调动干部的积极性；实行教师全员聘任制，增强教师的责任感、紧迫感、竞争意识和创新意识；实施个性化教师培养机制，通过名师工程、骨干教师工程、青年教师工程，促进不同层次教师的发展；形成团队共进机制，构建学习型、研究型教师团队；建立榜样激励机制，打造一支推动学校的发展的、有活力的教师队伍。

秉承传统，挖掘伟人文化的育人潜力，学校德育工作继续以“学习伟人精神，为中华之崛起而读书”为主线，开展学习“恩来精神”的系列教育活动。充分利用各种教育资源，进行爱国主义教育、理想信念教育、习惯养成教育、感恩博爱教育、心理健康教育等活动，引导学生树立正确的人生观、世界观、价值观。

学校充分利用地域资源优势，建立有利于提高学生科学素养的课程体系，面向全体学生，建立“头脑奥林匹克”“青少年科技创新”“建模、航模”“无线电测向”“机器人制作”等学生科技社团，开展广泛的科技教育活动，形成学校特色。

图1－5　中关村中学校园

我校努力加强学校物质文化建设，建设“人文、科学、爱国”相融合的校园环境，以它独特的风格和文化内涵，影响师生的观念和行为，形成和谐的校园文化。

2004年9月1日，我校举行了“北京市示范性普通高中校”校牌揭幕仪式，这标志着我校跨入了北京市重点中学的行列，这是学校综合办学能力和水平的跨越式发展和提升的里程碑。

在随后近十年的学校建设中，学校着力于文化建设，开展学校文化的专题研究，总结提炼出了中关村中学学校文化特征、价值取向和奋斗目标，制定了《中关村中学学校文化建设纲要》。为谋划学校未来发展，2006起草《中关村中学2006—2010年五年发展规划》，并在教代会上审议通过，为学校可持续发展规划了方向和目标。

2011 年，随着《国家中长期教育改革和发展规划纲要（2010—2020 年）》的贯彻执行，北京市启动“国家级教育体制改革基础教育项目”，2011 年 7 月我校成为国家级高中特色发展实验项目学校，该项目的启动成为我校持续发展的重要里程碑。我校周围聚集了许多著名高等学府和众多科研院所，文化气息浓郁，学术氛围浓厚，科技含量密集，为学校开展科技教育创设了良好的社会育人环境。我校建有设施先进的实验室和科技活动专业教室，拥有一批能力强、实践经验丰富、成绩显著、在北京市和海淀区有影响力的优秀科技辅导员，建有 12 个科技社团，学生科学活动广泛且深入，是全国青少年科普教育基地、首批北京市金鹏科技团和北京市科技教育示范校。基于以上学校传统和优势，学校把高中发展特色定位在开展科学教育上，希望中关村中学的学子能够以科学的方式和精神去认识世界和分析问题，成为有较高科学素养的未来公民。为了更好地推进项目的发展，我们采取整合校内外教育资源的策略。2011 年 9 月，学校与中科院科学史研究所合作开发了“影响人类文明进程的科学事件”校本课程，把科学家请进校园，让学生走进科研院所，让学生在科学家身边成长的过程中感悟到科学人博学多识、谦虚儒雅的人格魅力，严谨求实、献身科学的精神。截至 2012 年，我校已和中科院的科学史研究所、化学所、动物所和微生物所等多个研究所以及中国农业大学共同开设了多门各具特色的高端校本课程，并尝试探索中学和科研院所共建课程的新方式，以开创联合培养后备创新人才的新途径。

中关村中学人在三任校长的带领下用了 30 年的时间实现了从创业、发展到腾飞的跨越。在这 30 年里，学校的领导和教师勤勉工作、无私奉献，用智慧与汗水创造了一个又一个的第一；在这 30 年里，中关村中学人励精图治、奋发图强，用真诚、博爱与强大的凝聚力铸就了一次又一次辉煌。学校先后荣获“全国三八红旗集体”“北京市基础教育校本课程建设先进学校”“北京市教育科研先进单位”“北京市中小学艺术教育特色学校”“北京市体育项目传统校”“北京市金鹏科技团”“北京市金帆管乐团”“北京市中小学科技教育示范校”“北京市模范教职工之家”等荣誉。今天的中关村中学人正向着“打造国内外知名的基础教育品牌”的目标而满怀信心地前行着。

传百年薪火，创千秋伟业，中关村中学以厚德载物
揽海淀俊杰，育万株桃李，科学城学子当自强不息

中关村中学将在中国基础教育道路上留下自己坚实的足迹，将在中国基础教育的蓝图上画上浓墨重彩的一笔，将在中国的教育发展史册上谱写出一曲跌宕激越的华彩乐章。

第二章 思路与出路：在传承与创新文化中引领学校的发展

文化决定思想，思想决定态度，态度决定行动，行动决定质量。

管理学强调，用正确的方法，做正确的事。正确的方向指作好规划，正确的方法指用好工具和作好实践，两者缺一不可。学校的规划，要善于从文化引领的高度去思考和设计。一所学校能否基业常青，关键在于学校积淀的优秀文化能否传承与创新。

中关村中学的规划和实践，立足于“培养什么人、怎么培养人”的核心价值观，根据学校的地理位置、办学历程、愿景需求和价值取向等因素，经师生共同研讨、归纳及提炼，在实践中不断补充、完善，促进师生共同成长和一生幸福，提升学校办学质量和水平。

一、办学理念的积淀与创新

一所学校的办学理念，体现出时代的背景和学校的阶段性特点，又总是在不断积淀中发展，在传承中创新和得以完善。中关村中学的办学理念，在30年积淀中，逐渐形成了学校特有的文化。

（一）找准学校定位，建设有序校园（1982—1986）

1982年中关村中学一建校，作为中国科学院的附属中学，旨在解决为国家作出突出贡献的科研人员的后顾之忧。当时，任联卿校长及领导班子意识到“背靠大树好乘凉”这一得天独厚的地域和环境优势，并且知识分子家庭的子女文化素养高，人生目标高远，学习潜质好。同时，很多家长愿意为学校的发展出谋划策，主动配合学校开展促进学生成长的教育活动。因此，学校号召学生从小树立远大理想，为攀登科学高峰而努力，要继承不惧艰险、勤于学习的奋斗精神。

教育需要思想引领，需要安全、平稳的教育环境。“文革”后，全国教育事业千疮百孔，百废待兴。党的十一届三中全会以后，教育事业进入复苏期。中关村中学在教育部颁发的《全日制中学暂行工作条例

（试行草案）》和《全日制十年制中小学教学计划（试行草案）》等纲领指导下，确立了“为实现我国四个现代化培养又红又专的人才打好基础和彻底消除‘文革’的不良影响”的指导思想，提出了“艰苦奋斗，力争上游，创造一等工作，把中关村中学办成一流学校”的奋斗目标。在学生教育目标上，突出了爱国主义、共产主义、劳动教育三个目标，以“做一个无愧于伟大祖国的优秀儿女、为实现四化努力争做三好学生”“继承我中华民族文明的光荣传统”“你用什么向伟大祖国献礼”“闪光的凡人小事”“为振兴中华而学习”等主题系列活动引导学生勤奋学习，报效祖国。在师德建设上，开展“一讲”（讲共产主义思想、精神和风格）、“四爱”（爱党、爱社会主义、爱教育事业、爱学生）活动，不断提高广大教职工为振兴中华、为祖国培育人才的自觉性。在领导班子建设上，强调民主意识和全局意识，建立了民主生活会制度，明确要求干部要“主动地、经常地征求各级领导和一线教师的意见，经常反思并不断改进自己的工作，团结一致，做好本职工作，促进学校发展”。

良好的开端等于成功的一半。建校初期学校找准定位，明确学校发展目标，建立健全严格的学校制度，构建了有序的校园，为中关村中学的发展奠定了坚实的基础。

（二）调整办学策略，提升学校品质（1987—1999）

1986 年，《中华人民共和国义务教育法》颁布，义务教育法的确立，代表着基础教育大发展春天的到来。1984—1986 年，我校为满足中关村地区电脑人才的匮乏，探索开办微电脑职高班，但是，因为中关村地区多为知识分子家庭，对子女就读优质高中、升入大学的需求更为强烈。为此，在 1987 年，学校经过讨论，决定调整办学方向，由办“职高班”转向办“完中校”，并得到了区教育局的批准。为了更好地体现出优质中学向高等学府输送人才的学校功能，1995 年，中关村中学更名为中国科技大学附属中学（北京）。

学校提出“奋斗 3—5 年，把中关村中学建成让领导放心，社会、家长、学生信得过的学校，力争办成有特色的一流学校”的奋斗目标。

为了推进学校文化建设，学校提出了提升办学质量的“八项原则”。第一，坚持四项基本原则的教育，坚持德、智、体、美、劳全面发展。第二，坚持正面教育为主，纠正不正之风，学生教育人人有责。第三，坚持苦干、实干和巧干的优秀作风，扎实工作，不求名利。第四，提高学生学习与活动的质量。第五，坚持因材施教。加强对学困生的辅导，培养优秀学生。第六，坚持学科建设的高质量。抓好基础知识、基本技能，规范课堂教学。第七，坚持奖励与惩罚分明的原则，鼓励多干、干好。第八，坚持师德为首的教师队伍建设原则，建成一支师德高尚、业务精良的优秀教师队伍。

在组织建设上，提出培养集体观念和互助互学精神，提倡虚心学习，取长补短，互相谅解，搞好团结，共同进步。在课堂教学上，提出要在效率上下工夫，提倡“谈、议、讲、练”的教学方法，课堂教学要做到“少、精、活”，变“讲堂”为“学堂”，激发学生勤于动脑、动口、动手的意识，提高学生的自学和自律能力。在学生教育上，明确提出开展针对性强、生动活泼的主题活动，对学生进行爱国、爱党、爱校教育，提升其思想品德，增强其组织纪律性，培养奋发进取的精神。

学校善用中华民族的优秀文化引领师生的拼搏奋斗。经过不断思考、探索和实践，中关村中学办学的灵魂日渐“浮出水面”，被提炼和概括为“做一个堂堂正正的有骨气的中国人”。它的内涵诠释为：教育学生爱国，教会学生做人，做昂扬向上、自强不息的中关村中学人。

思路决定出路。重大决策的转向，为中关村中学办学品质的提升奠定了基础。举措决定效果。制度的规范，措施的落实，突出的业绩，使中关村中学从一所普通的社区学校、教学质量一般的学校，快速发展为海淀区的办学质量优秀校，学生、家长、社会信赖的好学校。

（三）梳理学校文化，打造优质品牌（2000—2005）

1999 年《面向 21 世纪教育振兴行动计划》出台，研制和构建面向 21 世纪的基础教育课程体系迫在眉睫。2000 年 4 月，中关村科技园区成立，“中关村”品牌效应日益显现。2000 年，学校决定恢复校名为北京市中关村中学。

2001 年，北京市开始实施示范高中建设工程，5 年内将创建 60 余所高中示范校。借课程改革的东风和北京市示范学校建设的契机，我校领导班子迅速作出反应，提出了新的发展目标，将中关村中学建成“环境优美、设施先进，管理有序、师资雄厚、质量上乘，在北京市有较大影响，全国有一定知名度的现代化、示范性、有特色的一流学校，把中关村中学打造成为中关村基础教育的知名品牌”。为深入推进“做一个堂堂正正的有骨气的中国人”的“校魂”，学校进一步丰富了办学思想、教育目标和“三项育人体系”。办学思想为：依法办学，以德治校，以学生发展为本，全面实施以培养学生创新精神和实践能力为重点的素质教育。为学生成为高素质、有特长、创造性人才打下坚实的基础。教育目标为：培养品德良好、身心健康、有主动进取的人生态度、勇于探索的科学精神和实践能力的优秀中学生。“三项教育”的育人体系为：公民教育，侧重政治思想教育，培养爱国情怀。品格教育，侧重道德品质教育，培养文明习惯。素质教育，侧重综合技能教育，培养生存能力。

2000—2003 年，学校一心一意瞄准目标，共谋示范校大业。举全校之力，团结一致，强化为学生服务的意识，创新体制，健全制度，建设队伍，加强校园硬件建设，全面推进课程改革，提高教育教学质量。2003 年，中关村中学创办市级示范高中校成功，在学校发展上具有里程碑的重大意义，说明我校的办学质量和优质品牌得到了市区教育主管部门的认可。示范校的申办成功，为学校的发展插上了腾飞的翅膀。中关村中学这只羽翼逐渐丰满的大雁，自由地翱翔在北京市基础教育的广阔天空。

（四）寻找第二发展曲线，追求跨越式发展（2005—2010）

事物的发展是波浪式的，在发展过程中，需要不断寻找发展的第二曲线，即发展的正确方向和跨越式发展的长远愿景。2005 年，学校领导班子决定梳理中关村中学的办学价值体系，凝练学校的优秀文化，总结、提炼中关村中学学校文化特征、价值取向和奋斗目标。经过全校师生历经一年的努力，完成了《中关村中学学校文化建设纲要》，重新修订了《中关村中学管理制度》，形成了师生共同传承和遵守的共同追求和价值导向。同时，学校对办学方向、办学理念、教育目标和办学方略进行了系统地界定和规范。

办学目标：建设环境优美、设施先进、管理有序、师资雄厚、质量上乘、在北京市有较大影响、全国有一定知名度的现代化、示范性、有特色的一流学校，把中关村中学打造成为中关村基础教育的知名品牌。

办学理念：营造宽松和谐的教育氛围，创造适合学生发展的教育，编织学生成长成才的摇篮，搭建教师发展的广阔舞台，实现学生、教师、学校同步发展。

教育目标：培养品德良好、身心健康、有主动进取的人生态度，勇于探索的科学精神和实践能力的优秀中学生。

管理理念：科学、民主、务实、高效。

学校校训：崇德、尚礼、笃学、求真。

崇德：发扬传统，传承美德，以崇敬之心遵从思行规范，砥砺意志品质，做品行高尚的人。

尚礼：倡导文明，尊崇礼节，以谦逊之心提高自身修养，滋润涵养心灵，做习惯优秀的人。

笃学：谦虚严谨，刻苦坚韧，以进取之心学习文化知识，致力研究创新，做勤奋好学的人。

求真：尊重规律，勇于探索，以执著之心追求科学真理，领悟人生真谛，做务实高效的人。

学校校风：文明、诚信、勤勉、奋进。

学校教风：敬业、爱生、合作、创新。

学校学风：乐学、好问、勤思、博览。

图 2－1　中关村中学校徽

校徽：北京市中关村中学校徽整体呈圆形，分上下两部分。上半部分为腾飞图。在头雁的引领下，整齐的雁阵翱翔在广阔而又平静的海面上，它象征着中关村中学在新时期的跨越式、高水平的发展。中关村中学就是那雁阵，在党和国家的领导下，发展腾飞；学校的全体教职工就是那雁阵，在学校领导的引领下，求索创新；全校师生共同组成了那雁阵，学生在教师的引领下，成长成才。无垠的大海象征着和谐、安定、繁荣的新时代，它为我们提供了自由翱翔的空间。下半部分为育才图。此图既如园丁用双手呵护成长中的幼苗，象征着中关村中学人的教育品格，崇德尚礼，敬业爱生；又如手捧启卷之书，象征着中关村中学人的学习风尚，笃学慎思，博采众长。校徽的上下两部分同时构成一个有机的整体，一双坚实的双手托起飞翔的雁群，象征着中关村中学人用双手托起飞翔的梦，用大智慧与大勇气成就辉煌的明天。

校歌：

托起明天的太阳

——中关村中学校歌

1 = C 或 ^{b}B = $\frac{4}{4}$

李幼容 词

♪ = 116

铁 源 曲

亲切，自豪地 （齐唱、合唱，也可独唱）

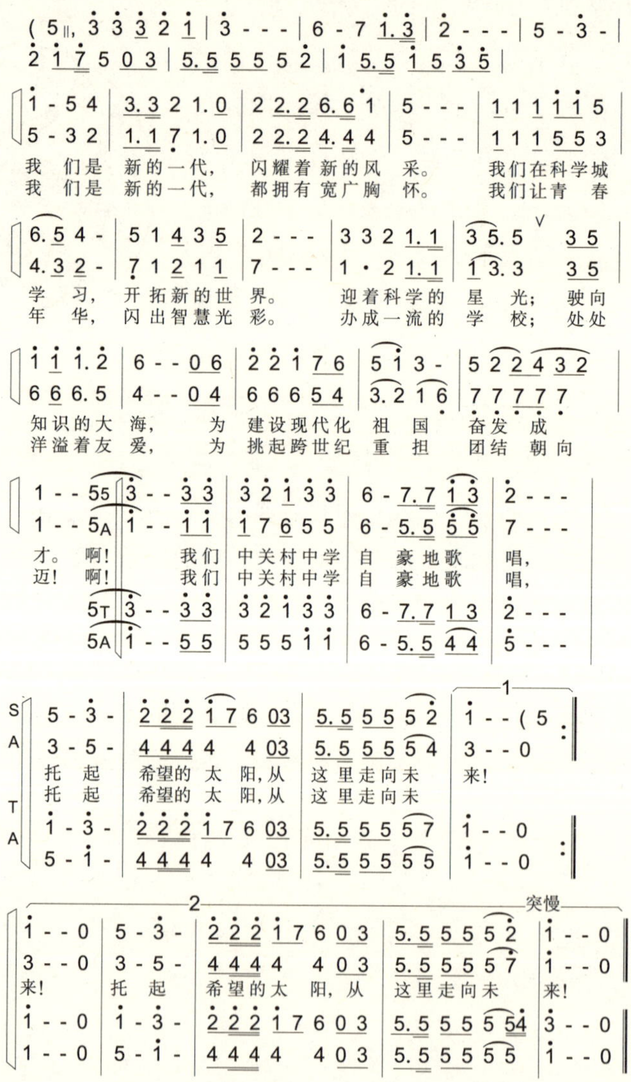

校庆日：每年10月8日。

办学价值观的梳理，激发了教职工昂扬的斗志，聚焦了努力方向，指导了工作策略，在“十一五”期间，学校寻找到了第二发展曲线，走传承创新中关村中学优秀文化的内涵发展之路，实现了跨越式发展。

二、学校文化引领发展

共同的价值观是学校凝聚人心、激发活力的源泉，是一所学校提升管理水平、促进高水平发展最核心的动力，深层次、高品位的文化引领往往决定着学校改革与发展的水平、层次和前景。我们需要厘清价值追求，以文化引领发展。学校以《中关村中学学校文化建设纲要》为依据，通过学习、研讨、反思、实践、提升等方式和渠道培植学校优秀文化。

核心文化是一所学校共同价值观中最核心的部分，是一所学校获得成长和发展的优秀个性品质，是学校区别于其他学校的精神底蕴和“胎记”。在学校规划和实践中，我们着力于“培养什么样的人”和“如何培养人”的核心问题，归纳出最具中关村中学特色的五项核心文化，即自强文化、红色文化、拼搏文化、生本文化和同步文化。

（一）自强文化：以勇立潮头的气概主动发展自我

在中关村中学30年的发展历程中，我们积极倡导文化自觉和文化自信的精神，顺应时代的需要，抓住发展的机遇，以勇立潮头的气概，自强不息，主动发展自我，在关键的时刻做正确的事。

20世纪80年代初，在中关村电子一条街兴起、电脑人才匮乏时，学校大胆创办微电脑职业高中班，在北京市计算机比赛中获团体第一的好成绩；1986年，《中华人民共和国义务教育法》颁布后，学校及时调整办学方向，由探索办“职高班”转向办“完中校”，使学校步入高质量发展的快车道；在课程改革如火如荼的日子里，我们主动探索，2011年，成为了国家级特色高中项目实验学校，抓住了“十二五”期间学校再发展的重大契机。

（二）红色文化：用爱国情怀和高尚情操浸润心灵

文化是民族的血脉，是人民的精神家园。传承中华优秀文化是中关村中学的优良传统，我们从建校起，一直善用中华民族的优秀文化滋养学校和师生，用爱国情怀和高尚情操浸润师生心灵。我们以“恩来精神”和“院士文化”为主题，学习周恩来精神风范，“为中华之崛起而读书”，用科学家的爱国情操和献身科学的精神教育激励学生，弘扬社会主义的主流文化价值观，培养学生爱国、立志、责任、勤学、敬业的情怀，培养他们坚定的理想信念、崇高的精神境界和良好的道德修养。

为了寻找到“做一个堂堂正正的有骨气的中国人”的教育载体，1999 年，我校创办了北京市中学中的第一个“周恩来班”，开展了申办“周恩来班”、师生评选“周恩来奖章”等活动。2010 年，撰写出版了《院士的故事》，以感受伟人的人格力量，激发学生树立远大志向。我校挖掘红色文化的育人潜力，创立了在首都和全国有影响力的中关村中学的德育特色和品牌。

（三）拼搏文化：以爱拼才会赢的激情迎接机遇与挑战

拼搏才会赢的信念，伴随着学校每一步的成功、发展和跨越。这是一种积极的人生态度，闪烁着理性的工作智慧；这是一种教育理想的追求，承载着学校的使命与责任；这是对自我的信任，满怀激情迎接挑战和机遇。任联卿、段兴起和邢筱萍三任校长，都以率先垂范、勇于拼搏著称。任联卿校长创办学校，以鞠躬尽瘁、殚精竭虑的榜样激励着广大师生；段兴起校长以校为家，“拼命三郎”的别号享誉普教；邢筱萍校长以勤于学习、锐意进取和敢于迎接挑战的精神受到教职工的好评。

我们始终认为“家大才能业大”，三任校长以愚公移山的精神，积极争取，不断拓展校园和扩建校舍，为申办市级高中示范学校奠定了物质基础。

2000 年，北京市规划和建设市级示范学校，要求申办校的办学历史在20年以上，而我校仅为18年，值此“红线”困境，邢筱萍校长以学校优质的办学成绩据理力争，并以“办不成示范学校我引咎辞职”的军令状，团结带领全校师生成功申办了高中示范学校。

（四）生本文化：立足学生的一生幸福和终身发展

以学生的发展为本，学校工作要立足学生的一生幸福和终身发展，传承“学生的成长就是学校的成功”的理念，让学生在校能快乐地学习，不断提升学生的综合素质，以学生的潜能得到最大的发挥作为最终的教育目的，为学生全面、和谐与健康的发展奠定坚实的基础。

经过多年的实践，在大课程的背景下，学校研发了生本文化的框架，即“一体两翼”框架。一体为做一个堂堂正正的有骨气的中国人，两翼为科学素养和人文素养。同时，助推器为德育（恩来精神、院士文化）、课程、科技（创意思维、头脑奥林匹克、模型、智能控制、机器人、无线电测向、“VB 趣味程序设计”）、艺术（多元文化欣赏、京昆社、民乐团、舞蹈团、管弦乐团）、体育（篮球社、武术队、舞龙队、舞狮队、抖空竹队）、生活（家庭理财、历代服饰、服装设计、收藏、钓鱼、《周易》研究、演讲、阅读）、学生自组织社团（美术社、摄影社、街舞社、电视台、广播站、恩来诗社、团刊《枫》）。

（五）同步文化：追求学生、教师、学校的同步发展

发展需要和谐，和谐需要学生、教师、学校的同步发展。中关村中学要创造适合学生发展的教育，编织学生成长成才的摇篮，搭建教师发展的广阔舞台，实现学生、教师、学校的同步发展。

只要学生需要，学校就会创设学生成长的平台。学生喜欢武术，学校专门重点开发这一特长训练，武术队连续 16 年获北京市团体总分第一名；学生喜欢篮球，学校专门从专业队引进教练，高中男子篮球队获全国比赛亚军，北京市第一名。学校培养出了世界中学生跳高第三名的国家级运动健将赵宁、全国跳高冠军马蓓、北京市运动会男子 110 米栏冠军姜蒙、著名武打影星谢苗等优秀学生。

教师成长是学生成才的基础，高水平的教师队伍是培养高素质人才的关键。关注教师的发展，大力加强教师队伍建设，学校培养了一批以全国优秀教师和特级教师谭天静老师、全国青年音乐教师基本功“五项全能”第一名的肖生启老师、全国中学化学评优课一等奖的霍凤清老师等为代表的优秀教师群体。

学校办学质量迅速提高，规模也不断扩大。1996 年，我们兼并了清华园中学，成为海淀区第一所整合薄弱校的优质学校，2003 年兼并双榆树中学，2011 年，承办学院路中学。学校（含本部、清华园、双榆树三个校区）现占地 81 亩，各类建筑 4 万多平方米，成为了中关村地区 20 世纪 80 年代初创办的 5 所社区学校中，唯一冲出重围，跃升为北京市高中示范校的学校。

三、科学制定规划，推进学校持续发展

2011 年是国家“十二五”开局之年，国家和海淀区相继发布了《国家中长期教育改革和发展规划纲要（2010—2020 年）》和《海淀区“十二五”时期教育发展规划》，给学校带来了新的发展机遇，同时也面临着更为激烈的竞争和挑战。因此，我们的危机感和紧迫感更强了，必须要抓住机遇，迎接挑战，加快发展，把中关村中学办得越来越好。

我校现有办学优势，主要有以下七个方面：一是办学思路清晰，目标明确。“十一五”发展规划的实施，极大地提高了学校的办学水平和社会声誉，奠定了再发展的坚实基础。二是初步建成一支师德高尚、业务精湛、教育与管理思想先进、富于创新精神的优秀干部和教师队伍。三是构建了规范、开放、多元和科学的课程体系，在教育改革中提升了教学质量。四是形成了以“周恩来精神”、院士文化为主题的德育特色。五是艺术、体育、科技教育成果显著，形成了在全国和北京市有一定影响力的办学特色。六是形成了“学生为本，赢在拼搏”的共同价值观，以及科学、民主、务实、高效的管理机制，学校充满了积极向上、开拓创新的生机与活力。七是学校被批准为国家特色高中建设项目

试验学校，对促进学校的特色发展有很好的助推和提升作用。

但是，学校在发展过程中也存在一些问题和不足，特别是与市内外一些名牌学校相比，还存在一定的差距，具体表现为：第一、我校办学历史短，办学质量和水平与名校相比还有一定差距；第二，初中学生学业水平差距大，实施个别化教育比较困难。第三，高中生源呈现扁平化的现状，如何促进学生有个性、最优化的发展，需要进一步研究创新。第四，教师的教学研究能力需要进一步提高，在北京市乃至全国有影响力的名师和学科带头人数量不多。

（一）学校办学的指导思想

1. 指导思想

以邓小平理论、三个代表和科学发展观的重要思想为指导，贯彻落实十七届六中全会精神，以及《国家中长期教育改革和发展规划纲要（2010—2020 年）》《北京市中长期教育改革和发展规划纲要》《海淀区“十二五”时期教育发展规划》要求，培养高度的文化自觉和文化自信，践行“爱国、创新、包容、厚德”为主要内容的“北京精神”，增强不进则退的危机意识、改革创新的发展意识和争创一流的领先意识，以“创造适合学生发展的教育，搭建引领师生成功的舞台，办人民满意的教育”为宗旨，以育人为根本，以教学为中心，以改革为动力，以管理为保证，巩固发展原有成果，抓住时机，利用优势，扩大规模，加快发展。

育人为本体现在：确立“学生的成长就是学校的成功”的理念，立足学生的终身发展，尊重和关心每个学生，全面实施素质教育，坚持德育为首、能力为重，全面发展，注重学思结合、知行统一、因材施教，以学生为主体，以教师为主导，把促进学生主动、健康成长作为学校一切工作的出发点和落脚点。

改革创新体现在：坚持解放思想，推进重点领域和关键环节的改革，大力推进教育教学改革实验，创新人才培养模式。创造适合学生发展的教育，编织学生成长成才的摇篮，搭建教师发展的广阔舞台，实现学生、教师、学校同步发展。

提高质量体现在：树立科学的质量观，以提高质量为核心的教育发展观，建立以提高质量为导向的管理制度和工作机制，把教育资源配置和学校工作重点集中到强化教学工作、提高教学有效性、减轻学生课业负担、全面实施素质教育和提升教育质量的实践中，为社会培养出“具有民族精神、国家意识、国际视野和社会责任感，具有较高的科学人文素养，身心健康，有主动进取的人生态度，勇于探索的科学精神和实践能力”的中关村中学人。

2. 教育目标

培养具有民族精神、国家意识、国际视野和社会责任感，具有较高的科学人文素养，身心健康，有主动进取的人生态度，勇于探索的科学精神和实践能力的优秀中学生，做一个堂堂正正的有骨气的中国人。

3. 办学目标

建设环境优美、设施先进、管理有序、师资雄厚、质量上乘、社会满意、在北京市有较大影响力、全国有较高知名度的现代化、示范性的一流学校，把中关村中学打造成为中国基础教育特色的知名品牌。

（二）学校发展方略

1. 实施人才战略，打造优秀队伍

建设三支优秀的队伍是一个学校发展的人才保障。学校需要的是树立社会主义核心价值观，积极践行“北京精神”，争做“发挥首都全国文化中心示范作用”的建设者和示范者的教职工队伍，即建设一支年龄结构合理、专业化水平高、管理经验丰富、奉献精神强、富有人本意识、群众信任度高、凝聚力强的干部队伍；建设一支师德高尚、业务精湛、教育思想先进、富于创新精神的优秀教师队伍；建设一支乐于奉

献、吃苦耐劳、踏实肯干、热心为师生服务、为教育教学服务的职工队伍。我们从以下方面入手。

深刻学习、理解十七届六中全会的精神实质。宣传、践行以“爱国（核心）、创新（精髓）、包容（特征）、厚德（品质）”为主要内容的“北京精神”，力争使“北京精神”内化为广大教职工的价值认同和精神追求，成为贯彻落实北京精神的积极实践者。

大力加强师德建设。对教职工进行“三心三爱三育人”的教育。“三心”即事业心、责任心和进取心；“三爱”即爱事业、爱学校和爱学生；“三育人”即教书育人、管理育人和服务育人。

继续开展以“讲师德、讲责任、比水平、比贡献、看成效、看实绩”为核心内容的教育活动，提高教职工的师德修养，落实“敬业、爱生、育人”的各项要求，使全体教职工团结在中关村中学，拼搏在中关村中学，奉献在中关村中学，成功在中关村中学。

加强领导班子的思想建设和作风建设。加强干部的理论学习，坚持民主评议干部制度，完善干部竞争上岗制度，形成激励竞争机制。有计划地安排校级干部参加轮训和系统进修，适当安排中层以上干部外出学习、考察，参加高水平的学术会议，接受新信息，拓宽新视野。鼓励和支持领导干部成名成家，校级干部都应成为所负责工作的管理专家，并在海淀区、北京市乃至全国有一定影响。鼓励干部对外进行经验介绍和交流。

加强教师队伍建设的规划、培训和评价机制建设。制订教研组发展规划及教师个人发展规划，通过专家引领、教学研究、教学基本功与学科素养培养，着重提升教师的专业意识和专业水平，形成教师发展梯队，提升教研组整体实力。通过专题报告、专家引领、研讨交流等形式，引导教师树立追求卓越的精神，创造条件帮助教师实现个人发展规划，以教师的发展促进学生、学校的发展。以“名师工程”和“青年教师培养工程”为抓手，为教师教学能力、研究能力向更高层次发展搭建平台，聘请专家对优秀教师进行一对一培养，为教师参加全国、市、区教学竞赛和学术交流创造条件，组织优秀教师赴国内外教育发达地区学习考察、开阔视界，进而打造教学名师和学科领军人才。完善教师发展性评价机制，建立多角度、多层次的教师发展性评价机制，从基本功达标、推门课质量、评教评学结果、教育教学效果、课题研究成果、获奖情况、继续教育完成情况等方面进行综合评价，充分调动教师的积极性，为教师的专业化发展创造有利条件，发挥评价对教师专业成长的促进作用。

2. 坚持科学规范，提升管理效益

坚持“以人为本，强化常规，依法治校”的理念，形成科学、规范的学校管理制度，营造民主、和谐的校园氛围，办人民满意的学校。借鉴企业 ISO9001 的成功管理经验，通过优化管理手段、规划评估体系、搭建管理信息技术平台等方式，提高管理质量和效益。创新方法、规范流程、提高效率，尽可能减少对教师、学生和教育教学形成干扰的无效环节。

依法治教治校。进一步落实《中华人民共和国劳动法》《中华人民共和国教育法》《中华人民共和国义务教育法》《中华人民共和国教师法》《中华人民共和国未成年人保护法》和《中华人民共和国预防未成年人犯罪法》等法律法规。加强制度建设，防患于未然，强化法制教育，严格学校管理。树立和强化质量意识、精品意识和发展意识。质量意识，即“教育质量是学校工作的生命线”和“靠教育质量求生存、求发展”的意识；精品意识，即“做工作要高标准、严要求、精心、精细、出精品”的意识；发展意识，即“不发展被淘汰，小发展会落后，大发展创名校”、“发展才是硬道理”的意识。

依法维护学校及师生员工的合法权益。及时修订教职员工的评价考核和绩效工资分配方案，建立充分体现“多劳多得、优质优酬”的激励机制，调动教师工作积极性。加强民主建设，推进民主管理，充分发挥党组织的政治核心作用和教代会的民主监督作用，推进校务公开，通过教代会、党政工联席会议等形式，听取教职工的建议和意见，群策群力办好学校。坚持规范干部聘任、评议制度、公示制度，接受群众的监督和评判，推进干部廉政、勤政建设。完善、创新管理机制，加强聘任、激励、评价工作，形成良性内部管理模式，重视以人为本的“家”文化建设。领导干部要做“人本、合作、奉献、创新”的模范，严于律己，率先垂范，淡化身份，耐心倾听，走动管理。尊重、鼓励和支持教师的教育创新，尊重教师的自我发展，理解教师的合理诉求。

3. 推进课程建设，提升教学质量

完成高中特色发展试验项目，走内涵式、特色化发展道路。进一步推进课程建设，构建科学、开放、多元、凸显学校特色的课程体系。加强教学管理与研究，提升教学质量。确保中考和高考成绩在海淀区的领先水平。积极做好学生参加重点高校自主招生的基础性工作，重点关注高中年级入口和出口成绩的变化与提高。

加强课程建设。树立以课程建设为核心、全体师生共同参与的大课程观，围绕课程目标、课程标准、课程计划、课程管理与实施、课程评价等诸多内容进行建设。开齐、开足、开好国家、地方及校本三级课程，加强校本课程系列化、规范化和实效化的落实。整合教育资源，丰富校本课程。借助高中特色发展试验项目，重点研究教育资源的整合，多渠道、多方式整合校内外教育资源。聘请科研院所、高校的科学家、教授进入校园，开设校本课程，打造涉及科技前沿知识的高端课程体系。鼓励教师根据个人特长和学生兴趣开设选修课，研究大学先修课程的开设和落实。以“国家级高中特色课程项目校”和“非物质文化遗产的校园传承研究校”两个国家级课题为助力，进一步丰富选修和必修课程，拓展学生社团项目，明确学生科学素养评价指标，充分发挥评价对学生发展的有效作用，促进学生科学、人文素养的提升，为学生一生的幸福奠基。

细化教学管理，深化教学研究。完善教学管理制度，创新教学管理机制，实施人本化、科学化、规范化管理，提升教研组、备课组活动质量，形成学科教研特色。加强教学有效性研究，关注学生学习过程，开展课堂教学系列研究，形成“研究—实施—反思—再实施”的模式，探索适合不同阶段学生发展需要的课堂教学模式，推动常态课质量提升，构建体现现代教育理念、促进师生发展的生命课堂。加强作业、习题和考试的研究，真正做到减负增效。细化教学质量监控，加强教学常规管理，规范教学行为，定期对师生进行调研，对备课、课堂教学、作业、考试、教研活动等教学全过程进行有效监控与管理，切实减轻学生的课业负担。做好课堂教学和考试质量的监控和反馈工作，及时跟进，科学分析，提升效果。

4. 创新渠道方法，构建精品德育

宣传和学习党的十七届六中全会精神和北京精神，加强学生的社会主义核心价值观教育，培养学生弘扬中国文化、努力建设社会主义文化强国的使命感和责任意识。提高学生的精神境界和文明素养，引导学生成为“北京精神”的积极实践者。坚持育人为本，培养学生正确的情感、态度和价值观。强化养成教育，建设一流校风，突出德育特色，构建精品德育。努力开创德育教师队伍精良、管理网络顺畅、德育方法创新、德育途径广泛、德育效果凸显的新局面。

建立平等、尊重、关爱、理解、信任的班主任情感基础，倡导“发现闪光点、找准结合点、激发共鸣点”的工作方法。贯彻全员育人的原则，校园内人人都是教育工作者。通过多种教育形式，使全体教职工树立“学生教育——我的责任”的意识，弘扬严于律己、身正为范、精心育人、精于教育的德育精神。规范各类活动的流程、机制、预案和评估等工作，提高德育效能。梳理优秀德育文化，创新德育工作，固化德育成果，拓展、创新德育内容和形式，进一步提升学校德育品牌的影响力。

以班级文化建设为契机，推动班级整体水平的提升。通过提炼班级的发展目标、共同理念，设计班徽、班牌、班服，谱写班歌等形式，构建班级共同的价值观、关键成功因素、相关制度等主流文化理念。设立“班主任名师工作室”，吸纳一批热爱班主任工作、富有研究精神的班主任参加，将优秀班主任的经验给予提升、延伸和推广。

深入开展并创新“学习周恩来精神风范，为中华之崛起而读书”的系列主题教育活动，在师生中传承民族优秀文化，培育民族精神。充分发挥学校撰写出版的《院士的故事》的育人功能，开展院士精神研讨、“院士与我”征文等系列活动，用科学家的爱国情操和献身科学的精神教育激励学生。探究德育评价新方法，夯实学生成长足迹。执行学生综合素质评价制度，重视评价过程，创新使用学生手册和成长记录袋，促进学生健康成长。

5. 搭建成长平台，促进学生发展

培养具有民族精神、国家意识、国际视野、社会责任感，具有较高的科学人文素养，身心健康，有主动进取的人生态度，勇于探索的科学精神和实践能力的优秀中学生是学校的育人目标。为促进学生全面发展，打好素质基础，倡导学生要达到“五会”，即学会做人、学会生活、学会学习、学会健体、学会审美。遵循“学生综合素质较高、特长明显”的培养特色，坚持普及与提高相结合的原则，保持艺术、科技、体育中的特色项目在北京市处于领先水平。积极探索特长生培养模式，激励并促进有特长、有潜质的学生全面而有个性地发展。

抓好学生公民教育、品格教育和素质教育。公民教育的目标是培养“爱国情怀，做一个堂堂正正的有骨气的中国人”。品格教育的目标是培养“文明习惯，做富有责任感、创新能力、良好道德修养、科学文化知识丰富、强健体魄的一代新人”。素质教育的目标是“培养适应社会能力，突出科学素养的培养，做昂扬向上、自强不息的中关村中学人”。

组织学生走进著名高校和科研院所，让学生了解现代科技的发展，启发学生的创新思维，广泛开展科技普及和创新竞赛活动，培养学生的创新精神和实践能力。加强创新思维、模型、天文科技、智能机器人、无线电测向及定向、气象科技等社团建设，保持北京市一流水平，力争在国际、国内大赛中获得优异成绩。加强国际交流，增进与美国、澳大利亚、芬兰、新加坡等国家友好学校的互访交流，开阔学生的国际视野，增进对多元文化的理解。

保证学生每天锻炼一小时的活动时间和质量，提高学生健康水平，增强身体素质。普及篮球运动，通过组织各种规模和形式的篮球比赛，让每一个学生都能掌握篮球运动的基本规则和技能。将抖空竹、踢毽子、跳皮筋、舞龙、舞狮等民族体育项目引进到课外体育活动中，形成我校的民族体育特色。确保武术队、篮球队保持北京市一流水平，争取成为全国领先水平的学校。

坚持普及与提高相结合的艺术教育原则，广泛开展多种形式的群众性艺术教育活动，创造条件让更多的学生参加国内外艺术交流活动。我校金帆艺术团保持北京市一流水平，力争跻身全国领先行列，为高校输送优秀艺术特长生，为学生创造更多的国内外艺术大赛和交流的机会。

6. 抓住立校之本，深化教育科研

全面提升干部与教师的科研意识，树立科研强校、科研兴教、以科研求质量的观念，形成科研激励与评价导向的机制。创新和优化科研培训机制，加强科研骨干培养，实施分类分层培训，建设具有较高研究水平的科研团队。

创新和优化科研培训机制，构建科研培训课程体系，实施分层次、分阶段培训，聘请专家进行有针对性地、系统地指导和培训，提高教师的科研意识和能力，逐步形成一支科研意识强、研究水平高、引领作用大的科研骨干队伍。完善科研管理和激励制度，保证科研工作的顺利进行。

坚持“六个一”管理模式，即每学年组织一次课题审批、立项工作，进行一次科研论文评选，召开一次教育科研年会，开展一次科研工作评价，编印一本科研论文集，出版一本成果论文集，使教育科研的常规管理做到程序化、规范化和科学化。制定并完善教育科研成果考核、评比、奖励等制度，为课题研究提供经费支持，鼓励教师积极参与实验项目和科研课题，促使教育科研管理走向制度化和规范化。增加科研工作在教师专业发展考核评价体系中的权重，建立教师科研工作业绩与教师考核职评工作相关联的激励机制，促进教师研究能力的提升。

深化和拓展课题研究，提高课题研究的实效。以层次高、实效性强、影响力大、具有前瞻性的课题为龙头，全面带动教师参与课题研究，促进学校的发展，促进教师专业成长和教育教学质量的提高。推行以问题为导向的研究机制，达到以研究促进工作，以行动研究改进、完善工作的目的。

7. 践行以人为本，构筑幸福家园

坚持以人为本，关注教职工的身心健康和专业发展，营造民主、和谐、愉悦的校园文化氛围，努力把学校打造成教职工的精神家园。创新行政管理方式，形成办学依法、校务公开、用人灵活、管理民主的管理机制，营造和谐奋进的工作氛围。坚持全心全意依靠全体教职工办学的思想，落实和完善教师岗位合同制，依法维护、保障教职工合法权益。重视教职工的职业培训和专业发展，为教职工的岗位成才、建功立业提供平台和机会，促进各层面人员的专业成长。以爱凝聚人心，实施人本化管理。加大对优秀教师的表彰奖励力度，让教职工感受到团队的尊重和认同，提高职业成就感和幸福指数。关心、解决好教职工的身心健康、生活困难等问题，建设“相亲相爱一家人”的家一样的学校。

实施“目标管理”“层级管理”，强化岗位责任制。坚持以人为本和科学决策相结合，校长负责和民主监督相结合，集体领导和责任追究相结合的管理模式，形成结构合理、组织有序、信息畅通、协调高效、科学规范的管理机制。本着公平、公正、公开的原则，做到尊重选择、人尽其才、人尽其用。坚持学校发展和个人发展同步的原则，在政策允许范围内，提高教职工工资待遇。

继续规范干部聘任与评议制度，坚持选聘干部公示和民主评议干部制度，提高行政工作的透明度和公信度，促进干部的廉政、勤政建设。完善教代会制度，实施校务公开，保障师生知校情、参校政、督校事的政治民主权益。

开展丰富多彩的健康知识讲座、外出考察学习、艺术体育比赛、拓展训练等艺体活动，丰富教职工课余文化生活，营造温馨快乐、和谐幸福的工作与生活环境，提高教师的幸福指数。

8．拓展国际交流，推进国际理解教育

开展多种形式的对外交流，学习和借鉴国外素质教育的办学理念和模式，丰富和创新学校的课程体系和德育活动。积极开创国际交流活动的多种渠道，拓展师生的国际视野和跨文化交流的能力，推进国际理解教育。

在“多元文化欣赏”校本课程中，统筹安排关于国际多元文化、国际课程、世界未来能力需求、未来职业猜想等栏目内容，多角度、全方位介绍国际人才培养的发展趋势和方向，深入开展与新加坡义顺初级学院合作的“中国通识”项目研究，培养并锻炼学生的国际间合作探究的能力，提高学生的国际交流、合作与竞争的水平。

第三章

立德与树人：基于公民教育的体悟式德育

以历史的视角和价值观念变迁的维度来审视学校德育，不难发现价值观变革制约着学校德育的发展。政治、经济、文化等多元因素构成的生态环境，使得中国社会经历着新旧道德的冲突与过渡。思想分化的多样性，道德判断和评价机制的不稳定性，导致青年学生的公德意识淡漠，只专注于个人修养，即私德的完善与提高。因此，学校德育工作的实效性并不理想。

传统价值观念的变迁引发了我校从注重理论说教、教师主导作用和共性教育的传统德育中转型，讲求科学方法，尊重学生身心发展特点和教育规律，关注个性培养，注重学生主体作用，围绕“做一个堂堂正正的有骨气的中国人”的育人目标，我校确立了旨在关注学生终身发展的德育目标——教育学生拥有爱国情怀、正直品格、担当精神、创新意识。采用体悟式德育方法，通过基于榜样的观察学习、基于主题活动的直接学习和基于自我的反思学习这三种基本途径，以周恩来精神和院士故事创新德育素材，开拓德育领域，以信念教育体系、理想教育体系和人格教育体系稳步推进公民道德意识教育，培养学生学会做人、学会做事、学会学习、学会生活的本领，使他们能够传承中华民族的传统美德，提高觉悟，完善修养，具有高尚的情操和顽强的意志力，积极开拓，勇于进取，最终能担负起建设祖国的重任。

一、立德为本：学校德育工作的目标

（一）公私失衡，欠缺实效：学校德育工作的困境

德育旨在育人的美好品德。道德具有唤醒人的良知、协调人际关系和增强民族凝聚力的功能。道德既具社会性，又具个体性，是社会性和个体性在个人身上的统一。1902 年，梁启超先生在《新民说》一文中谈道：“人人独善其身者谓之私德。人人相善其群者为之公德。二者皆人生所不可缺之具也。无私德则不能立……无公德则不能团……”梁先

生将道德划分为公德和私德两个领域，公德指的是能够促进群体凝聚力的道德价值观，私德是指有助于个人道德完善的道德价值观。我国的德育传统与西方伦理思想发生了激烈的碰撞与冲突。这些不正常的道德现象以及社会转型时期特有的道德规范不定型的状况，在很大程度上影响着处于道德社会化关键期的中小学生，主要表现为急功近利，拜金主义、享乐主义、个人主义抬头，致使不少学生重自我，轻他人，集体主义观念较弱，不能摆正个人与他人、集体和社会的关系，奉献精神淡化，社会责任感减弱。很多学生视助人为乐、尊老爱幼、尊敬师长、礼貌待人等传统道德为不等价行为，缺乏社会基本道德。独善其身的私德在公共领域是被动性质的，没有公德的积极主动的建设，社会是无法前进的。并非出于强迫的公共关怀，完全发自内心的公共精神，是公德的重要特征和根本标志。心系国家、民族，对关系国计民生的公共事务积极主动地给予关注、参与，才是具有真正意义上的公德。

我校高度重视德育的作用，教师倾注了大量的心血，学生对一些“守则”和“标准”也耳熟能详，可是教育效果甚微，德育的实效性不容乐观。在新时期，公民公德与私德的严重失衡，给教育工作者带来了新困境，引发了对育人观念和方法的新思考。作为教育工作者，首先要正确认识学生，正确认识自己。学生是单一的教育对象，教师和家长仅以教育者的权威身份面对孩子的情况，成为多年来德育实效性欠佳的重要原因。社会在变，教师和家长在对孩子进行教育中单纯地扮演“教育者”的观念也要改变。与受教育者共同学习、共同探索，便会减少空洞的说教；而在平等、和谐、融洽的氛围中，互为约束、相互促进，才能使德育达到共同提高的目的。

（二）公私并重，务实为用：学校德育目标的完善

我校德育工作者清楚地意识到中学阶段是青少年成长的关键时期，是形成道德品质以及人生观、世界观、价值观的关键时期，这个时期的青少年具有极大的可塑性，对中学生进行公民道德素质培养，将公德与私德并重建设关系着教育改革的成败。

面对思想道德教育的新形势，素质教育的新契机，我校围绕具有学校特色的“做一个堂堂正正的有骨气的中国人”的育人理念，与时俱进，精雕细琢，在教育实践中，不断摸索修正，最终总结出旨在关注学生终身发展、强调公共维度的德育目标——教育学生拥有爱国情怀、正直品格、担当精神、创新意识，教会学生传承美德、砥砺意志、尊崇礼节、修身养性。

当前对学生进行公民理想道德建设的重要任务，就是一方面要加强学生的私德涵养，倡导文明，尊崇礼节，习惯优良并使私德推之于他人和社会，实现私德向公德的转化，这就是梁启超所说的“公德者，私德之推也”；另一方面，要加强学生的公德建设，培养爱祖国、爱他人、人格健全、遵纪守法的社会公民，并使公德内化为每一个学生的内在德性，实现公德向私德的转化。通过公德与私德之间的这种相互转化，我们相信，公民理想道德建设将不仅有利于学生自身私德的修养和品质的砥砺，而且有利于整个社会文明程度的进步和整个国家公德水平的提高。

二、注重体悟：学校德育工作的思路

（一）健全的德育制度

1．组织机构健全

我校历来注重对学生道德品质的培养，强调通过各种德育途径让学生形成良好的公民素养。学校德育组织机构主要是：以校长为首，对学校德育工作进行全面领导；副校长协助校长，全面实施各项德育工作；德育处主任负责具体管理工作；年级主任、班主任作为年级、班级德育工作的组织者，对年级、班级德育工作全面负责。健全的组织机构，是德育活动有效开展的保障；明确的层级管理，是形成良好德育效果的有效途径。

2. 德育工作全程管理

德育的全程管理包括制订德育管理工作计划、德育工作的组织实施、德育工作过程监控和德育工作的反思提升四个有序的连续过程。

德育管理工作的计划。根据德育大纲要求，从学校的实际出发，遵循制订计划的原则，制订出德育管理工作的指导性计划。德育工作计划从时序上可分为学年计划、学期计划、月计划；从内容上要具有高、中、低层次，对不同年龄段应有不同的要求。从德育工作的承担方面有共青团、少先队、学生会、班级等部门计划，各个部门都有明确的工作目标，使全校德育工作管理形成规范的德育工作体系，保证德育工作有序、高效。

德育工作的组织实施。为了实现学校德育的总体目标，在学校领导的统一指挥下，按照各自的任务和责任，落实各个部门的德育工作，做到定职、定责、定人、定时，实现各司其职、各尽其责的有序管理。

德育工作的过程监控。德育工作检查是实现德育目标的重要手段。它是根据德育计划中规定的目标要求和任务，检查德育管理工作的执行和完成情况，及时发现问题，获得反馈信息，并根据德育工作中过程监控结果进行分析，找出德育工作中存在的问题和影响德育质量的因素，并及时加以调控，提出有效控制措施，使德育工作能按照既定目标正确运行，确保德育目标的实现。

德育管理工作的总结与评价。德育工作管理的总结过程有承先启后的作用，通过总结，找出成功的经验和失败的原因，一方面为德育管理工作评价提供依据；另一方面又是制订下一个周期德育工作计划的依据。

3. 德育工作例会制

我校是完全中学，拥有92个教学班，近4000名学生。庞大的学生群体给德育工作带来诸多困难，如何有效传达上级德育要求，落实德育目标，这是摆在我校德育工作者面前的一个难题。

德育工作例会制的形成，很好地解决了以上困扰，每周一在校行政会工作布置的基础上，德育处干部、教导员先行根据上级要求讨论形成本部门一周工作思路，于周二组织年级主任进行细化、讨论，结合各年级学情特点完善一周德育工作方案，然后由各年级自主选择时间，召开年级班主任例会，布置和深化德育工作要求。

例会制度既保障了各项工作的推进和实施，同时也给各年级提供发表见解、改进方案的机会。这项制度的实施，使我校各项德育工作能够有序而切合学生实际地开展。

4. 德育培训系列化、多样化

为更好地引导班主任认真思考和分析当前班主任工作所面临的问题与挑战，更新班主任的教育理念、完善职业道德、学习基本理论、提高岗位技能、培养创新精神，帮助班主任提高实施素质教育的综合能力和实际工作水平，造就一支师德修养高、业务素质精、爱岗敬业、爱生奉献，具有一定科研能力和新时期课程改革需求的班主任教师队伍，我们非常重视培训工作。我校一方面结合本校的德育工作情况，确定学期培训主题，形成系列培训；另一方面，还通过专家引领、专题研训、合作分享、探究交流等多种形式对我校教师进行培训。

我校德育培训工作采用以下多种形式。

专家引领：聘请专家开办讲座，提升教师教育理论水平。

研讨交流：开展班主任沙龙活动，促进班主任之间的交流。

经验分享：通过班主任师带徒、工作案例分析、工作心得感悟等形式，达到学习、分享经验的效果。

实践操作：主题班会展示，在实践中落实理论学习成果，提升个人业务水平。

学习考察：走出校园，拓宽视野，学习不同学校的宝贵经验，更新德育理念。

（二）体悟式德育模式

通过调查学生思想品德现状，我校发现：随着中国社会由计划经济体制向市场经济体制的转变，社会主义市场经济体制的逐步确立，中学生的价值观念也在发生着深刻的变化。学生整体价值体系呈现出现代性价值与传统性价值并存，以现代价值观为主导，传统价值观弱化，并伴有价值取向偏激的倾向。他们不崇尚权威、喜欢民主决策，在班级管理中学生的独立性和自主性增强；学生虽然观念上承认“合作”，但在行动中不能做到与人合作；注重个性自由，不愿受纪律约束。在问卷调查中，我们发现诚信在市场经济条件下得到弘扬。敬业、勤奋、奉献、遵纪守法认可度低。在生活中，学生常常表现出对传统性价值的认识与行为的脱节。调研说明现代中学生缺少远大的人生理想和目标，享乐主义的思想在他们中很有市场。

针对新时期的新问题和新变化，我们如何提高德育工作的实效性和针对性？我们在反思和思考：公民教育是为社会主义培养优秀公民的，是道德建设的基础环节。教育就是要以人为本，注重人的全面和谐发展，注重尊重人的权利，注重培育生动活泼的个性，注重受教育主体人品的养成。权威教育已经不适合时代的需要了，要尊重学生的个性和人格，与学生进行民主、平等的交流，不断地寻找学生的闪光点，充分肯定，积极表扬，变理性的说服式教育为感性的体悟式教育，不断关注学生的发展，积极为学生搭建舞台，引领其走向成功。

我校认为，只有贴近需求，凸显自主性，为学生提供广阔发展和选择空间的德育，才是最具有感染力的德育；只有贴近生活，凸显实践性，强化学生道德体悟的德育，才是最具有亲和力的德育；只有贴近实际，凸显主体性，实现学生自管自育的德育，才是最具有生命力的德育。学校德育工作创新的基本思路要按照科学发展观的要求，由目标大、方法老、课内虚、课外淡、实践弱、评价浮的倾向，向贴近学生实际需求转变，向促进师生共同进步转变，向综合评价德育效果转变。

通过长期实践，我们摸索出适合我校学生学情的三个基本途径，即基于榜样的观察学习、基于主题活动的直接学习和基于自我的管理教育。在实践这三种德育模式的过程中，我们采用渗透、启蒙、体悟、点化、净化、升华等手段，达到良好的育人效果。这种思路下的德育工作，才具有魅力，才能最终实现长足进步与和谐发展。

1. 基于榜样的观察学习，形成德育感染力

列宁认为榜样的力量是无穷的。榜样可以引领青少年健康成长。利用榜样的模范行为、先进事迹，形象地感染学生的心灵，使学生产生崇敬之心，达到教育预期目标，这是榜样育人作用的真正实现。借助榜样力量，促进学生良好道德行为和习惯的产生和形成，把深刻的政治思想原理、抽象的道德规范具体化、人格化，充分调动学生的道德认知和道德情感，使德育工作富有形象性和感染力。

（1）学习伟人风范，在精神层面引领学生。我校长期以来一直将“恩来精神”作为榜样教育的切入点，从最初“周恩来班”的评选，到开展“知伟人、学伟人”活动，了解周恩来，学习周恩来，用周恩来的志存高远、淡泊名利、无私奉献的精神感染学生，净化学生心灵，为学生树立一个精神领袖，让学生在心中树立一个学习的榜样与楷模。

进而，随着活动的进一步开展，我校在评选“周恩来班”的基础上，将视角由集体转向个人，开创性地在学生中设立了“周恩来奖章”，这成为中关村学子的最高个人荣誉。

在学习、争创的过程中，谦逊、无私、奉献等精神自然浸润了学生的心灵，潜移默化地影响着学生的言行。由“周恩来班”到“周恩来奖章”，奖项的设立由集体到个人，精神层面的引领既有高位引领，又不让学生觉得高不可攀，身边同学的获奖让学生更感到榜样的学习是切近的、可触可感的，是通过自己努力可以达到的。这样，使每名学生有了奋斗的原动力。

（2）善用奖励机制，多角度肯定学生。学校德育目标必须坚持党和国家的教育方针的要求和方向，必须符合国家培养人才的需要。但这还远远不够，因为只有方向而没有动力，无法推动德育的实践前进。只有建立了激励机制，才能真正使目标转化为动力，才能诱发学生的道德动机，使之表现出坚定的道德意志，最终实现道德的自我完善。在这一思路指导下，我校扩大了奖励范围，加大了奖励力度。在常规三好学生、优秀学生干部、优秀团员、优秀班集体、先进班集体的基础上，我校又结合不同学情，配合不同学段特点，从集体到个人，多角度多层面地设立奖项，例如集体奖项我们设有“眼保健操先进集体”“课间操先进集体”“入场式创意奖”等；个人奖项有服务之星、勤学之星、跃进之星等。多角度多层面的奖项给每个学生获奖的机会，让每个学生在获奖的过程中获得成功的体验，同时力争挖掘每个集体、每名学生的优点与长处，使学生个体、班级整体有展示的空间，从而形成“人人争先，班班创优”的德育新局面。

2. 基于主题活动的直接学习，形成德育亲和力

德育目标是社会对人的道德品质的要求，它具有明确的方向和目的。但如果只考虑社会对人的道德品质的要求，又是不全面的。况且，离开了个体的道德需要，也难以真正满足社会的需要。在此前提下，我校紧扣时代脉搏，积极开展丰富多彩的校内外文化活动，让学生成为活动的主体，搭建学生个性发展的平台，提供学生交流合作的机会，从而有效地引导学生树立正确的世界观和人生观。因而，我校在贯彻实施德育目标时始终秉承既符合社会发展又符合学生需要的原则，兼顾学生在不同发展阶段的品德发展需要，以达到学生的需要同教育工作者期望值相一致，与社会发展相一致的效果。

（1）信念教育体系。通过学校教育，让学生爱国、爱党、爱校，形成自己的正确的人生观、价值观，提高道德意识，这是我们的出发点。围绕这一教育体系，我们先后开展了“诗言少年志，情系周恩来”“红歌嘹亮唱祖国”“我与祖国共奋进”“以经典为友，与大师对话”等主题活动，通过这些亲身参与的主题教育活动，学生有触动，有感悟，空泛的辞藻变为可感的形象，学生更乐于接受。

（2）理想教育体系。中学阶段是青少年形成价值观、人生观的重要时期，为让学生树立远大理想，我们结合不同学段学情，开展德育活动。初中阶段以启蒙教育为主，让学生通过活动初步形成人生理想，并引导学生思考如何做才能达成理想。围绕这一初衷，我校开展“青春誓言”活动和“阳光计划”活动；高中学生思维活跃，视野开阔，教育就不能仅仅停留在理想树立的初级阶段。“人生规划”主题教育活动为学生点亮了心灯，以遵从学生需求为出发点，老师适时的引导、点拨甚或细节的干预，使学生在高中阶段完成自己理想的启动、推进和强化的过程，为其将来更好地融入社会、适应时代需求提供保障。通过以“誓言伴我一生情”为主题的高三成人仪式等责任意识教育活动帮助学生明确自己的社会角色，成长为有担当的人。

（3）人格教育体系。具有健全的人格是学生成为一个社会人的重要前提，现代德育已经不仅仅局限于让学生遵守规章制度，更多的是让学生获得健康、健全的个性，因而，在我校德育教育中人格教育是重要环节。学校通过感恩教育月、毕业典礼等形式，让学生学会感谢父母、师长、朋友、社会，并用行动回报他人，从而培养学生的感恩之心。校红十字会广泛宣传红十字精神，定期培训会员，开展各类奉献他人、服务社会的活动，从而培养学生的博爱之心。学校注重学生礼仪培养，从优雅大方的外在仪态、言行举止中传递出高雅的内在修养，从良好的日常习惯中体现良好的道德风尚，从而培养学生的尚礼之心。学校更加注重学生的身体健康全面发展，关注学生体质健康，通过体育锻炼培养学生坚强的意志，刻苦的精神。同时也更加重视学生的心理健康情况，开设心理工作室，组织心理培训、开展心理健康周活动等，从而培养学生的健康之心。

3. 基于自我的管理教育，形成德育生命力

学生是受教育对象，只有充分发挥学生的主体性，有效开发其潜能，实现其自我管理、自我教育，才能达到学校教育的高境界。所谓自我管理，就是指个体对自己本身，对自己的目标、思想、心理和行为等表现进行的管理，自己把自己组织起来，自己管理自己，自己约束自

己，自己激励自己。自我教育作为学校德育的一种方法，要求教师按照学生的身心发展阶段予以适当的指导，充分发挥学生提高思想品德的自觉性和积极性，使他们能把教师的要求，变为自己努力的目标。要帮助学生树立明确的是非观念，善于区别真伪、善恶和美丑，鼓励他们追求真善美，反对假恶丑。目前，我校学生在自我管理过程中逐渐成长，学生的自管自育文化逐步形成。

（1）学生的自我管理。德育管理工作非常繁杂，教师经常陷入管理的事务性工作中不能自拔，学生常常因为欠缺主体性而丧失自我管理与教育的动力。为了扭转这种局面，我校建立了一套以学生会为龙头，以年级为中心，辐射到每个班级和每位学生，以学生干部为管理主体，以过程评价为重要手段，以常规管理为主要内容的管理系统，完成从宏观管理到微观管理，实现学校的有序、和谐、健康发展。

为使管理系统能够自动有效运转，我校建立了三级学生干部体系。校学生会负责全校的学生社团及活动管理，年级学生会负责年级学生活动的组织和年级常规工作管理，班委会负责班级学生工作、班集体建设和小组合作管理。此体系充分发挥学生干部的主体作用，极大地提高了德育管理的效能。

我们认为，教育就是要以人为本，注重人的全面和谐发展，注重尊重人的权利，注重培育生动活泼的个性，注重学生人品的形成。只有凸显主体性，实现学生自管自育的德育；凸显实践性，强化学生道德体验的德育；凸显自主性，为学生提供广阔发展和选择空间的德育；以及贴近生活、贴近实际、贴近学生的德育，才可能是有魅力的德育。

通过学生两会，彰显民主平等，实现自我管理。德育的最佳状态是达到无为而治。通过多年的探索，已然形成以团委、学生会为切入点，通过学生自我约束、自我管理，形成更贴近学生实际生活的、最易于学生接受的管理模式。

每两年我校都会举行严肃、严谨而又富有创意的学代会和团代会，性格爱好各异的学生通过积极参与班级和年级海选，最终获得广泛支持的学生将走上演讲台，发表自己的竞选演讲。由各班、各支部选举出的代表将严格履行自己的职责和权利，为心目中最佳人选投上自己庄严的选票，由此产生新一届的团委、学生会。团委、学生会的委员们充分发挥学生领袖作用，一方面成为学生、学校间的桥梁，及时向学校反馈学生对学校管理方面的意见和建议，促进协调发展；另一方面，他们参与学校德育工作的常规检查和评比工作，对学生执行行为规范、起到督促和调整作用。

这种学生的自我管理体制最大限度地实现了管理的民主化、团体的平等化，以此促进学生养成自主管理、自我约束、文明行使权利、积极履行义务的习惯，逐渐形成一种共同协商、共同决策的团队文化，为学生走向社会奠定了良好的基础。

年级班委例会制是学生自我管理模式的新尝试。随着我校学生人数的增多，对学生自我管理的需求更为突出。不同年级不断尝试新的学生自我管理模式。初一年级推行班委例会制，给予学生干部参与年级、班级各项工作的权力，锻炼了学生干部的能力，提升了学生的主体意识，自我管理的模式也更利于学生接受来自于班级、学校的各项管理。这种良性循环的新模式将进一步开启我校学生自我管理的新途径。

（2）学生的自我教育。自我教育不是个人孤立地闭门修养，而是强调要结合实践和学生的活动来进行。要培养学生自我认识、自我监督和自我评价的能力，善于肯定并坚持自己正确的思想言行，勇于否定并改正自己错误的思想言行。

在不断推进新课改革的进程中，按照综合素质评价的要求，多角度、全方位地关注学生的成长与发展，让学生通过成长记录袋进行记录和反思，形成自我经验和自我感悟，达到学生自我教育的目的。这一做法非常符合学生才能公式，即才能＝天资×经验×体悟。

成长记录袋是学生进行自我教育的一条有效途径。根据教育教学目标，它有意识地将学生成长过程以文字记录或成果作品的形式收集起来，通过合理地分析与解析，展示出学生在学习与发展过程中的优势与不足，反映学生在达到目标的过程中付出的努力与进步，并通过学生的反思与改进，能够达到有效促进成长、激励学生取得更高的成就的目的。

我校从2007年开始推行市教委提出的“成长记录袋”计划。我校的成长记录袋设计精美，构思精巧。值得一提的是，为了帮助学生总结、反思和积淀，更好地达到自我教育的目的，我校的成长记录袋设有“提交说明专区”，学生可以将提交这份记录的心得、体会、感悟配放在旁边，让每个瞬间都有心灵的悸动，让每个足迹都有成长的思考和自我教育的意义。作为教育载体，成长记录袋发挥着它特殊的作用，体现着不可小觑的自我教育功能。

（三）丰富的文化生活

学生文化建设是校园文化建设的一个重要组成部分，也是班级自下而上发展的动力所在。注重学生文化建设，营造良好的文化气氛，对于学校德育工作的顺利开展，对于学生正确的世界观和人生观的培养，对于学生身心的健康发展具有特别重要的意义。目前我校学生文化生活丰富多彩，平台多样，形式创新，有利于张扬学生个性，拓宽学生视野，关注学生发展，寓教于乐，学生参与度高，收益颇佳。

1．特色社团：关注兴趣发展，提升综合能力

我校秉承“创办适合学生发展的教育，搭建引领师生成功的舞台，办人民满意的学校”的办学理念，在校党支部和行政会的正确领导以及教育处、校团委、学生会的精心策划下，利用地域教育资源优势，全面实施素质教育，开展了一系列丰富多彩、卓有成效的学生社团活动，使之成为我校推进素质教育的一个重要组成部分。

学生社团作为活跃在校园里的一种组织形式，已被越来越多的学生所认可和接受，成为校园课余生活有益和必要的补充。我校根据科学规范的管理原则，将特色社团与校本教研、校本课程开发相结合，其德育功能也越来越被重视。学校将社团的建设从课外活动的层面，提升到学校文化建设的高度，提升到大课程观的高度，使之具有鲜活的生命力，凸显了良好的德育效果。当然，随着社会的发展，新课程改革的逐步深

人，学校在德育校本课程的开发领域还要进行不断探索和实践。

目前学校有艺术、科技、体育等各类社团20余个，随着学校对各类社团教育的重视以及创新教育的实施，学生的发展有了更丰富的内涵。

2. 班级文化：张扬学生个性，凝聚集体智慧

班级文化具有无形的教育力量。它是学生受教育最直接、最重要的影响源之一，构建班级特色文化有利于学生的全面发展和个性的张扬，有利于整个学校德育工作的顺利开展，有利于提升学校形象，丰富学校内涵，凸显学校特色。因此，班级特色文化建设日益成为我校校园文化建设中的重点。

学生文化的微观体现在班级文化建设与营造方面。多年来，我校充分尊重学生个性发展的需要，早在2001年就制订了《班级文化建设基本要求》和《班级文化建设示范班的评选和奖励办法》，在班级主题文化建设、道德文化建设、制度文化建设、养成文化建设、特色文化建设上均提出了明确的要求。“周恩来班”的创建是我校班级文化建设的最高目标，与此同时，我校还为创设特色班级文化提供了广阔的平台，让师生去自由想象、设计和创造。

（1）营造家的文化，为班级凝聚寻找多种形式。学校提供多种平台为班级创造构建集体向心力、凝聚力的机会，从个性化班牌的设计悬挂，到班服、班徽形成学子情结，再到集体过班日、唱班歌，这些源自于学生心底的真实情感被这样富有人性化的教育点燃，在“班”的文化中，传达着一种爱与温暖、家与亲情的理念，它让每一个置身其中的孩子融于其中，感受着并非与生俱来却不可小觑的强大动力。班牌是鞭策，它让每个人认同大家齐头并进的方向；班服是活力，它让每个人都彰显青春无限的风韵；班徽是约束，它让每个佩戴者都会自觉端正行为；班歌是鼓舞，它让每个人都明白有梦就追的可贵；班日是凝聚，它让每个人都切身体会到归属感所赋予的荣誉与幸福。在这样的文化氛围中，教育从冰冷变得有温度，它熨烫在每个受化者心里，成为永久的良

善之种，随时开花、结果。

（2）渲染激励氛围，让班级文化走进善感之心。“高三的生活没有色彩”这句话深深触动了老师们的内心，我校高三朱军老师看到一篇文章《看树》后，想到人就应像叶子一样，要有一份面对现实的坦然，一份生长的坚毅，一份对外的温柔。而教师，尤其是班主任老师就是那一棵树。“一棵树也许滋润不了万物，但它能滋润自己的每一片叶子，养熟自己的每一个果子。他们脸上荡满欢笑，如一个个红透的果子。然后他们一个个把心贴紧树，紧紧地去拥抱那些树。”而学生们在与高三有关的日子中，收获的不仅仅是高考，是大学，更多的应是一份感动、一份感情、一份态度。因此，高三阶段朱老师带领学生在教室后面的白墙上设计了一棵绿色理想树。随着高三的进程，班级小树的叶子由“嫩绿”而变成“青翠”“深绿”“墨绿”，最终结出甜美的果实。班级小树在成长，学生也在成长、成熟。不断成长的“理想树”不仅使学生更有紧迫感，同时，让岁月踩上脚印流而不逝，把灰色涂染成五彩斑斓，在琐碎的点滴中学生沉淀着一份平静，增长了一份自信。

（3）鼓励学生创造，为学生成功搭建崭新舞台。学校应是学生成才的摇篮，我校积极搭建引领学生成功的舞台。现代教育的一个突出特点是培养有个性的人才，而不是批量生产的产物。在学校各方面表现突出的学生中，有一位以爱好文学著称的同学，他就是2008届学生刘宇隆。他认为“写作是写生活，写心情，是一种回答，一种回报，回答生活的难题，回报心情的给予”。多年来，他将自己写作的心血一直小心翼翼地珍藏，当学校知道他的特长后，帮助他出版了独立版权的作品《和自己去旅行》，书中描写源自心灵深处的呐喊，源自心灵深处的情感，源自智慧静处的思索，一切皆为日常所得，真诚地秉笔而书，让写作回归到生活中来，让文字回归到真善美中来。

此书的问世，不仅对刘宇隆是一种鞭策和鼓励，更重要的是此举点燃了所有像他 样有才华的学生的希望，启示他们只要人胆实践，艰苦奋斗，自信地展现出真才实学，终有一天会美梦成真，学校将为每一个优秀学子搭建展现个性的舞台，帮助他们收获成功。

3. 才艺秀场：丰富学生生活，促进多元发展

我校在办学过程中始终树立一个理念，真正培养素质过硬、能力出众、学有所长的新型社会人才。励精图治的30载中，学校从没有间断过对素质教育的追求。在此期间，我们不断探索，创新活动形式，试图通过开展丰富多彩的文化活动，来锻炼学生的能力，拓宽学生的视野，展现学生的才艺，帮助学生更广泛地了解社会，更深刻地认识自己，从而发觉自身的闪光点。例如，校园电视台播报学生身边的故事；各种才艺秀，发现身边的明星，挖掘学生的才艺；校刊、团刊、年级刊物、班刊为学生倾吐成长的心语提供空间。

4. 修学旅行：打开人生视野，搭建友谊之桥

教育家陶行知说学生要知行合一，知识与实践相结合。“读万卷书，行万里路”更是告诉我们实践的重要性。孩子只有走出去才能开阔视野，融会知识，点燃激情，结交朋友，提高能力，丰富人生。学校地处中关村高科技园区，在教育全球化背景下，高呼培养国际型人才的今天，学校尤其要跟上时代发展的步伐，努力给孩子们创造参与实践的机会，搭建他们了解世界的平台。所以学校从1997年开始就陆续与美、澳、日、德等国的学校展开交流。

特别是2003年以来，学校与美国、澳大利亚的多所学校建立了友好关系，每年都开展学生赴美、赴澳交流活动，同时也接待对方学生来校交流，这些交流我们都是采取学生除参观访问国的文化景点、知名大学外，还要入住当地人家庭，进入友好学校学生课堂，进行广泛而有深度的交流。至今我们大约组织了上千名学生出访，也接待了近百名外国来访学生。

这可以视为我校在培养国际化公民方向上的一些尝试，事实证明，这种尝试收到了良好的效果。学生在这些活动中不仅开阔了视野，收获了知识，更为一些学生开启了新的人生方向。2006年，我们组织学生赴澳访问，一名高二的学生自编自导了一个影片。这个孩子当时有些心

理问题，为此之前还一度休学，当我校组织报名去澳大利亚的时候，他爸爸特意来咨询。学校多方考虑觉得如果能发挥他的特长，交给他一些任务，或许能满足他的成就感，建立起自信。果然，在我校辅导老师精心安排下，整个行程中，这个孩子不仅协助老师管理低年级同学，且全程认真拍摄记录活动，回来后在家长的支持下，完成了《我们的故事》的编辑制作，在学校播出后，反响很大。2007 年寒假，该生以此片参加北京电影学院的自主招生考试，考取导演系。

学校不仅关注学生走出去，还注重引导学生通过对走进来的外国学生的接待、交流活动获取知识，形成了特有的游学文化。例如在 2009 年 1 月 4—11 日芬兰欧拉里中学 19 名师生访问我校。据芬兰教师称这是该校第一个访华团。芬兰孩子因受欧洲媒体影响，对中国印象不好，而在他们离开北京前向我们表达的是他们的访问时间太短，中国让他们感到震撼！他们还会再来中国！同时，我校接待学生也感受到芬兰学生带来的异域文化，英语口语水平也得到了极大提高。

我校还与新加坡义顺初级学院开展合作研究，共同完成研究课题“中国新型农村合作医疗制度实施现状与分析”，中新学生一起学习“如何建立网络交流平台”“如何查阅文献资料”“调查研究方法”“如何撰写论文”等理论课程，深入平谷金海湖镇、海淀四季青乡开展问卷调查、访问农户。2009 年起，我校学生连续三年参加新加坡义顺初级学院举行的“中国通识”研讨会，交流他们的研究成果。

我校的游学活动充分考虑了我校的生源特点，通过精心设计，巧妙引导，给学生提供了新的舞台，让他们尽情舒展自己的才华，更广泛地接触社会，接触世界，深受学生和家长的好评，形成了有特色的学生文化。

（四）构建多元联合的德育模式

对青少年的教育，学校教育应该发挥主导作用，同时指导家庭教育。现代德育发展愈来愈注重家庭、学校、社会相结合的教育，为学生成长营造大的氛围与环境，形成以学校教育为核心的学校教育、家庭教育、社会教育“三位一体”的教育网络，共同完成对未成年人的教育工作。

德育是一项系统工程，它是由学校各部门、各方面、各种力量组成的相互联系相互制约的整体。在实施德育工作中，要树立全员德育观念，从全局出发，统一指挥，把学校各种渠道、各方面的力量、各种有利因素都统一到为实现德育目标的轨道上来，充分发挥德育的整体功能。学校德育不是孤立进行的，它要寓于各学科教学之中，在各门学科知识的传授中有针对性地对学生进行思想教育、道德品质教育，充分发掘教材自身的教育性，把思想教育、道德教育、人生观、世界观的教育与教材内容有机地联系起来，既让学生获得了知识，又提高了他们的思想道德素质。学校团、队、学生会是思想品德教育工作的得力助手，是沟通学生思想的桥梁。我们主要借助团委、学生会、社团等达成德育目标的实现。

课外和校外活动是学校德育的重要途径之一，它具有实践性、灵活性、生动性和多样性等特点，能促进学生道德品质的养成，有利于学生道德行为的巩固、提高与检验。为此，学校充分利用周边资源，组织开展各种课外和校外活动，通过科学的安排，提高课外和校外活动的德育效果。

家庭与社会是学生思想道德教育中不可替代的力量，在学生思想道德教育的过程中，参与其中的力量很多，家庭、父母是孩子的第一位教师，良好的家庭教育是学生成长的良好基础。要取得思想道德教育的良好效果，必须加强与家庭和社会的联系。

我们尝试通过学生的主体参与以及社会实践的中介作用，将学校教育、家庭教育和社会教育融为一体，整体构建“三位一体”的大德育。我校结合社会大课堂，合理开发和利用社会资源，组织学生社会实践和考察参观，丰富见闻，开阔视野，激励学生立志为中华之腾飞而有所作为。学校从低年级就开始开办家长学校，成立家长委员会，向家长传授科学先进的教育理念和教育方法，以便家长配合学校做好学生的教育工作。

三、追慕高远：学校德育工作的实践探索

（一）信念教育体系

信念是人们在实践生活中形成的、建立在一定的认识和经验基础上的、对某种观念和理想坚信不疑并身体力行的精神状态。信念在人的主观精神世界中居于核心地位，起着主导和统领的作用。信念坚定的人精神世界才会丰富，整体素养才会提升。信念是理想的基础和支撑。

现代社会越来越多的人淡化信念，重视物质利益。在社会不断开放的大背景下，许多学生呈现信念多元化甚至迷失的现象，价值观越来越功利化。教育的过程，不仅是理性知识积累的过程，更是改造人心的过程。信念教育是思想政治教育的根本内容。中学德育应该承担对学生进行信念教育的重要使命，帮助广大青年学生树立正确的信念，使学生不仅切实地了解中国共产党的领导，了解中国国情，更要在心灵上产生震撼和情感共鸣，促进学生公民道德的形成。我校的信念教育以爱国、爱党、爱校教育，学习伟人周恩来精神风范，学习院士故事为主要的形式。在提高学生思想信念修养的同时，发展其情感和意志，以实现人格的全面发展。

1. 爱国、爱党、爱校教育是信念教育的基础

爱国主义教育，是学校思想政治教育的核心内容。但在当今的中学教育中爱国主义教育的效果还不尽如人意，有一个主要原因是学生的“国家认同感”不够。有调查显示，发达地区学生对“国家认同感”不明确的比例最高，城市学生比例高于农村学生，其中，一类地区城市不认同的比例达15.3%。“国家认同感”是一个国家公民对自己归属的那个国家的认知以及对这个国家的评价和情感。有学者将“国家认同感”定义为个人承受和接受自己的民族文化与政治身份后产生的“归属

感”，也有学者将其定义为一个国家的公民对自己祖国的历史文化传统、道德价值观、理想信念等方面的认同。

我校认为，对学生进行爱国主义教育不是高高在上的简单说教，而应该是让学生找到自己的归属感，对祖国的归属感，愿意成为一个中华人民共和国的公民，以自己是一个中国人为骄傲。那么如何让学生热爱自己的国家，找到归属感，一个重要的工作就是让他了解自己的国家，对自己国家的历史、文化、政治、道德各个方面有比较充分、全面的了解。这种了解既是国家归属感的基础，也是爱国主义教育的基础。

同理，对学生进行爱党教育首先就是让学生了解我们的政党，明白没有共产党就没有新中国的道理，了解中国共产党的发展历史，了解党员的牺牲与奉献。对党的认同感是爱党教育的基础。

对自己国家的热爱，对中国共产党的热爱，对自己学校的热爱是一名学生最基础的公德，也是德育的一项非常重要的内容，它也是其他一切教育的基础。

“一二·九”合唱节是学校传统的爱国主义教育形式之一，学生以班级为单位，选唱红歌、校歌，年级组织比赛，选出优秀班级参加学校的比赛。在同学们饱含深情的歌声中，传扬爱国主义精神。

我校利用庆祝新中国成立60周年契机，培养学生的民族自豪感和历史责任感，先后组织了“歌唱祖国”歌咏比赛、“咏佳作颂名篇”诗歌朗诵会、“勿忘国耻”历史知识竞赛。学生用歌唱和朗诵的形式表达对祖国母亲的热爱。利用庆祝中国共产党建党90周年契机，培养学生的爱党和爱国情怀，学校组织了主题为“青春激扬跟党走，红歌嘹亮献祖国”庆祝建党90周年大型文艺汇演暨优秀党员、集体表彰大会。

学校结合校庆纪念日，教育学生以校为荣，为校争光。为了让同学们以校为荣，爱校如家，我们设计了“授牌”活动。校长和老师亲手为同学发放“身份证”，同学们也回敬以灿烂的笑容并以洪亮的声音骄傲地说：“我是中关村中学20XX级第XXX号学生。”在国旗下，学生庄严宣誓，立志要不断超越自己，通过自己的努力让梦想变为现实，让优秀成为一种习惯。在2009年的开学典礼上，学生们为学校送上一副对联：六十华诞国富民强歌盛世，廿七春秋桃李芬芳铸辉煌。

学校连续几年开展摄影比赛，学生们用自己的相机记录下校园精彩的瞬间或者静态的美景，通过学生的视角展示校园，培养学生的爱校意识。每个寒暑假学校组织的征文比赛大多以爱国、爱党、爱校为主题。

在活动中增加班集体的凝聚力，让爱国从爱校开始。活动中同学积极合作，培养了团结协作精神，增强了集体荣誉感。

2. 周恩来精神助学子坚定为中华腾飞的信念

（1）挖掘周恩来精神内涵，创新德育工作思路。作为基础教育工作者，我们应把道德建设作为一个基础性、根本性的重要工作来抓。学校肩负有培养有理想、有信念社会主义新人的重要使命。对学生进行爱国主义教育是每个学校的重要德育任务。学校有责任弘扬中华民族优秀的传统精神。

信念教育必须以爱国主义教育和革命传统教育为基础。以伟人精神育人是情感教育、榜样教育的一种。英国著名作家韩素音说："周恩来不仅智慧过人，富有魅力，胆识超群，而且毫无自私自利之心；他鞠躬尽瘁，把自己的一切奉献给了他的国家和人民。"中外历史上曾经出现过不少受人爱戴和崇敬的伟人，但很少有哪位能够像他那样深深地感染着整个民族乃至赢得整个世界的崇敬。他那"为中华之崛起而读书"的动人事迹，"鞠躬尽瘁、死而后已"的人格魅力，以及那永远富有感召力的美德最契合青年学生信念培养的需要，因而作为德育教材培养坚定信念更有针对性。

在不断的教育实践中，我校始终把"学习伟人周恩来"作为德育的教材和范本，把"恩来精神"作为培养学生道德规范的一个较好的切入点，对学生进行爱国主义教育和革命传统教育，努力挖掘伟人身上的闪光点，教育学生继承和发扬老一辈无产阶级革命家以天下为己任、一往无前的精神，艰苦奋斗、务求实效的精神，淡泊名利、无私奉献的精神。引导学生在人生道路上真正做到热爱祖国，热爱人民，志存高远，胸怀宽广，在改革开放和现代化建设的广阔舞台上，充分发挥个人的聪明才智，展现自己的人生价值，努力创造无愧于时代和人民的业绩。

我们的学生，正值青春年少，为了让这些“八九点钟的太阳”找准人生的航向，明确学习目的，端正学习态度，我们几经探索，认为周总理年少时的故事最适合作为帮助青年学生立志的教材。我校引导学生对周恩来精神作出具体分析，深入、全面理解伟人事迹精神，找出榜样的闪光点，对照自己，找出差距，明确努力方向。学校紧紧抓住“为中华之崛起而读书”这句话的育人功能，教育学生学习伟人，志存高远。摒弃那些庸俗的物质追求，在新的历史时期中，坚定信念，完善自身品格，继承和发扬老一辈无产阶级革命家的优秀精神，勇于承担历史使命。伟人精神的力量成为巨大的推动力，同学们纷纷表示要“相会于中华腾飞时”。

我校认为：掌握伟人精神的主要内涵和相关事迹，联系时代、社会和学生实际，选用总理有针对性的事例，选好切入点，把握好教育时机和分寸，可以使教育更富有感染力。信念是人的认识、情感、意志的复合体，坚定的信念，往往伴随着强烈的情感。因此，学校坚持用总理事迹感召教育学生，使学生动情、动心，并内化为学生的动力，使之产生跃跃欲试之念，从而付诸行动，或模仿，或由模仿进而化为自身的自觉行为。

周恩来这位伟人身上有我们挖掘不完的人格魅力，有着丰富的德育资源，他像一座宝藏，等待我们后人开发、学习、研究、感悟。周总理用他毕生的经历履行了少时的诺言，无论求学海外，还是领导革命，他都心系天下，胸怀家国；无论在战争年代，还是在建设时期，他都克己奉公，尽职尽责。学习周恩来精神，就是要学习他对国家、民族、全人类的强烈责任感。本着这样的教育思想，学校进一步教育学生学习伟人，严肃地对待自己的成长，学会对自己负责、对家庭负责、对社会负责，尝试在责任意识的驱动下，有效地规划自己的人生之路。

（2）争创“周恩来班”，创新班级文化建设模式。随着时代的进步，社会的发展，我校德育工作者开始了新的思考，意识到利用好周恩来精神对学生进行思想引导意义重大。

我校迫切希望能在德育工作中有所创新与突破，能够在更广泛的领域树立学生学习的榜样。1995 年学校党总支与中共中央文献研究室第二编研部（周恩来编研部）党支部结为友好支部，并通过周恩来编研部与南京梅园新村纪念馆建立了联系。这些活动的开展，拓宽了我校德育工作的思路，校领导开始构思具有中关村中学特色的以伟人精神育人的德育工作新模式。

1998 年学校领导亲赴南京，学习开展争创“周恩来班”活动的经验，并酝酿建立我校第一届“周恩来班”。1999 年 10 月组织高二（1）班全体师生赴南京进行爱国主义教育实践活动，并与南京梅园中学结为友好学校，高二（1）班与梅园中学“周恩来班”结为姊妹班。1999 年 12 月 26 日，在人民大会堂召开的“中关村中学迎接新世纪”大会上，正式命名了我校第一届“周恩来班”。“周恩来班”则成为我校班级建设的最高奋斗目标。“周恩来班”的争创活动，每年举办一次。这项活动得到了全校师生的广泛关注，师生参与热情极高，对推进班集体建设、形成集体凝聚力起到了极大的促进作用。在争创活动中学生们的心动了，情动了！在此基础上，老师们又组织同学讨论：周恩来精神是什么？周恩来精神过不过时？周恩来精神的现实意义是什么？中学生应该怎样学习周恩来？在班会课上，在周记本里，在辩论会中，以及在日常的生活中，同学们充分发表自己的看法，在老师的引导下，在共同的交流中，越来越多的同学弄清了周恩来精神的深刻内涵，懂得了周恩来精神是中华传统美德的集中体现，是值得我们世世代代永远学习和继承的精神财富；学生更加明白了自己的责任和使命，从而勤奋学习，规言矩行。学校的学风更加浓厚了、班风更加端正了，人人争先，班班争优的局面形成了。这就是特色德育的独特魅力！

学校一直认为，争创“周恩来班”活动重要的不是最后的结果，而是争创的过程。如何使争创“周恩来班”的过程更具教育和锻炼的功能一直是我们思考的问题。于是，在原有争创和评选的基础上，学校不断地进行探索和改革，形成了一套比较完善的制度，使争创和评选的过程真正成为教育的过程，达到了培养学生、锻炼学生、提高学生的目的。我校争创“周恩来班”活动流程包括：班级提出争创“周恩来班”申请，上交争创方案；班级组织各种学习周恩来的活动并制作宣传板报及 DV 宣传片展出和播放，上交争创总结；教育处进行资格审核；通过审核的班级在校会上交流开展“学习周恩来精神风范，为中华之崛起而读书”教育活动的成绩和体会；全校学生投票选举；校行政会审核批准；公示选举结果；校领导为新一届“周恩来班”命名并颁牌。

至 2012 为止，我校已经进行了 11 届“周恩来班”的争创和评选活动，有 38 个班级被命名为“周恩来班”。“周恩来班”已经成为班级文化建设的最高奋斗目标。历时 13 年的争创“周恩来班”活动，促进了学校优良校风和浓厚学风的建设，增强了德育工作的实效性，初步形成了我校德育工作特色，为学校的不断发展提供了强大精神动力，对学生坚定信念的培养起到了重要的推动作用。

（3）创新学习伟人活动的形式，让恩来精神生根开花。我们不断开拓伟人文化育人思路，与时俱进，使之更有活力，发挥更大的育人作用，学校努力创新学习伟人活动形式。

以主题班会为窗口，了解周恩来事迹，感悟周恩来精神。学校认为要学习周恩来精神，首先就要认识周恩来，了解周恩来。学生们以各种形式走近周恩来。有的班请周总理的亲属周秉德、周国镇以及周总理的卫士高振普将军来到学生中间，谈他们眼中的周恩来；有的班学生自己剪辑制作光盘，在班会时间播放，让同学们了解周恩来。同学们越是走近周恩来，就越是崇敬周恩来。同学们通过诗朗诵、演讲、观看《百年恩来》和《十里长街送总理》纪录片、制作纪念周恩来专刊、布置周恩来宣传专栏、设计制作研讨会代表证等形式来用心感受周恩来，表达对总理的热爱和崇敬之情。“为中华之崛起而读书”“追寻总理足迹传承恩来精神”“百年不老情、肝胆耀古今”“枫叶海棠红”“逐鹿继青云”等主题班会，使学生在学习伟人的过程中净化了心灵，激发了心中的爱国热情，树立了远大的理想和拼搏的斗志。

以教育基地为课堂，实现精神引领，净化浮躁心灵。在这个日益喧嚣的社会，在这个容易浮躁的年代，年轻的学生有着太多无法解释的困惑和无法摆脱的迷惘，他们需要一种精神，一种能够给他们以方向和力量的精神，这就是周恩来精神。学校开展了丰富多彩的教育活动，使学生在活动中走近周恩来，领会周恩来精神的深刻内涵，自觉把周恩来作为自己学习的典范。周恩来的事迹震撼人心、令人感动，会产生巨大的感召力，可以感染和教育一代又一代的中国人。周恩来精神，是一代伟人留给后世无穷无尽的精神宝藏，汇集了中华民族最优秀的道德、品质、情操、人格，他用自己光辉的生命，为我们塑造了一个伟大、高尚、纯洁、完美的人物形象。

学校抓住契机，不断地为师生搭建平台，不仅组织了全校师生参加了“周恩来诞辰100周年纪念大会”，还每年组织学生到天津参观周恩来和邓颖超纪念馆，组织争创“周恩来班”的部分集体到南京进行社会实践活动，参观南京大屠杀遇难者纪念馆、雨花台烈士陵园、南京中共代表团梅园新村纪念馆等爱国主义教育基地，增强学生的责任感和使命感。学生们与南京梅园中学的学生进行沟通交流，互相学习，共同提高。

通过丰富多彩的教育活动，学生们对周恩来的了解从感性认识上升到理性认识，学生们深深地认识到：我们的民族永远需要这种精神。周恩来像一本厚厚的书，读懂他，将使我们看到自己心灵深处的卑微，直面繁杂的人生；周恩来像一盏高悬的灯，光芒穿越时空，照耀着前行的道路！新时代的青年，需要继承和发扬“周恩来精神”，以总理的人格，重塑自己的灵魂。

参观过南京大屠杀纪念馆之后，学生写道：“仇恨和愤怒的心只会制造更大的灾难，只有努力地维护世界的稳定和繁荣才能遏制灾难的再次发生，让更多的人远离痛苦和折磨！我们庄严地立下誓言，为中华之崛起而读书，绝不会让中国落后，绝不会再让中华民族经受磨难！”

祭扫雨花台烈士陵园之后，学生从心底发出感叹：“在解放前夕，这里成为国民党反动派屠杀革命志士的刑场，无数年轻的生命在此沉睡。他们为广大人民的重新站起，为了新中国的诞生在此慷慨就义，令人崇敬。虽然他们中的很多人献出了自己宝贵的生命，但是他们的精神留在了这里的每一寸土地上，永远地激励着我们继承他们的精神，为祖国的富强贡献出自己的一份力量。”

学校以研讨会为驿站，总结工作经验，加强交流学习。2006 年 10 月 7 日，经过近 4 个月的筹备，在学校各部门的共同协作下，由我校承办的全国第五届“‘周恩来班’‘邓颖超班’青少年思想政治工作研讨会”在海淀剧院隆重开幕。研讨会历时两天，圆满结束。参加此次研讨会的外地学校代表有 60 余人，中共中央文献研究室室务委员廖心文女士、周恩来亲属及生前身边工作人员到会，北京市教委、海淀区教委领导及北京市几十所学校代表也参加了大会。此次研讨会是全国各地“学习周恩来精神风范”、争创“周恩来班”活动的一次成果展示和交流，得到了与会来宾和领导的高度评价，把我校“学习周恩来精神风范”活动推向了一个新的高潮。

以恩来诗话为精品，不断发展创新，深化育人效果。永不止步，永不满足，力求新意，这是我校德育工作的一贯风格，这也体现在伟人精神育人的工作中。我校并未满足于社会各界的好评，并未止步于现状，将伟人教育活动更深入更广泛地开展，成为每个教育工作者的共识。为把“学习周恩来精神风范”活动推向深入，我校将语文教学与“学习周恩来精神风范”活动紧密结合，成立诗社，在学生中开展“恩来诗话”活动，开设“恩来诗话讲堂”，出版《周恩来诗歌详释》作为我校德育校本教材，邀请著名诗人闪世昌先生每周来校讲课，让学生通过诗歌的形式来赞美周恩来，感悟恩来精神，同时也达到了弘扬民族传统文化的目的。

2007 年 3 月 5 日，周恩来诞辰 109 周年之际，教育处组织了“弘扬伟人精神，走进诗歌殿堂”纪念周恩来诞辰专题讲座，请北京市文联党组书记朱明德、著名诗人闪世昌先生进行了“我心目中的周恩来”“少年周恩来与诗歌”的专题讲座。5 月 17 日，著名教师作家、诗人尹世霖先生来我校给参加“恩来诗话”的学生上课，与学生互动交流。这些活动把我校学习伟人周恩来的活动推向深入。

以“周恩来奖章”为媒介，更新教育载体，形成尚贤之风。随着时代的发展，进入新时代的学生更宣扬个性，更乐于彰显自我，如何将学生的个性化发展与传统的集体主义、民族主义教育相结合，这又给我校德育工作者提出了新的挑战。我们只有顺势而为，因势利导，才能达到良好的教育效果。

在这样的大背景下，2006 年学校开创性地提出在学生中设立“周恩来奖章”，评选、表彰学生中的优秀典型，树立学生身边的榜样，让学生思想教育活动有新的载体。这次评选活动经历的程序如下：教育处制定《北京市中关村中学“周恩来奖章”评选细则》；班主任对学生进行宣传、动员；各班推选候选人，为候选人撰写宣传材料；教育处为候选人制作宣传展板；学生参观宣传展板，学生投票选举；选举结果经行政会审批并公示，召开颁奖典礼。历时两个多月的时间，在学生和家长中引起了很大反响。

整个评选的过程就是一个教育的过程，尤其是 2006 年 5 月 18 日隆重的颁奖典礼更是把教育活动推向高潮。颁奖典礼当天，曾担任周恩来和邓颖超秘书、全国政协原副秘书长赵炜，周恩来总理侄孙、《数理天地》杂志社社长周国镇，中共中央文献研究室第二编研部周恩来研究处处长费虹寰，海淀区教工委副书记郭景玉，北京作家协会会员、北京民间文艺家协会学术委员会委员闪世昌，以及 30 多位获奖学生家长都欣然到会参加了颁奖活动。

至 2012 年，我校共举办了三届“周恩来奖章”颁奖典礼。评选出“周恩来金质奖章”20 名，“周恩来银质奖章”40 名，“周恩来铜质奖章”60 名，共 234 名同学获“周恩来奖章”提名奖。获奖者名副其实，当之无愧。他们志向高远，成绩优异，各有专长，从不同侧面展示了我校学生的风采，充分诠释了学校关注学生个性特长、鼓励全面发展的育人目标。

争创“周恩来班”、设立“周恩来奖章”的活动，促进了我校优良校风和浓厚学风的建设，增强了德育工作的实效性，初步形成了我校德育工作特色，为我校的不断发展提供了强大精神动力。

回首30年的教育历程，学校秉承传统，紧紧把握时代脉搏，挖掘伟人文化的育人潜力。周恩来精神是一种跨越时空的人格精神，是一种生生不息的精神，是一种永远不会过时的精神。学习伟人周恩来活动充分体现了时代特点，注重在教育过程中传承民族文化，培育民族精神，并且注重及时更新教育理念，与时俱进，不断调整和拓宽教育范畴，注重培养学生坚定的信念，力争开创出德育工作新格局。

3. 院士故事激励学生追求崇高品德和科学精神

热爱祖国是一种美好的品德，但要想报效祖国，只具备美好品德是远远不够的，一定要打好学识基础，有知识、有能力，具备科学精神和实践能力方能报效祖国。我校在德育工作上的又一大特色就是发挥院士故事的教育力量，这也是信念教育的一个重要方面。每位院士各自的成长经历不同，生活体验、学习积累、个人成就也就不同，但他们在科学探索的道路上，历经艰难坎坷，表现出来的坚韧毅力、无私奉献的精神、国家利益至上的崇高品质却不尽相同，令人感动；他们杰出的成就、拼搏的精神催人奋进。这正是今天的学生应该学习的崇高品德。院士鲜活的故事，比起生硬的说教，效果不言而喻。院士的故事教会学生如何做人、做事、做学问，引导他们树立正确的世界观、人生观和价值观，每一位院士都是学生学习的楷模。

（1）挖掘社会资源，寻找教育契机。我校毗邻中国科学院，而科学院人才济济，这其中众多的院士都是学界泰斗，是出类拔萃的科学家，他们中有的是某一学科的开创者、奠基人，有的撷取了某一领域的尖端明珠或填补了百年空白，在国内外有很高的知名度。他们在我国的经济发展和人民生活中发挥了不可替代的作用，为我国的科技事业、国防建设和社会发展作出了不可替代的重要贡献。

随着教育实践的不断深入，学校决定利用地处中国科学院地区这一丰厚的教育资源，给学生创设良好的教育环境，鼓励学生树立高远的目标，教育学生热爱祖国，用科学家崇高的品德、渊博的知识，刻苦学习、勇于探索的精神教育学生。

2003年学校决定在校内建设院士题词墙，由我校已退休的佟秋敏校长负责采访院士，编写院士的故事，征集院士题词，并把院士的故事及题词刊登在每期的校刊上，最后编辑成《院士的故事》一书。学校又将院士的题词分类装裱后建成了院士题词展厅，定期为学生开放，还请院士到班级中座谈，通过班会课对学生进行思想教育。此外，还组织读《院士的故事》征文及演讲比赛，此活动成为我校德育的又一大亮点。

（2）与院士对话，培养科学精神。到2006年为止，我校师生怀着崇敬之心，采访了32位院士。这些院士中，有我国现代大气科学奠基人叶笃正院士，他求实认真，立志气象，不断创新，荣获“第48届世界气象创新奖”；有著名物理学家国防水声科研事业奠基人汪德昭院士，他聪颖勤奋，技夺天工，硕果累累，曾获国防科工委“献身国防科技事业”的荣誉证章；有我国第一枚火箭设计、制造者王希季院士，他历尽艰辛屡建奇功，是“两弹一星功勋奖章”的获得者；有千年飞天圆梦人王永志院士，他一生听从党的安排，使命高于一切，几十年来，他致力于我国“研制战略导弹、发射人造卫星和送中国人上太空”这三件振兴中国的大事，获“载人航天功勋科学家”的荣誉称号；有我国物理学家、教育家、声学大师王大猷院士，他兴“声”之利，除“声”之弊，成功地领导了北京人民大会堂的音质设计，参与了我国原子弹爆炸、导弹发射、人造地球卫星声学方面的研究与设计，在环境保护、消除噪音污染等方面作出杰出贡献；有被誉为我国氢弹之父的于敏院士，他聪颖勤奋，贫困志弥坚，克服了难以想象的艰难险阻，甚至经受了生命极限的考验，获得“两弹一星功勋”奖章；有与黄土结下不解之缘的地质学家刘东生院士，他勤学好问有志气，拳拳爱国心使他没有放弃对黄土的探索，获得“国际泰勒环境成就奖”；有为祖国毕生勘探石油的刘光鼎院士，他中学时代清贫困苦，但努力追求全面发展，大学立志为祖国寻找石油，为我国的石油勘探作出重要贡献，被誉为“中国海洋地质之父”；有倾情教育的严陆光院士，他认为做人贵在清白，做事必须认真，做学问要敢于好高骛远，善于实事求是；有第一个走遍神州大地的农学家卢良恕院士，他热爱祖国、热爱农村、热爱农民、热爱农业，凭借其扎实的功底和长期的辛勤耕耘，解决了一个又一个农业上的难题，被誉为“农学泰斗”；有物理学家周光昭院士，他善于学习，抓住机遇，他认为学贵于行，要不断学习，在实践中学习，终身学习已成为社会的必需；有“当代毕昇”王选院士，他用自己睿智的头脑，经过难以想象的困难和艰苦卓绝的努力，解决了计算机的汉字输入和输出问题，使印刷业告别了铅与火，迎来了光与电，是印刷业的第二次革命；有气象学和地球流体力学曾庆存院士，双星计划首席科学家刘振兴院士，他们有远大的理想，这远大的理想不是为个人赚大钱，不是为当大官，而是为了祖国的富强，为人民服务。正是这种信念使他们能自强不息，勤奋学习，用知识改变命运，从家贫如洗的茅草屋走出来成为大科学家……

每次采访前，校刊编辑部老师和学生记者都要根据院士的年龄和专业特点，准备不同的问题，从以下几个方面进行采访：家庭境况、求学经历、性格爱好、生活经历、理想追求、事业成就。

在和谐的氛围中，通过亲切的交谈，院士们会情不自禁地讲起自己童年的艰苦、创业的艰辛，讲起他们的过去和现在，痛苦与欢乐，成就与遗憾。在这样的交流和采访中，学生有了直观的认知，科学界的老前辈们由遥不可及变得如此亲近，教育由硬式说教变得亲切可感，用事实说话，让榜样引领，教育的魅力逐渐彰显。

（3）学习崇高品德，感悟有为人生。院士成长的故事共刊登在32期校报上，每一期校报由图书馆的老师亲自发送到班级和办公室，各班在班会课上集中学习或学生自己传阅。院士的故事深深地感动着学生，他们自发写下读后感，表达了向院士学习的决心。这些文章也被选登在校刊上或编辑到《院士的故事》一书中。学生们纷纷表示要学习院士们刻苦学习、勇攀科学高峰的精神，从小立下高远志向，学习他们任劳任怨、艰苦奋斗的高尚情操，学习他们耐心周全、细致严谨的工作作风，绝不辜负老一代科学家的殷切期望，好好学习，长大后接好科学家的班，为祖国科学和国防事业的发展作出自己应有的贡献。

学生白墨在《致曾庆存院士的一封信》中这样写道："作为一名身处发展中的社会主义国家的青年，我要以您为榜样，将个人职业的选择、人生的幸福、个人价值的体现与祖国与人民紧密相连。一个人只有同祖国和人民同呼吸、共命运，才会有幸福的人生。"

陈雨在《何方可化身千亿，一树梅花一俊愉》中有这样的感悟："看了陈院士的故事，我不禁有些羞愧，想想自己为梦想又做了多大的努力呢？能否在小有成就时再接再厉？能否在遇到困难时勇往直前？能否毫不犹豫地说我已尽了全力？在人生道路上，并不是每个人都拥有这样的梅花精神，这样的坚贞气节和高洁品性。所以当我体会到陈俊愉院士梅花般坚韧伟大的人格魅力时，便不由得肃然起敬。"

陈碧荷在《令我敬佩的郑儒永院士》中写道："我觉得郑院士不仅是一位令人尊敬的科学家，还是一位乐于助人的老人，一位做事公正的老人，一位热爱祖国的中国人！作为新时代的中学生，我们应该将郑院士视为自己的楷模，在刻苦学习的过程中培养自己高尚的人格，培养自己的科学精神，努力成为德才兼备的优秀人才。"

占鹏在《读冼鼎昌院士的故事有感》中写道："读完全文，对这位科学家、艺术家的敬佩油然而生。他拼搏创新的精神，他严谨求实的作风，他和蔼待人、尊重科学的品质深深地铭刻在我的心中。这样伟大的科学家怎能不值得我们学习？"

读了院士的故事，更多的同学懂得了"学贵于行"，对人生之路有了深切的感悟：要珍惜优越的成长环境，现在的我们在相对稳定的社会中，过着富足的日子，还有什么理由不刻苦学习呢？面对困境，要不畏挫折，坚信逆境可以锻炼人的意志品质，坚定的信念是成功的根基。立志于现在，努力去获取各种知识，为以后用所掌握的知识去解决实际问题打好基础，做一个刻苦学习、勇于探索、具有科学严谨的生活态度的人。成功的秘诀就是要善于学习。要抓住一切机会去学习各种各样的知识，只有这样不断积累、铺垫，才能在不知何时会到来的机遇面前不慌张，沉着有力地去抓住它、利用它，从而实现最后的成功。

32 位院士的故事像一盏盏明灯照亮了学生们学习的前程。它犹如一缕缕春风，滋润着学生们的心田；它又似一面面旗帜，吸引着学生们奋勇前行。

（二）理想教育体系

随着改革的不断发展，经济实力的日益增强，在青少年中加强理想教育较之以往任何时期都显得尤为重要。学生的新生活从选定方向开始。指导学生客观真实地认识自我，帮助学生树立清晰而长远的理想，他们才可以切合自身实际、扬优抑劣、发挥能力、有的放矢地设计规划未来。以高远之志为指引，将对自己、对家庭、对社会的责任驻于心间，才能使学生遇困境不退缩，勇于担当。责任可以抵御虚妄，警示人时刻保持清醒；亦可以击退懈怠，督促人经常积蓄斗志；还可以战胜腐化，激励人永远保持先进。

我校本着“做一个堂堂正正的中国人”的教育宗旨，积极开发公民教育领域，创新理想教育体系，充分调动学生的主观能动性，引领学生埋下理想的火种，引导他们正视责任，正视承诺，做“仰望星空与脚踏实地”并重的社会栋梁。

1. 青春启航，扬起理想之帆，助学生乘风破浪

（1）创新立志活动，培养学生的主体意识。针对初中学生青春期易躁动、逆反心理强、脆弱易懈怠等特点，学校创新教育方式，开展“青春誓言”“阳光计划”“期待花开”“花开有声”等系列教育活动。利用初二年级在一个校区独立管理的优势，教育处和初二年级组在开学典礼的内容和形式上进行了精心的安排。年级主任和全体班主任早早在大门口等候着返校的学生。迎接他们的，有校门口的标语——“新学年展现全新的你”，年级艺术班演奏欢快的迎宾曲，班主任老师们热情地欢迎和派发的“青春寄语”卡片。同学们兴奋地谈论着整洁优美的新校园，谈论着暑假期间的见闻与收获，同学们对新的校园、新的生活也充满了期待。

操场上，年级举行隆重的开学典礼。教师向同学们表达迈出青春第

一步的祝福，学生代表号召全体同学一定要把握住眼前的生活，书写好自己 14 岁的篇章。接着年级主任带领全体同学宣誓：“珍惜青春时光，树立崇高理想，努力刻苦学习，立下宏图之志。热爱美好生活，积极进取向上，为我中华腾飞，献我青春力量。”这段青春的誓言铿锵有力，坚定无比，将陪伴着同学们去迎接未来风雨的洗礼和考验，带给同学们勇气和力量。

离队建团活动标志着人生又一段旅程的开始，意味着生命的又一页日历被揭开，象征着学生开始承担责任。学校对于每届初一学生的离队建团活动都非常重视，希望借助这个教育契机在阳光少年中树立信念意识，让他们重温信仰，重享荣耀。

2010 届初一年级选择在最后一个“六一”儿童节以班级为单位选拔学生代表前往河北兴隆一所打工子弟学校开展共建交流活动，捐赠、参观、书信互往……两校学生建立了深厚真挚的友谊，这些生活条件优越的孩子在施助他人的同时，更获得了心灵的自我洗礼，领悟到人人平等、世界大同的社会主义信仰需要每个人的执著努力，从而强化了自身的使命感与责任感，也增强了自律性。

2011 届初一年级则结合本年级学生娇生惯养、缺乏社会责任感和人生目标的特点，组织在儿童节开展“责任伴我青春行”离队建团主题活动。在通州欢乐之都——青少年社会职业体验馆，举行了庄严的离队建团仪式。仪式中，60 多名同学光荣地加入了中国共产主义青年团，佩戴上团徽，在团旗下庄严宣誓。学生们小心翼翼地珍藏起红领巾，仿佛珍藏起一生的责任。一位学生在活动感言中写道：“我们最后一次凝望队旗，在星星火炬的照耀下，我激动万分；我们最后一次敬队礼，这伴随我们多年的庄严队礼，让我们意识到还有一个又一个艰巨的任务；我们最后一次唱响队歌，那熟悉的旋律让我们对少先队充满了不舍，同样也对共青团充满了向往；我们最后一次向少先队宣誓，这让我们回顾了几年前的这一刻，又想起了在稚嫩的童声中那句充满力量的话；我们最后一次佩戴红领巾，那鲜艳的红色不光是在我们眼中闪耀，更是在我们心中激励我们去拼搏，去奋斗。”

本次活动旨在启迪青年学生要具有社会责任感，尽早树立人生观、价值观，努力寻找人生目标，明确社会角色。责任感教育是终身教育，只要立足长远，契合现实，就一定会对学生有潜移默化的作用。

（2）创新励志誓师大会，激发学生的责任意识。学校利用墙报、倒订时牌等形式营造浓郁的学习气氛；开辟“理想加油站”“中考列车”等专栏张贴励志格言，根据需要随时更换，不断激励学生努力学习；设计“百日冲刺”活动。这些活动已经成为我校传统与文化的主要组成部分。

在举行“青春誓言”励志活动时，我们摒弃了以往只注重激励，轻视感化的思路，更多地从人文关怀的角度，以“青春无悔拼搏理想，冲刺百日六月辉煌”为主线设计活动。学生演唱《感恩的心》表达对母校和老师的感激，教师演唱的《祝福你孩子》寄托了老师对学生的美好祝愿。师生拥抱在一起，场面感人至深。许愿树下，同学们心怀梦想，把写满企盼的心愿卡缓缓挂在树上，这种春风化雨的方式起到润物细无声的效果，激发了学生的斗志，调动了学生学习的热情。因为激励触动了心灵最柔软的温情，进而转化为刚性的内驱力。学生在备战中考最紧张、最疲劳的日子里，感受着家长、老师和学校的恩情，肩负着为家庭、班级和学校争光的责任，更加积极地投入到知识的查漏补缺之中，使得学校的中考成绩连续多年在参加电脑派位的学校中名列前茅。

为了让高三学子调节身心，积蓄力量，正确解读成人，铭记责任。从2001年起，学校为每一届高三学子精心设计集体生日——18岁成人仪式，“誓言付我一生情”高三学生成人典礼成为教育学生具有责任意识的载体。学生们深刻认识到，18岁，青年人步入了成人的行列，即将在宽广的社会舞台上实现光荣与梦想！将迈向人生的全新阶段，将成为一名堂堂正正的共和国公民，将履行应该履行的一切社会义务，将担负起应该担负的一切责任。成人意味着应该有责任意识、奉献意识；成熟意味着应该知道怎样与他人、社会及自然和谐相处。从今以后，个体要自我把控，敢于挑战人生、挑战极限，用不懈的努力去换取无悔的人生。

我们认为，每种教育形式作为教育思想的载体，有着它核心的任务，如果追求所有活动都面面俱到，就会使教育点互相消解，减弱教育效果。因此，在成人仪式上，我们构思的侧重点定位在“责任引领，誓伴终生”的责任意识培养。

仪式上的很多环节设计都要体现青年人面对责任、勇敢承担的庄严。校长、家长、教师纷纷向学生们讲解成人所承担的社会责任，旨在让学生懂得用自己的明天计划自己的今天。为了营造庄严又不失活力的氛围，学校专门设计制作了象征着理性、包容、成熟、责任的拱形成人门，门楣正中悬挂一个铃铛，这道门标志着他们心智的成熟。学生会穿上自己精心挑选的庄重而不失活泼的成人礼服，在老师们抛洒的缤纷下落的祝福彩带中，手摇铃铛，庄严自信地跨越成人门。

仪式上最具震撼力的是成人宣誓。每一位中华人民共和国的年轻公民都会面对国旗，举起右拳，庄严立下成人誓言：“我立志成为有理想、有道德、有文化、有纪律的社会主义公民。遵守宪法和法律，热爱社会主义祖国，拥护中国共产党的领导。正确行使公民权利，积极履行公民的义务，自觉遵守社会公德。服务他人，奉献社会。崇尚科学，追求真知。完善人格，强健体魄。为中华民族的富强、民主和文明，艰苦创业，奋斗终生!”

这一刻，我们的学生褪去了平日的调皮与娇气，眼中流露出神圣的虔诚与坚毅，这种目光恰恰给我校“为学生计长远”的教育理念和方法打了个满分。学生将满载着对自己、对家长、对社会、对国家、对民族沉甸甸的责任上路。正如学生感言中所说：“我们要为自己负责，要学会独自面对生活的难题，失败时沉着自省，成功时谦逊不惊；我们还要学会关心父母，关爱他人，分担他们的痛苦，排解他们的忧虑；我们更要‘心怀天下’，为民族负责，为国家负责，成为一个堂堂正正的中国人。”

2. 立足长远，规划成才路径，奠基美丽人生

（1）突破教育困境，拓宽教育视野。10 年前，人生规划教育依旧是进入大学之后的课程，一些高中学校不具备引导学子思考人生的眼光，所以大学时代对很多人而言是迟到的青春。进入大学后，一些风华正茂的青年学子反倒“不思进取”，开始享受起人生，以释放高考重压下郁结的负面情绪，直至遑遑到毕业，才痛省该念的书还没有念，便要接受社会的选择，然后迷茫地随意踏上一列不知对错的人生列车，伴着时代之音的轰隆，隐迹于茫茫人海，无所作为。再然后，便是舆论的问责，我们的教育到底给了学生些什么？为什么多数历经漫漫 16 载求学之辛，年轻人脑中所想的是如何就业而非如何创业？当媒体口诛笔伐教育现状的时候，当就业成为摆在每一个家庭面前的疑难问题的时候，一些人开始站出来反思我们的教育漏弊。于是人们发现，我们的学校教育并没有真正地承担起引导学生思考人生方向，乃至规划人生路线的任务。因为意识的淡薄导致动机的缺失，并造成很多相伴而生的问题。时代要求我们以人为本地做教育，只有拓宽教育视野，更新教育理念，教育方式才能更加国际化，培养出的学生才会更具有竞争实力。

我们深知：一个学校的成功，是通过学生来实现的。学生是否在学校中获得终身发展的能力体现着学校办学眼光的高低。这个艰巨使命的核心即在于让学生在青少年时期就学会认知自我，思考未来，设计出路。基于上述思考，我校在 2009 年底加入到高中人生规划教育课程实践研究课题组，成为课题实验校，确立了研究方向——基于主题活动的人生规划教育策略。在探索人生规划教育模式的实践中，我校作出大胆的尝试，并取得了丰硕的成果。

（2）以学生为本，让学生拥有设计人生的权利。今天的学生不仅承受着较重的学习任务，而且承受着更多的物欲诱惑，他们比以往任何时候的学生都更需要人生理想。再者，高中生相对比较理性、成熟，对未来有着美好的憧憬与期待，他们感兴趣的事情明显增多，好奇心也强，如果能适时地得到帮助与引导，将会更早地确立起人生的方向，也必然大大提前他们致力于理想而努力的时间。

我校围绕“做一个堂堂正正的有骨气的中国人”的教育总目标，结合学生的群体特点和个性特质，摸索规律。站在人生发展的高度，通过活动帮助学生明确学习与人生的关系，学习与人性的关系，使学生知道为什么学习，该怎样发展自己。人生规划与未来的职业选择教育息息相关，对于学生的生命成长意义重大，正确的引导可以帮助学生走出盲目与虚幻的择业观，为学生指明努力的方向，确立正确的人生目标。

（3）创新理论培训体系，奠定德育课题研究基础。培养德才兼备的优秀中学生是基础教育的使命与责任。爱其生则为之计长远。何为“长远”？关注学生的终身发展，帮助学生立德，打好人品基础，让学生心智健康地走向社会。

人生规划教育是一个动态工作，分为以下七步：教育规划—初步设计—行为实践—修正方案—调整目标—理性抉择—持续发展。具体是：高一学段——帮助学生认识自我，明确规划人生的重要意义；高二学段——在既定目标的指引下，不断修正调整自身，坚持不懈；高三学段——科学理性地选择院校、填报专业……在人生的广阔舞台上实现可持续发展。

班主任是课题规划与实施的直接参与者，而要让班主任能积极参与课题之中，有创造性地寻找科研方法和践行课题，首先要解决理论认知层面的问题，用理论指导研究，会使研究工作效果事半功倍。课题组先后召开相关主题的理论培训会，与专家座谈并向兄弟学校学习相关经验，寻找适合校情和学情的教育模式和方法途径。

（4）关注学生的终身发展，提高大课程观下的德育实效。充分发挥学生的主观能动性是课题研究的关键。我们主要通过下列形式对学生进行教育：学科教师科学引导、学生活动体验、学生自主交流等。目前课题呈现出六个特点：学情分析专业化、专题活动主体化、主题班会系列化、特色德育内驱化、学科引领目标化、规划发展持续化。现分别阐述如下。

①学情分析专业化：立足学情，结合校情，提升素质。

关注兴趣发展，营造文化氛围。学校教育目的在于培育学生，以学生兴趣发展为关注点，崇尚学生文化的建设，实际是教给学生一种积极向上的现代人生活方式。立足学情校情，提升学生综合能力。学校每学期根据对不同的学段、不同的课程背景分析，结合学校特色，创造条件，开展或以年级为主体的专题教育活动，从宏观上对学生进行人生观、价值观和世界观的引导。

②专题活动主体化：抓住契机，巧借活动，注重体悟。

学校以人生规划教育为抓手进一步梳理和提升德育工作。结合德育特色，利用周边社会资源，学校将养成教育、理想责任教育、心理健康教育、感恩博爱教育与人生规划教育相结合，找准教育契机，设计切入点小、立足点高的教育活动，从多方面、多角度地对学生进行人生规划教育。

我校利用契机进行爱国、爱校教育，帮助学生树立为国争光、为校添彩的理想。利用国庆节、校庆日，组织歌咏比赛、诗歌朗诵会、历史知识竞赛等活动。培养学生的民族自豪感和历史责任感，教育学生以校为荣，爱校如家。在活动中增加班集体的凝聚力，让爱国从爱校开始。

我校进行社会公德教育，先后组织了低碳生活征文活动、参观污水处理厂、禁毒教育基地等活动，培养学生具有公益思想、环保意识，教育学生珍爱生命，具有较高的人生追求。

我校实施“情感教育”，培育“感恩文化”，使学生心存爱心、孝心与感恩之心，学会感激、学会共处，学会宽容。

我校开展立志主题教育活动，帮助学生了解自己，指导学生真实地分析自己，这是学生自主发展的前提，这样他们才可以更好地发挥能力、有的放矢地设计自己的人生。我们希望学生做到“吃苦坚毅有韧性、团结互助求发展、感恩知礼提素养、家国天下勇担当”。

我校创设积极向上的砺志文化氛围，进行“青春有梦雏鹰初飞，砥砺百日香郁一生”的励志教育。磨砺学生面对困境的良好意志品质，激发旺盛的斗志去迎接挑战。调查显示，综合考试成绩的波动对高三学生的情绪影响，很大占4%，比较大占31%，稍有影响占51%，无影响占9%，高三学生常常因模拟考试的成绩或喜或忧。另一份对高三学生关于高考压力的调查显示，17%的学生认为高考压力来自父母，6%的认为来自学校，66%的认为来自自己。对“学习（或考试）的动机与结果的关系”的调查显示，25%的学生认为动机越强效果越好，67%的学生认为“在一定限度内，动机越强效果越强，超过此限度则相反”。这表明学生自我加压较大，有相当一部分同学考试动机过强且认为这是正确的。面对因升学压力大而略显浮躁的学情，教师们带领学生先一起回顾了共同经历的艰苦学习历程和点滴温馨瞬间，体会学习中的成长和心智上的成熟，捧读高中入学时学生写给自己备战高考冲刺阶段的一封信，让曾经的期许激励前进的步伐。随后，所有同学共同完成《破茧班日志》。全班同学心往一处想，劲往一处使，为了共同的目标奋力拼搏，高考成了全班的“全家总动员”。班主任老师激励学生“回首高三已经走过的岁月，你们少了一份单纯，你们在跌跌撞撞中成长，未来的百天里，希冀在心中奔突，我知道你们想做挣脱树干直冲云天的青藤，那么，就用青春承诺，把勇敢嵌进坚韧前行的脚印，成就你们人生旅程中刻骨铭心的永恒”。

③主题班会系列化：精心构思，落实细节，系统提升。

学生的人生规划教育是以班级为载体组织的。各班根据班级特点和实际要求开展富有针对性的班级活动，让学生在活动中有所收获，通过体验与交流，思考自己的人生方向和实施过程。因此，设计与学生美好未来有关的系列班会和活动就变得尤为重要。班主任开动脑筋，发动家长委员会，调动全班同学一起找准本班的问题与不足，设计形式各异的活动，帮助学生矫正习惯，端正态度，培养良好素质，弥补不足，发展自身，逐渐向目标靠近。班主任结合班级学生特点，精心设计了人生规划的系列班会，指导学生积极开展讨论，强化主动思考人生、规划学业、自我管理、自觉成才的意识。班会形式各异，学生立足现实、立足自身，力争取得实效。

《孙子兵法》中有这样一句古训：凡事预则立，不预则废。不同时代、不同国籍的人跨越时空，心有灵犀地揭示出一个共同的人生箴言：一心向着自己目标前进的人，整个世界都会给他让路。

在社会竞争日趋激烈的今天，社会人应该尽早地认识自我，具有自己的人生愿景。事实上，一个人确定自己一生的理想目标，并根据这一目标来进行相关努力，就是人生设计。个人对自己的人生规划反映了一个人的精神境界和主观态度，一个看不到自己未来的人，就把握不住他的现在，而一个掌握不了现在的人，也永远没有未来。俗话说："书山有路勤为径，学海无涯苦作舟。"少年心地清明，容易接受知识；少年又心性未定，容易分心旁骛，视学习为畏途。而学习的道路决不因畏惧而平坦。它需要恒心、毅力、坚持和忍耐，这一时的辛苦换来的将是终身的快乐和成功。

课题组在分析学情的基础上，选择了以下几类人生规划主题班会内容，同时强调各班在具体实施过程中从本班实际出发，体现班级特色。

感性认知类：让学生了解为人处世的规范准则，针对自身的长远目标（高考目标、职业目标）的要求和现阶段的实际情况寻找差距。

例如，"小青虫的梦""我的未来不是梦""I have a dream""开启人生的大门""制定我们的人生""送给未来的礼物"等一系列班会引导学生关注人生规划的重要作用，帮助学生了解自身的优势与短板，制订自己的高中学业计划。

学校启动了主题为"一日无再晨，人生莫须臾"的人生规划系列班会活动。各班同学在班主任老师的带领下，在班委会的组织下，群策群力，形成浓郁的研讨氛围，共同探究"如何珍惜眼前光阴，放飞人生理想，规划美好未来"这一重要课题。班会上，同学们积极开展人生规划的大讨论。虽然，每个班的班会形式各异，但都默契地设计了同一个环节：要求每位同学立足现实、立足自身，制订实现个人成长成才的规划书。同学们在集体创设的激情氛围中，很容易受到感染与鼓舞，纷纷写下了自己的人生规划。由学生集思广益、自己创意的人生规划主题班会并未流于形式，而是围绕着"确立目标—管理目标—规划人生—畅想未来"的思路进行了深层次的思考与探讨，实现了"班班有特色，人人有收获"的目标。学生还在《成长手册》的扉页写下自己的三年规划和高一学年的学习规划，有几个班级都选择书写、畅谈的形式，鼓励学生公布梦想，以班级为摇篮，督促每个人在大家的共同见证下管理梦想，让梦想茁壮成长。

学业规划类：帮助学生走出安逸的生活现状，明确学习目的，端正学习动机，精心设计未来。例如，“文理科分科指导”“走近名校”“在量变中感受质变”等一系列班会指导学生合理地根据自身爱好和兴趣以及今后自身和社会的发展走向选择学文还是学理，减少了盲目性，帮助学生有的放矢地学习。

职业规划类：帮助学生明确职业方向，避免走弯路，浪费青春。例如，“20 年之后再相见”“我的职业我做主”“我离理想有多远”等一系列班会通过学生的社会实践和调查了解，让学生感受到职业人的艰辛与付出，同时感受到全力以赴干事业必须要有敬业进取精神和百折不挠的勇气。

素质规划类：为学生能够成为大写的“人”提供助力。例如，“认识他人”“遵纪守法”“健康身心”“‘游戏’人生”“穷养男生，也要穷养女生”“咬定青山不放松”等一系列班会通过学生的实际体验，指导学生发现生活和学习中意志品质方面的不足之处，教师加以点拨指导，帮助学生在达成目标的过程中不断修正自身。

学生要客观地评价自己，对升学有一个客观的自我期待，使自己冷静平和地对待考前学习和高考，才能稳定发挥，取得理想成绩。因此，帮助学生理性分析形势，调节情绪波动，保持良好心态，进行适当激励是当务之急。我校设计了题为“破茧日记”的教育疏导活动，使它能成为学生们的“心理医生”，学生可以把心里话记录在其中，让这一片片纸页成为无声的听众，疏导他们的情绪。班主任老师从中了解学生的心理变化，及时发现问题并给予疏导。于是，日记成为同学们一个重要的宣泄途径。意想不到的是，学生没有把日记当做一种负担，反而在日记中流露出面对挑战的坚强与勇敢。

T 男生学习成绩不很理想，始终居于班级的中游位置。随着沟通的渐渐深入，师生发现彼此更能够从心里理解对方了，该生的心态变得非常积极，学习状态也节节攀升，他在日记中这样写道：

2月28日，心情：晴

今天的誓师会给我带来了信心与紧迫感，回顾了自己高中的成长过程，更使我意识到现在向高考冲刺的必要性，原来距高考按天计算，现在应该论秒了，再横不下心就来不及了。在此之后的3个月，我想我的压力必会与日俱增，这让我回想到中考时，家长每晚不断把我从写字台轰到上床的情形，那时的我被自己的焦急充满了电，现在我也不想服输。我一定要在最后时刻，破除我身上中庸的魔咒。

很多学生离校后还保留着当年的破茧日记，作为奋斗岁月的见证，破茧日记在学生今后的人生中也能起到砥砺精神的作用。

学科素养类：在中学时代，需要学生提升的学科兴趣，激发学生的学习动力，最终使知识内化为学科素养。例如，“我学文言文”“选美中国”“SE物理状元榜”等一系列班会寓教于乐，让学生真切感受合作、观察、交流等相关综合能力对于人生的重要意义，引发热爱学习的内在要求，形成日后选择专业的兴趣点，提高自身的科学和人文素养，积极融入社会。

创新班会形式和评价机制，建立班会资料库。我校在主题班会的筹备形式上也进行了大胆的改革与尝试。高中各年级按照学生程度和班型特点把班主任分成三个组，班主任以组为单位，集体设计班会方案，搜集影音等资料。形成了班主任的研究合力，深入钻研，共同提高。班主任在总体方案的基础上，根据各班具体情况，添加个性化内容，同组教师互听班会，会后就班会方案和各环节的实施情况作认真的讨论和评价。为了增强班会课在促进人生规划教育的效果，课题组每学年组织开展人生规划主题班会的展示活动，目前学校已经组织过三届展示班会，向全校师生开放，从而促进班会课的实践和研究。班主任指导学生积极开展人生规划的大讨论，提升学生主动思考人生、规划学业、自我管理和自觉成才的意识。为了提高工作效率，做到资源共享，学校汇总整理了所有班会资料，包括图片、音乐、视频、文档、幻灯片等，建立了

"高中人生规划教育素材库"。

2011 年 12 月 2 日，海淀区高中生人生规划教育现场会在我校召开，海淀区教委王建忠副主任、中教科苏纾科长，海淀区教科所吴颖惠所长出席了会议。这次承办区级现场会，将我校以主题班会进行人生规划的教育形式进行推荐。首都师范大学学生思想道德发展与评估中心常务副主任、北京市教育委员会特聘德育专家蓝维教授，以及北京师范大学博士、比利时根特大学博士、北京师范大学教师教育研究中心教师桑国元教授作为专家应邀出席大会。同时参加会议的还有海淀区"人生规划教育课题组"37 所成员校的领导和老师，以及海淀区德育第三协作组成员校的代表，青岛第 17 中学的校长和 10 位老师也特意远道而来。现场会分别展示了高中三个年级三个不同主题的人生规划教育班会，展示了我校对于人生规划教育的理解与思考。

高一（6）班的班会"梦想从心开始"以比塞尔人因为找不到正确的方向而无法走出沙漠的视频导入班会，让学生领会到精彩纷呈的高中生活要从选定方向开始。飞天第一人王远志院士的奋斗经历以及周恩来总理求学的辛苦经历激励着同学们。学生们纷纷主动与他人分享自己的职业理想，理性分析自己确立理想的缘由以及自己的优势与不足。最后交换自己精心绘制的写有理想职业和短期目标、长远目标的"理想名片"，获得同伴的支持与监督。班主任张洁老师通过视频的形式总结了 6 班自建班之日起的成长足迹，寻找班级前进的方向，以此激励自身不断进步，从而带动班集体的共同成长。高二（10）班"让坚持驻守生命"班会首先是回顾刚刚结束的西安、延安红色之旅，得出革命先烈通过自己的坚持换来中国革命胜利的结论，胡恰老师针对在日常生活中学生表现出的种种不能坚持的现象通过向家长进行调查访问，获得第一手材料，总结得出因坚持做某事从而获得成功的"感动 10 班人物"。会上同学畅谈尝试"21 天的坚持"的活动感受，一致认为只有坚持才能让优秀成为一种习惯，才能在精神品质上获得受用一生的财富。高三（11）班班会主题为"让理想照进现实"。学生面对着高考升学，通过调查，班主任涂红莉老师发现学生在院校和专业的选择上有许多困惑。

于是，经多方联系，请来了北京航空航天大学招生处处长洪冠新教授为学生指点迷津，洪教授简捷清晰地分析了学科与专业、院校与专业、就业与专业的关系，让同学们具体了解部分专业的设置及发展情况。为了让学生了解用人单位对优秀人才的界定，11 班的两位家长作为嘉宾也参与了班会，陈乃新同学的父亲作为中国情报界领军人物与同学们分享了他求学就业的奋斗经历，李梓瑜同学的母亲作为上市公司的财务总监，告诉孩子们责任心、进取心、综合能力与合作能力通常是用人单位衡量人才的标尺。通过班会，同学们一致认识到：认定了方向，作出了选择，就要对自己负责，更重要的是需要付出行动，不管是学习还是工作，为了追求卓越，就要全力以赴，只要坚持不懈地付出，自然会有所收获。

蓝维教授和桑国元教授一致指出：人生规划意义非凡，看到学校如此重视此项德育科研课题的研究，感到非常高兴，并有幸认识到海淀的德育实力和中关村中学的研究水平。学生素质很高，语言表达能力极强。主持人应变能力和把控局面的能力强。班主任的素养高，学情把握准确，总结提升有水平。班主任注重运用调查研究的方法，抓住了学生的主要问题是做好班级工作和学生生涯规划的前提。班会选的主题和角度很好，符合学生的年龄和年级特点。学校和班主任充分调动了社会资源，借助家长、社会的力量对学生进行教育。参会的北航招生处处长的讲解和学生家长的亲身经历非常有说服力，他们准确的措辞，恰到好处地传达了教育工作者想对学生进行的教育内容，这是中关村中学得天独厚的、独一无二的资源，是别的学校无法比拟的。如此好的教育活动，一定会令学生受益终身。

吴颖惠所长非常赞赏我校的“爱其生则为之计长远”的教育理念，强调指出学业规划和职业规划与人生规划的关系，希望我校在极具价值和意义的科研课题的引领下，教育教学水平更上一层楼，让学生更加自信，更加有成就感地走向未来。

王建忠副主任分管海淀区中学的教育改革和德育研究，他的一席话，高屋建瓴地指出教育工作者的崇高职责就在于教书育人，要为社会输送优秀的人才，还要让学生心智成熟地走向社会，要为学生、社会、国家负责。所以教师的眼光直接影响到学生的前途和社会的未来，因此人生规划教育意义重大，一定要坚持作好人生规划教育。

④特色德育内驱化：特色德育，独辟蹊径，注重传承。

周恩来精神、院士文化是我校特色德育的载体，我们出版了《周恩来诗歌详释》和《院士的故事》作为德育校本教材。传承恩来精神、院士文化能为学生制定人生规划、践行人生规划提供内驱力。课题组也借助我校特有的资源，积极开展学生人生规划的引导工作。教育学生在伟人精神和院士故事的引领激励下，树立远大的人生理想，并努力践行，为中华之腾飞而不断进取。

⑤学科引领目标化：课堂学习，掌握知识，规划学业。

规划学业是高中人生规划教育活动的重要组成部分，结合我们学校的情况，结合学生的认知规律，加强初中高中的衔接，指导高一新生认识新课改，走进新课程。新生入校时，为了使其更快地适应高中生活，了解学校，了解集体，了解自己，我校设置了入学教育与学前培训，为学生介绍高中学科方法和高中德育的特色，诸多老师开设的学科第一课，为学生打开了解高中生活的大门。指导文理分科，结合学业规划，引发学生对文理分科的思考。学生们很自然地谈到了个人选择文或理时要关注“个人兴趣与职业目标 ”“了解高考录取率和专业的社会需求情况”“客观分析自己的各科成绩，整体把握个人实力 ”等方面问题，起到了很好的指导作用。学校请家长完成一封家长信，给自己的孩子一个切合自身情况的指导，同时联手心理教学，开展“学习心理普查前测”，帮助学生早日找准方向，合理进行学业规划，为学习生活赢得制高点。学校还依托年级和班级举办学情分析恳谈会、学习经验交流会，共享好的方法，注重表彰，期待更多的同学进步。设立各种奖项，覆盖面尽量大，争取让每个学生找到自己的闪光点，用某一闪光点激励学生全面发展。在表彰会上我们发奖状、奖品、制作表彰 PPT，在家长会上和校会、班会上进行播放并提出建议：学会清楚地认识自己，找准定位，制定清晰的短期和长期目标，并持之以恒地做下去，挖掘所有的潜能，相信自己会成功，信任学校、尊重老师，相信在老师的耐心指导和悉心帮助下，可以做得更好；扭转观念，端正认识，在思想和行为上摆脱稚嫩，走向成熟。

⑥规划发展持续化：立足当下，阶段规划，展望未来。

现代教育伴随着中国改革开放的程度而不断地调整方向和策略。学校教育的成功之本或许正在于教会学生用一种长远的眼光审视自我，从而立德、立业。为学生负责的一个重要表现就是引导他们用超前的眼光思考未来，用严谨的态度立足现在，用平和的心态审视过去。将过去的得失、现在的成败统统变成未来的起点，用一种昂扬的态度积极奋进，理性规划自己的人生。

考上大学并不是学生的终极目标，而是学生崭新生活的开始。我校认为：作为教育工作者，应该做到教学生一年，为学校着想三年，为祖国着想三十年，为学生着想一辈子。这一点在对学生的学业规划、职业规划、素质规划、素养规划上得到了充分的体现。我校寄希望于莘莘学子能够学有所长、学以致用，立鸿鹄之志，成栋梁之才，为国家和社会造福，从而实现人生的价值。

（三）人格教育体系

人格是一个人的性格、气质、能力等特征的总和，同时也指个人的道德品质。从伦理学上来看，人格指一个人的尊严和信誉；从法律学的角度来看，人格指享有法律地位的公民自由；在社会学上，人格指个人在社会上所扮演的角色；而心理学家们则认为，人格指个人的生活旨趣、认知方式和能力、情绪特征、意志品质和态度倾向等心理特征所组成的相对稳定的结构。人格是构成一个人的思想、情感及行为的特有统合模式，这个独特模式包含了一个人区别于他人的、稳定而统一的心理品质。

古人云“人之初，性本善。性相近，习相远”。对人来说，能否具有向善、行善、扬善的人性，直接关系着他的理想定位、社会价值、人生走向。人类利用知识认识世界、改造世界，同时更需要健全的人格作为人立于世界的“脊梁”。因此，青少年阶段知识积累诚然可贵，但人格培养更重要。

学校充分认识到重视青少年人格教育，是现代社会发展的需要，是青少年健全发展的客观需要，它还具有推动、升华社会文明的巨大作用，是构建当代民族精神的重要方面。在学校德育建设中，围绕“做一个堂堂正正的有骨气的中国人”的教育目标，从培养学生的感恩之心、博爱之心、尚礼之心、健康之心四个角度，关注人与自然社会、人与人、人与我三个基本维度，着眼于学生的心灵品格建设，促其人格系统健康发展。

1. 感恩之心：恩深似海，感而悟道

感恩是一种生活态度，是社会上每个人都应该具有的基本道德准则，是做人的起码修养，也是人之常情。对青少年来说，感恩意识绝不是简单回报他人，它更是一种责任意识、自立意识、自尊意识和健全人格的体现。感恩，能使学生拥有积极的人生观，健康的心态，能够善待他人。拥有一颗感恩的心，对生活对人生充满希望，理智地面对人生旅途中的一切，才能带来他人对自己的尊重与感激。为了让学生懂得感恩，并不断体验和感悟到在感恩中成长的快乐和收获，使他们知爱、存爱、释爱，使他们学会信任、理解、尊重，建立良好的人际关系，从而延伸一个人生命的宽度，学校把感恩之心的培养作为人格教育的首要内容，关注学生角色与责任感教育，让他们懂得感恩不仅是作为一名学生、一个孩子、一个同伴所应具备的品格，更是作为一个小公民、作为一个社会人所应肩负的责任。我校感恩教育活动从细处着眼，向纵深发展，既有从生活小事中学会感恩、践行感恩，又有从家庭、校园延伸到社会生活。用感恩的力量，塑造学生的向善人格。

（1）细微之处总关情——感恩教育月活动。为了引导学生在生活中体悟感恩的内涵，以实际行动感谢父母、老师、同学和自然社会对自己的赐予、关爱，年级设计了系列感恩教育活动，这些活动从日常生活入手，适当结合特殊节日（例如，感恩节、母亲节、父亲节和教师节)，让学生在亲身体验中领悟感恩的意义，解读中华民族的道德宗旨。“感恩”两字隐含的民族文化与情结，使生活的细微之处涂抹上感恩的色彩。下面是初中某年级设计的感恩活动内容与形式。

表3－1　某年级感恩活动方案

养育之恩	教诲之情	同窗之谊
一封家书活动（要求学生给父母写一封家信，表达对父母养育之恩的感激之情。年级将优秀家书编撰成年级文集，作为课外教育读物）。	1. 举行教师节诗朗诵和歌咏比赛活动。诗朗诵《收下不变的真情》，献唱《当我走过老师窗前》。 2. 举行“师恩难忘，师情永存”的作文竞赛。	1. 开展“我为同学做一件好事”活动。 2. 开展“今天我值日”活动。 3. 给对自己帮助较大的同学写一封信或发一条短信，表达自己的感激之情。
综合活动 1. 年级短信大赛（感恩节给爸爸、妈妈、老师、同学等发感恩信息表达感激之情）。 2. 专题展板评比（各班出一期感恩教育板报和手抄报的展板，年级组织进行评比）。 3. 观看感恩影片，学唱感恩歌曲。推荐影片《感动中国年度十大人物》《永远的丰碑》《一个也不能少》《我的父亲母亲》《千里走单骑》等；推荐歌曲《感恩的心》《常回家看看》《爱的奉献》《烛光里的妈妈》等。 4. 开展“缅怀革命先烈，感恩幸福生活”扫墓活动。 5. 举行感恩故事会活动（讲述父母养育自己的点滴感人故事）。 6. 布置感恩家庭作业，即主动参加一次家务劳动，帮助父母：①洗两次碗；②洗两次衣服；③拖两次地板；④整理一次房间；⑤休息日做一次饭。		

活动反思

感恩教育是德育工作的有力切入点，它可以从最细微处帮助学生看到自己内心深处最柔软的真情。通过感恩，他们会进一步明确责任，进一步加强道德修养。

德育工作主题突出，活动设计序列深化是近年来我校摸索出的德育工作经验之一。每搞一次活动，必做到育德点突出、主题鲜明，让学生留下深刻印象。此外，通过这种模式，可以不断巩固育人成果，起到以量变促质变的作用，使活动目标逐层深入推进。

（2）离别之际诉心声——高中毕业典礼活动。毕业典礼，可谓是众多老师送给学生们的压轴大戏。当一批批学生毕业离校之时，我们都会创设一个平台让师生共诉心声。通过活动，让关爱之意永不休止，让感恩之情埋下火种，这个仪式褪去了成人仪式的庄严，脱掉了百日冲刺的昂扬，有的只是发自内心的缱绻诉说和目光中的不舍温情：老师们一扫平日教学时的严肃，纷纷为学生精心准备“礼物”，他们睿智的话语，炽热的情感，感染并打动着所有学生的心。在这沉甸甸的爱里，有对爱徒美好未来的祝愿，有对学生做事为人的指导。老师们富有学科特色的发言，更是让学生惊叹老师的才华与博爱，进而深切体会到老师的大爱，母校的大爱。近几年，老师对学生的毕业赠言年年翻新，成为仪式上最为轰动和绚丽的亮点，这是所有毕业班教师集体智慧送给苦心培育三年学子的一份珍贵的文化大餐和心灵盛宴。

正如2009届高三毕业时，各科教师纷纷登台向学生送上毕业赠言。语文组的毕业赠言是：唐诗宋词吟咏无限韵律，楚辞元曲奏出光明未来；一横一竖书写正直人生，一撇一捺挥洒坦荡胸怀。高三语文组全体教师愿大家：语出惊人，激扬文字指点江山，就其宏图伟业。文以载道，中流击水浪遏飞舟，兴我强盛国邦……老师们富有学科特色的赠言展现了为人师的魅力风采，博得了在场每一位学生的热烈掌声。其后教师代表还高举起亲手制作的横幅展板：语文就业兴邦，数学明真解惑，英语沟通世界，物理揭示人生，化学创造神奇，生物构建和谐，文综积淀内涵，体育强健体魄。这种方式再一次向每位学生展示了中学文化课的学科魅力，希望学生将来能够学有所长，学以致用。

为了使仪式具有我校特色，学校特意制作了毕业礼服和毕业帽，设计采用学校的主体颜色：灰和黄。这意味着学生从此便拥有了创造辉煌的实力和勇气，前程似锦。仪式上，校长亲手为每位毕业学子行翻穗礼，长长的红色流苏从帽子左侧被翻到右侧，寓意着学生心智的成熟。具有中关村中学独特设计的高中毕业证书也由校长亲自发到每个孩子手中，标志着他们顺利地完成了高中学业。每位受礼的学生都情不自禁地与校长拥抱，诉说对学校的热爱与感谢。这一时刻无比神圣，无比光荣，将永远定格在每个学生的心里。一位学生会后激动地说："正是老师用无私博大的爱心，教书育人的崇高灵魂，滋润了我们幼小的心灵，放飞了我们远大的理想，拨正了我们前进的航向，使我们茁壮成长。真心地感谢老师的付出，真心地祝福我的中关村中学蒸蒸日上。"

2009 届高三学子临别时赠给了母校的一副对联（上联：学识日新·师恩难忘·寒窗不负中关名；下联：德行无染·云帆直挂·励志敢为弄潮儿；横批：沐恩成材），中关村中学不仅是年轻学子梦开始的地方，更是他们德行日渐成熟的摇篮。在这里，他们学会了为人处世，将满怀自信地走进社会大课堂。

2. 博爱之心：怀抱仁爱，无私奉献

唐朝韩愈《原道》中提到"博爱之谓仁"。博爱是一种崇高的爱，它以爱人为基础，包括爱祖国、爱人民、爱生命、爱人类的生存环境、爱人类的劳动创造、爱文明进步、爱一切真善美的事物。博爱，是无私广大的，是一种尊重，是宽容，是奉献，是一种持久的真情、理性和道德的力量，是一种价值观，更是实际行动。在对学生进行思想道德的培养过程中，学校深刻认识到：培养学生博爱的思想，需要坚持实践第一的观点，引导学生自觉投身到博爱的道德实践中，在参与中获得丰富、真实、深刻的体验与感悟，从而实现健全人格的发展。

红十字会就是培养学生博爱之心的一个重要载体。我校把红十字工作纳入学校发展的总体规划中，作为加强学生思想道德教育和推进学校素质教育的重要内容来抓。通过弘扬与实践红十字“人道、博爱、奉献”的精神，让学生学会处理与他人、自然、社会的关系，怀抱仁爱，学会奉献与担当。

我校红十字会成立于1996年，至今已走过16年的历程。红十字会现有初级救护员2964名，高级急救员3名，市级培训师5人，还有一支由240名初、高中学生组成的急救队。红十字会设有固定的宣传阵地（例如，校报、校园网页、宣传橱窗、展板等）和日常活动场所。校红十字会坚持以弘扬红十字精神、保护师生健康为己任，扎实开展健康教育艾滋病预防知识宣传、卫生救护救助技能培训、爱献捐助和志愿服务等活动，为促进学生全面健康发展作出了积极的贡献，取得了红会工作的显著成绩。2001年我校被评为北京市红十字学校，2003年被评为北京市红十字会先进学校，2006年被评为北京市红十字示范校，2008年获得北京市红十字会系统先进集体称号，2011年被评为全国红十字模范学校。

（1）积极鼓励加入红十字会，大力表彰优秀会员。学校红会认真做好宣传动员工作，通过开展丰富多彩的红十字活动吸引学生。除会员缴纳的会费留用外，学校每年还拨1万元专款用于红会宣传、急救队培训、急救队表演活动和优秀会员表彰等。学校校长在每年的新会员入会仪式上都要宣讲红会精神，鼓励新会员积极投身爱心救护行动。我校还开展“红十字精神汇聚爱心”表彰活动，表彰在校、区、市级中获得“优秀红十字会员”称号的同学，鼓励更多的学生投身于红十字活动。

（2）广泛宣传红十字精神，有效传播健康知识。我校以世界红十字日、世界残疾人日、艾滋病日、爱眼日等重要纪念日为教育契机，开展形式各异、主题突出的宣传教育活动。召开主题班会，开展无烟倡议，进行遏制艾滋病的手绘报比赛，开展红十字知识竞赛，等等。学生们热情参与，认真对待这项工作，通过活动加深了对红十字精神的认识，提升了觉悟，感到受益匪浅。此外，我校红会会员刘思莉、苏立婷同学曾赴韩国汉城参加中、日、韩三国红会会员交流活动，诸多红十字骨干参加“京哈红十字青少年冬令营”，学习他人经验长处，弥补自身不足。他们通过交流互访的形式，以自己的实际行动宣讲“人道、博爱、奉献”的崇高精神。

（3）开展应急救护培训，提高自救互救技能。学校每年都聘请市红会的专家来校作急救培训。2000 年至 2012 年，已举办培训班 12 期，培训师生 3000 多人，均取得初级急救员资格。学生基本掌握了止血、包扎、固定、搬运和心肺复苏的知识和技能。

学校还组建了一支由 240 名学生参加的校园急救队。校红会的老师将外伤和骨折处理、包扎、止血等十多种的技术编成“建筑工地楼房倒塌”的情景剧，对他们进行实战演练，提高了急救对员应对突发事件的能力和自救互救的技能。急救队在全国卫生应急救护工作会上的表演，赢得了彭珮云副委员长的好评。她激动地说：“孩子们，你们真是太棒了!”市委书记、市红十字会名誉会长刘淇，市长郭金龙在海淀调研时观看了我校急救队的表演。郭市长说：“要向中关村中学学习，普及应急救护知识和相关技能。”

这支学生急救队，利用课余时间加强培训，提高自己的救助技能，学校给他们提供服务平台，使他们在实践中成长。掌握了应急救护技能的学生们经常活跃于校园内外。操场上、运动会赛场上，经常可见他们穿梭忙碌的身影。他们在同伴危难之时伸出援助之手，奉献关爱之心。一次，在赴南京社会实践的列车上，一位同学不慎用水果刀划伤了手指，同行的会员用自己带来的药品和纱布为其包扎，下车后，又主动陪同受伤同学到当地医院就医。南京的医生当时惊诧地说：“包扎的手法真专业!”

（4）积极进行人道捐助，勇于担当社会责任。我校把开展人道救助活动作为加强学生思想品德教育的重要途径，教育和引导学生扶危济困、乐善好施、互助友爱、志愿服务，做有社会责任感的优秀公民。

近五年，我校组织帮助身边的师生救助国内外灾民、捐助希望工程等活动十余次，募集师生善款 45.24 万元。红十字会制定了《中关村中学生活特困生资助办法》，以发放奖学金的方式定期资助特困学生，帮助他们完成学业。学校每年都有近十位优秀特困生获得资助。“5·12”汶川地震发生后，全校师生心系同胞，在校红十字会的号召下，全校行动支援灾区。两天时间，师生为汶川地震灾民捐款35万元，由校红会直接送到中国红十字总会。这一行动充分体现了“一方有难，八方支援”的人道主义精神。我校学生在红十字精神的感召下，不仅心系国内灾区，而且能够携人道之手，关注国际社会。我校初三学生付晋、刘肖阳得知海啸发生，自发到斯里兰卡驻华大使馆，把自己的“压岁钱”和衣物捐献给灾民，受到该国大使的高度赞扬。我校红十字会会员为印尼海啸、地震灾民捐款6271.90元。2010年和2011年红十字会组织“博爱京城”捐款活动，共募善款3万多元。

爱心没有国界，爱心可融化冰雪。现在的孩子几乎都是独生子女，尽享众多长辈的关爱。教育他们关心他人疾苦，乐于伸出援手；引导他们热心公益服务，肯于奉献微薄之力是当今学校教育的重要任务。红十字倡导的是“赠人玫瑰，手有余香”。它是一种“爱”的教育，学生在关爱和帮助他人的过程中，让自己获得助人的快乐与幸福，增强了同情心和社会责任感，积极融入到爱心传递的活动之中，提升自身素质。红会的捐助活动集合了更多的学生融入到播撒爱心、奉献光热的队伍中来，让红十字的温暖传遍世界每一个角落。

（5）注重红十字精神引领，培养社会责任感。校红十字会会员定期到社区进行义务服务。例如，帮助孤寡老人；进行绿色环保宣传，发放环保购物袋；与社区居委会联系进行公益劳动。奥运期间，我校红十字会志愿者服务北京奥运，热心为国内外友人提供帮助。会员们还走近特殊人群，传递人间真情。他们走进精神病院，来到盲人学校，传递世间关怀，与同龄人共享青春欢乐。

2004至2012年，我校有23名学生先后获得“北京市优秀红十字会员”称号。2009年，我校红会副秘书长王芨同学作为全市49万中小学生的唯一代表，参加了北京市红十字会第九次会员代表大会。很多学生在我校读书时就积极参加红会的工作，升入大学后，依然承担红十字会的工作，继续在新的学校、新的环境中把红十字的精神发扬光大，继续以饱满的热情为更广泛的群体服务。会员白玉说："红十字会不仅仅教会了我丰富的知识，让我变得乐于助人，更加有奉献感，更让我获得了帮助身边人的能力。"会员钟智说："在步入社会之后，我会以我的实际行动践行我最初的誓言，我也会将红十字的'人道、博爱、奉献'的精神运用到生活中，发挥所学的知识，帮助有需要的人，并将继续热衷于红十字的事业。"

多年来，学校深刻认识到红十字会工作对学生教育具有净化心灵、陶冶情操、培养社会责任感、提高生存技能、塑造完整人格的重要作用，自觉把红十字会工作当做加强学生思想道德建设的重要载体，与全面推进素质教育有机结合，扎实开展工作，取得扎实成效。我校高举"人道、博爱、奉献"的旗帜，把人道的精神培植于校园，把博爱的情怀撒播到世界，让奉献的热情温暖着人间。

3. 尚礼之心：德行天下，以礼为先

尚礼作为中华民族的传统文化思想，有着极为丰富的内在蕴涵和精神特质。尚为推崇，尊重；礼为礼节、仪式等道德规范。尚礼即倡导文明，尊崇礼节，砥砺意志，以谦逊之心提高自身修养，滋润涵养心灵，做习惯优秀的人。尚礼之心的培养，着重学生自身角色定位以及行为方式培养，使学生学会自觉、自立、自强、自律。我校尚礼教育既包含"修身"的传承美德、尊崇礼节，也包含"养己"的行为处事习惯培养。从仪容仪表着手，打造中关村中学学子的阳光形象，从良好外在形象与优雅举止中使学生拥有自信乐观的品格。同时学校充分意识到，只有培养学生良好的行为习惯，才能树立起良好的道德风尚，才能为精神文明建设打下坚实的基础。

（1）由"堵"到"疏"，礼在仪态。仪容仪表是一个人精神面貌的外观体现，良好的仪容仪表会给人以朝气蓬勃、开朗热情的感觉，反之则使人望而生厌。一个人的气质、魅力是后天培养的。中学生都是阳光少年，应该拥有属于自己健康、阳光的着装和外在形象。为了打造我校

学生健康的形象，端正校风，学校以往的《学生德育管理制度》对男女生的仪容仪表要求十分严格。为了统一标准，便于管理，学校规定：男生的头发五指并拢插进去，头发不能高过手指厚度，女生一律齐耳短发。在一段时间内，大部分学生对于这些规定予以理解和遵守，但学校里有时也会出现个别不合要求的发型，一些男生因为不满制度规定而作出固执的反抗。

我们理解学生爱美的天性，尊重他们的个性与喜好，在着装和发式的要求上有了新的变化。学生平时可以穿运动装，方便、舒适、休闲；集体活动时，穿正装，大方、得体、青春。男生着西装打领带，个个玉树临风；女生着白衬衣、配红格裙，尽显清纯可人。无论男生和女生，这种着装都能体现出当代中学生炽烈的青春活力，展现出他们的阳光形象。而且，正装款式的设计，征求了学生们的意见和建议，符合他们的审美要求。因此，每次穿正装时，学生们都很兴奋，如同过成人节一样炫耀着那份成熟美。

学生的发式也不再是千篇一律，而是在符合学生身份基础上的多样化发展。校规里依然保留了原先规定中的不烫发、不染发，不佩戴饰物，不穿高跟鞋及高筒皮靴，不化妆，不留长指甲。但女生的齐耳短发更换成扎马尾辫、盘发髻或是精干利落的短发；男生的发式也不再是单一的寸头，而是各种发式并存，只要不留长鬓角，前额头发不过眉，不留怪发型，不喷发胶即可。这样的人性化管理更有助于展示出青少年积极、活泼、向上的个性。理念的变革带来了不可思议的教育效果。我校学生仪容仪表的管理不再是难事，它成为真正能够深入学生心灵的审美导向，成为良好校风和学生风貌的一种体现。现在，我校学生基本树立了“以真为美、以善为美和淳朴为美”的正确审美观，校园里，随处可见到一张张充满朝气的笑脸，每个学生身上散溢的活力与朝气。从“堵”到“疏”，我们遵循着时代发展规律，正视学生心理需要，及时调整规定、法则，反而收到了不同凡响的教育效果。

（2）由“一”到“万”，行在初始。起始阶段能否平稳过渡、顺利衔接将直接影响学生的学习生活。我校结合学生的实际特点，想方设法培养学生优秀的行为习惯，同时激发学生浓厚的学习兴趣。老师们各显其能，将枯燥、教条化的思想观念和规章制度编成学生喜闻乐见的文章和诗歌，最大化地发挥其育德功能。

凡事预则立，卓有成效的入学思想教育与学法指导是必不可少的。每位升入初一或高一的同学都希望能够在学习、思想、品德、才艺等方面有较大的飞跃，他们对新环境充满好奇，对新学期充满期待。然而，许多有雄心壮志的同学，入学才一两个月，就开始陷入“三难”局面，即心理上难以承受、知识上难以掌握、生活上难以适应。究其原因，主要是决心大而空，思考不细致，行动没标准，稀里糊涂便走上了下坡路。因此，为了帮助新生顺利度过适应期，起始年级的新生入学培训便成为学校德育工作的传统，年级组根据学生的年龄特点设计培训活动，力求从心理、生理和物质上帮助新生做好充分的准备。

为了便于初一新生掌握快速进步的技巧，年级组老师群策群力，共同编写了《新生入学须知·十提醒》，为学生的顺利过渡打开了绿色通道。

心中有打算，行动有目标。
生活有规律，习惯养成早。
三人行有师，见贤来思齐。
吾师为吾范，虚心来求教。
人人为集体，幸福心头绕。
上好第一课，学法早知道。
作业需勤心，独立去思考。
认真预复习，能力渐提高。
建立备忘录，拟定计划表。
放学就回家，情况常汇报。

针对初中年级的学习特点，在教学中教师结合学生的实际问题编写了实用学习口诀，在学生中进行普及，有助于每位学生掌握基本的学习方法，提高学习效率。

课前要预习，听课易入脑。温故才知新，歧义见分晓。
自学新内容，要把重点找。问题列出来，听课有目标。
听课要专心，努力排干扰。扼要做笔记，动脑多思考。
课后须复习，回忆第一条。看书要深思，消化细咀嚼。
重视做作业，切勿照搬抄。编织知识网，简洁又明了。
同学间互助，时间安排好。地点很重要，效率要提高。

此外，人性化的习惯养成还在于启迪思想，树立信念，坚定理想。初中生的理想教育是中学理想教育的发端，如何寓教于乐、育有实效是很多班主任教师所考虑的问题。走在初一年级教室的走廊里，一大早就会被学生琅琅的诵读声和悠扬的旋律所吸引，他们齐诵的是徐彬老师自编的《春学篇》，这篇小文把死板的条款变为富有文采的篇章以规范学生的行为习惯，学生沉浸其中，受益终身。如今它已经成为年级的特色活动。

沐春风之和煦，浴骄阳之媚暖。
历经学习知真理，知书明理成真人。
莫负亲之严慈，莫负师之谆谆。
莫负时之荏苒，莫负世之太平，
莫负年之少壮，莫负我之前程。
能施辛劳于春日，会享欢乐于秋节。

《新生入学手册》是传递爱与希冀的口袋书，目的是让习惯养成点滴渗透。为加强对初一新生学习、生活的指导、使他们平稳过渡，年级出版了印制精美的《初一新生入学手册》，板块包含卷首语、教师寄语、致新生家长的一封信、假期作业及学习指导等。手册设计精巧，便于携带和随时阅读，内容丰富而精致，益于学习和掌握。

除此之外，年级组还利用板报、橱窗等形式，抓住学科活动的契机，加强学习行为规范的养成，充分利用各种资源进行学习方法的指导；通过加大表彰力度，期中、期末考试设立各种标兵，优秀、进步学生介绍学习经验等形式让先进成为榜样，以榜样带动、激发全体学生的学习热情和兴趣。

4．健康之心：身体强健，心智成熟

健康是指一个人在身体、精神等方面都处于良好的状态。现代人的健康观是整体健康，健康不仅是身体没有疾病，还要具备健康的心理、良好的社会适应和道德。人格教育是一种着眼于心灵改造和品格塑造的教育，是教育者针对青少年素质现状，有目的、有计划地运用心理建构、心理训练等方式与方法进行的教育形式。我校着力开展健康之心教育活动。一方面通过体育锻炼等内容，强健体魄、磨炼坚强意志。多年来我校坚持召开体育卫生工作研讨会，切实关注学生身体健康情况，及时总结体育卫生工作经验，探索工作新方法，保证学生体质健康优良。同时，我们更注重通过关注学生心理，培养智力正常、情绪健康、意志健全、行为协调、人际关系和谐、反应适度、心理特点符合年龄阶段的心理健康的青少年。

根据相关研究，从20世纪90年代至今，青少年的心理健康水平持续下降。消极的心理特征（例如，心理问题、焦虑水平、抑郁水平等）逐渐明显。同时，部分积极的心理特征也在逐渐下降（如自尊水平逐渐下降，从1997年到2007年的10年间青少年的自尊得分下降了11个百分点）。心理学专家认为，国人心理健康水平的下滑根源在于社会转型期各种社会问题的增加，而正视中学生的心理问题，实现心智健康、成熟，必须从基础教育做起。专家呼吁，学校教育应该更加关注学生的心理健康，及时、正确地救赎产生心理危机的学生，帮助他们恢复乐观、自信。

顺应时代发展的需要、与时俱进地解决时代伴生的教育问题是我校办学眼光长远化的又一体现。从20世纪90年代开始，学校越来越重视中学生的心理健康教育工作，我们将德育与心育结合起来，在实践中重视培养学生积极的心理品质，开发他们深藏的心理潜能。校领导在各种场合中多次强调成功的德育在于帮助学生形成健全的人格。学校成立了心理服务中心，不断优化、整合心育资源，聘请优秀的心理咨询老师，特别关注那些处于困境期的学生。抽样调研发现，我校学生心理问题集中体现在以下几方面：①适应性问题，占咨询案例的 10.53%；②人际关系问题，占咨询案例的 36.84%；③身心健康问题，占咨询案例的 5.26%；④学习问题，占咨询案例的 26.32%；⑤情感问题，占咨询案例的 21.05%。数据显示，如何交往沟通、如何有效学习，如何处理情感问题是当代中学生必须面对的主要问题。学校相应的心理学介入与辅导就显得尤为重要。

心理服务中心对每届新入学的高一和初一学生进行心理测评和普查，并建立完整的心理健康档案。通过《中学生心理健康诊断测试》和《学习适应性测试》的测查，对有较严重心理障碍的学生建立预警对象库，对其予以长期观察和重点关注，根据危机状态的变化及时加以疏导防治。心理教师和全体班主任加强沟通，协同教育。每次测试后，学生的测评结果会在第一时间反馈给班主任，那些适应能力差、可能存在心理问题的学生即作为长期关注和引导的对象，心理服务中心根据学生不同阶段的表现，预约为其做心理辅导，必要时还会进行心理干预。心理咨询室设有专门的宣泄区和放松区，为有心理危机的同学提供科学、有效的疏导途径。由此，我校心理健康教育的工作真正实现了网络化和体系化。

伴随着现代教育形势的变化，我校把心理教育纳入教育工作重点，在积极探索一种“全方位，整体化，以心理教育为主导，同时辅以心理评估，心理辅导和咨询的服务模式”。学校的心理教育面向全体学生开展，旨在提高大部分学生对学习、人际关系和环境的适应能力，使学生能够发挥其内部潜能，走向成熟与成功。

四、春华秋实：学校德育工作的实施效果

（一）政治素养快速提升

作为北京市业余党校示范校，党总支带领校团委每年组织内容丰富的党课学习活动，成为对学生进行理想信念教育的重要窗口。一些在政治上要求进步的学生思想不断成熟，认识水平和觉悟不断提高，申请加入中国共产党的学生逐年增多。自2000年起，先后发展了段玮、史倩倩、李凌亚、程远、龙志飞、马乐、吴晓雷、杨晓、冯琳、宫政、李璇、聂琳、徐硕、李晓、梁京煜等优秀学生加入中国共产党，为党的队伍吸纳了新鲜的血液。这些同学德智体全面发展，以优异的成绩考入清华大学、北京大学、中国人民大学、南开大学、北京理工大学等著名学府。

（二）师生和谐发展

我校历来注重优秀学生的引领作用，多角度挖掘学生的闪光点，利用学生榜样的示范作用教育感召学生。除北京市和海淀区每年要求评选“三好学生”“优秀干部”“优秀团员”外，学校还设立了包括“周恩来奖章”在内的许多奖项，力求树立先进，教育感化他人。这些奖项有：优秀特长生（包括体育之星、阳光少年、艺术之星、才艺达人、科技之星、智慧少年等）、优秀公物保管员、优秀心理信息员、优秀值周生以及遵规守纪标兵、文明礼貌标兵、勤奋好学标兵、爱护公物标兵等。通过多种奖项的设立，鼓励学生全面而有个性地发展。

“周恩来班”中，有七个班级被评为“北京市优秀班集体”，两个团支部被授予“北京市红旗团支部”荣誉称号。“周恩来班”的班主任在带班的过程中，勤于思考，肯于付出，历练了教育教学本领，提升了教育管理的能力。第一届“周恩来班”班主任周卫平老师现在担任学校教学副校长、北京市学科带头人，被评为“北京市师德标兵”。李惠

文老师被评为北京市“紫禁杯”优秀班主任。李梅、黄秀娥、朱军、范振欢、邓荟予、杨淑军老师先后被评为“海淀区班主任带头人”。

（三）素质教育硕果累累

1. 特色社团蓬勃发展

在体育方面，组建多年的篮球社和田径社，摸索出一个通过校际联赛推动全校篮球运动，通过专业训练，培养高级别运动员，为高等学府输送精尖人才的成熟模式，它极大地激发了我校学生的运动热情。稳扎稳打的武术队，以“和为贵、道为本、义为重、孝为先、礼为常、苦为荣，扬我中华美德，长我民族神威”作为活动宗旨，用武德与武道濡染一届届热爱武术运动的学生；成立不久的健美社和街舞社以大众健美操、竞技健美操、街舞运动项目为平台，以增强学生的身体素质和协调性为宗旨，通过活动完善学生的思维方式，增强他们敢于拼搏的意志，形成不轻言放弃的信念，使学生受益终身。所有体育社团，都致力于培养学生的团队精神，形成一种齐心协力，共成大事的学生文化。我校被评为“市运会突出贡献单位”。武术队第16次蝉联“北京市中小学生武术比赛”团体冠军。2011年，还获得高中男篮全国第二名、北京市青少年篮球锦标赛冠军。

图3－1　我校学生获得第25届头脑奥林匹克世界决赛金奖

科技社团蓬勃发展，现有300多名学生参加天文、头脑创新思维、航海模型、建模、计算机、生物、无线电测向、科技创新、科幻画等科技社团。在各类科技竞赛中，共有362人次获得区级以上奖励，186人次获得市级以上奖励，147人次获得国家级以上奖励，28 个团体获得国家级以上奖励。2004 年我校获得第 25 届头脑奥林匹克世界决赛金奖，实现了北京市 OM 参赛史上零的突破。2011 年又摘得头脑奥林匹克 OM 全球总决赛亚军。

在艺术方面，我校民乐团获得了北京市第十四届学生艺术节器乐比赛一等奖。在第十届 PHE 国际青少年书画大赛上，99 人获优秀奖。在北京市第十四届学生艺术节舞蹈比赛中，我校舞蹈《开学了》获中学组一等奖；舞蹈《成长吧，向阳花》获三等奖；李芋老师获指导节目一等奖。管乐团演奏的《哈里斯的幻想》《费加罗婚礼序曲》获北京市第十四届学生艺术节器乐比赛金帆组“最佳技巧奖”和“最佳训练奖”。肖生启老师获“最佳指挥奖”。民乐团演奏的《白家大院》获北京市第十四届学生艺术节器乐比赛一等奖；姬桂珍老师获最佳指挥奖；黄育蕊老师获指导节目一等奖。我校还成功争创金帆京剧团，在国家大剧院举办的管乐专场音乐会以及在中山音乐堂举办的民乐专场音乐会拉开了校庆 30 周年的帷幕。

为全面实施素质教育，丰富学生的社会知识，开拓思维视野，增强其科技、人文素养，培养学生创新意识、实践能力与艺术鉴赏能力，提高学生的审美能力，满足其丰富多样的文化趣味，激发其新鲜的创造力，我们做了很多切实又艰辛的工作。30 年来的力耕不辍，在一届届学生心中埋藏了小小的志趣，深厚的爱国情感。一种“向真、向美、向善、向上”的校园文化凝聚着每一个中关村学子，澎湃着他们的民族自信心与自豪感。

2. 才艺秀场丰富多元

近几年来，在学生会各部门的共同努力下，我们开展了形式多样的文娱活动，不断提高学生的艺术欣赏水平，丰富广大学生的课余生活，陶冶情操，展现我校学生的多才多艺，努力创设热爱生活、领悟生活、享受生活的积极向上、充满活力的校园文化，让学生在丰富而充实的日子里，给自己的青春留下值得回忆的足迹。

自2005年首届“学生会杯卡拉OK大赛”成功举办以来，卡拉OK大赛已成为每年学生活动的一大亮点，此后每一届都受到同学们的热切关注，得到了广大师生的好评。为丰富校园生活、活跃校园气氛，学生会分属的音乐社与校电视台联合开展了“咱村的点歌台”活动。它成为音乐社与同学们互动的平台，为同学们创造了很多娱乐的空间，深受大家的喜爱。特别是“再见乌托邦”主题音乐节掀起了学生了解音乐、热爱音乐的新高潮，使菁菁校园再卷音乐风。而电影社、动漫社、街舞社、环保社、电竞社、摄影社、朗诵社则是应时代而生，利用学生喜闻乐见的形式，激发学生独立创作的欲望，提升学生鉴赏的水平。环保社组织的“环保时‘袋’”大赛，鼓励学生手绘布袋，精心设计拍卖环节，吸引了众多同学参与，拍卖所得款项捐给红十字机构，既展示了学生才华，又宣传环保理念，同时实现了爱心奉献的目的。动漫社组织原创动漫大赛，学生获奖作品均在校园网上公布。“小雨滴”志愿团定期组织志愿服务，成为海淀区的“明星社团”。成立不久的公共服务社，旨在让同学们的社会实践内容更加真实、丰富、有趣，让同学们在社会实践中真正学习到社会生活的技巧，汲取宝贵的经验。这个社团面向超市、社区等校外场所，通过做义工、服务者等形式让同学们广泛接触社会，了解社会，培养公益心、社会责任感和职业意识，是个立足实际，谋求长远的优秀学生社团。

校学生会举办的这一系列活动，不仅丰富了同学们的课余生活，活跃了校园气氛，为广大同学搭建一个可以展示自己风采的舞台，更重要的是通过自己设计、规划、组织活动，锻炼了这些学生的工作能力，养成了他们善思、乐行的习惯，让他们将工作根植于广大学生中间，牢固树立群众基础，从而推动校园文化建设。

除了形式多样的活动外，学校里还有一块学生激越思想、尽显友爱的阵地，那就是各种各样的刊物。校刊《腾飞》、团刊《枫》、年级刊物《青春记忆》、班刊《璀璨》，都是熔铸了青年人热情与智慧的刊物。这些刊物是无声的土壤，孕育了莘莘学子美丽的梦想；这些刊物，是纳川的瀚海，包容了无数学生珍贵的生活记忆。他们在这里倾吐成长的心语，犹如欢腾雀跃的小溪，将年少的痴狂与坦荡留在走过的路上。

3. 自我教育效果初显

成长记录袋填补了以往“育而无证，思而无痕”的教育空白。它让更多的青年学子开始审视青春，收藏足迹，典藏岁月。而收藏正是一种积聚，它对于人的一生弥足珍贵，它既是一台留声机，用时光的磁针旋转出光阴的故事；它也是一封宣言书，用成长的五味写给未来的一纸尘封的信。

（1）自我反思自觉化

通过成长记录袋达到学生自我教育的目的，必然伴随着学生的反思、感悟，在这个过程中学生对自身应承担的责任有了深刻认识。一位学生的成长记录袋中收藏了一张违规记录单，她在提交说明中自我反思道：“上高中以来第一次给班集体抹黑……心中百感交集……以后，不只在这件事上，只要是学校及班级规定的事就一定要遵守，要牢记……”可见这张记录单折射出学生通过对一件小事的反思逐渐成长，开始勇于承担责任，并真正形成了集体荣誉感。

一位同学在成长记录袋中插放了一份学习总结：“看着自己做过的每一次作业，看着被自己攻克下的每一道题目，我的内心都溢满了喜悦。通过在中关村中学这一年的学习，我拥有了更有效的学习方法。在高一（5）班，我身边有足够浓厚的学习氛围，我要通过更努力的学习才能达到自己心中的目标。也正是因为这样，我的自学、探究的能力得到了充分的提升。我逐渐在一次次的思考中体味到了享受，我不再觉得学习是一件枯燥的事。相反地，我爱上了解题的过程，爱上了攻克难题后的那份喜悦。这也成为我今后学习中的自信来源。即使我现在的成绩并不是最好，但我相信，兴趣才是成功最好的老师。”这份总结是该生对于高一生活的一次盘点，更是一次有意义的反思，在提交、撰写过程中她也在不断了解自我，解剖自我，反思自我，教育自我，从而达到了自我教育的目的。

而某位同学对成长记录袋中的《逍遥游》的默写小抄是这样认识的："把它放进去是因为我需要反省这个错误，为了让自己记住作弊的害处，不管是考试还是平常的小测验，作弊都是不应该的。这张小抄，是我成长路上的小插曲，记录了我踩进泥潭的一步。我突然明白了，实际上做成长记录册只有两件事需要做，第一件是以积极的态度面对成长，第二件就是用客观的心态把它们记录下来。成长记录册不仅帮我记下成长的瞬间，同时指导我规划以后的成长之路。这就是做成长记录册的意义吧！"

可见，通过学生建立自己的成长记录袋，反思自己的学习过程和成长历程，可以使学生比较全面地了解自己的学习过程，找到适合自己发展的途径，凸显个性，展示自我，特别是感受自己的不断成长与进步，有利于学生真正实现自我教育、自主发展、可持续发展。

（2）自我激励过程化

高一年级广泛使用的成长记录袋能够真正达到挖掘学生潜能、发展学生个性、施展学生才华的目的。在制作过程中，每个学生都可以寻找到属于自己的一片天地，激励自己不断超越，实现自我价值，在过程化激励中达到教育自我的目的。

下面是摘自2011届高一（10）班一份名为《青春纪念册》里的成长心情：

长大了，懂得了要珍惜身边的一切，学会了保护自己心爱的东西；
长大了，学会了做人要知足常乐，却不能不求上进；
长大了，了解了父母师友一片赤诚之心；
长大了，看开了困难没什么大不了，咬咬牙一挺就过去了；
长大了，发现了与人相处需要高情商；
长大了，长大了，长大了……
有种橡皮 叫"一擦没"，有种剪刀叫"一剪没"，有种时间叫"一晃没”。

可笑的是，一晃没的东西，用“一擦没”却擦不掉，用“一剪没”却剪不掉。

为啥呢？

因为，“一晃没”留下的，那都是长大的烙印啊！

这份成长心情真实而自然地反映出青年学生在成长过程中的必然体验，带给自己的成长感悟，那精彩的插科打诨之笔风趣幽默，用自己喜爱的形式激励自己要珍惜光阴，从而真实地体现出成长的变化，体现了注重自我反思的重要作用。

另一位同学在撰写成长记录袋总结时这样谈道：“……当我在制作成长记录袋时，翻看入学初及现在的照片，不变的人，相同的教舍，一模一样的花草，一切仿佛未曾改变。然而似乎却又真真存在着某种变化——照片中我的笑脸。初进校门时的自己，脸上挂着的微笑更多地带着份稚嫩的期待。那时的我渴望进步，渴望精彩的生活，但却不真正懂得如何为自己赚取这一切。套用时下流行的一句话形容：我就像一只趴在阳光下的玻璃上的苍蝇，总觉得前途一片光明，其实根本无法寻到出路。而通过这一年的挫折，反思，成长，我已逐渐寻找到了自己的出路，笑容里更添了一份成熟与自信。我明白了只有通过脚踏实地的努力，付出比他人更多的汗水才能取得进步。”通过一年的摸索，该生端正了心态，与成长记录袋相伴的日子，勾起了她对过往的回忆，记录了她成长的点滴，同时让她通过反思找到了出路。

（3）自我评价多角度

成长记录袋既是一种自我教育方式，同时又是一种科学、合理、合情的自我评价方式。评价的过程应当是在教师、家长的指导下完成的富有创造性的过程。学生整体素质的形成是学生个体不断吸收、转化、积淀的内化过程，而内化是别人所不能取代的。内化过程的加快，内化水平的提高，必然促进素质的发展。所以，学生不仅是被评价者，而且应该是自我评价者。当学生在评价过程中处于主体地位时，他们才能主动地得到发展。

学生通过成长记录袋的评价不同于课堂上的评价，也不同于一般意义的考试。它是多角度、多层面的综合评价，包括思想意识的评价、整体素养的评价、合作意识的评价、集体荣誉感的评价，当然也包括学业评价。

我校2011届高二年级在不断探索的基础上，继续丰富和创新“成长记录袋”的使用方法，通过这一个个深深浅浅的“足迹”，教育学生在“记录成长的同时，放飞理想”。年级组长杨淑军老师认为：“年级必须非常关注学生成长的过程和全面发展，建立健全成长记录袋是一件非常有意义的事，对学生进行科学客观的评价，真实全面反映学生的成长过程。学业成绩不再是唯一的标准，它让教育者更加注重过程评价，更加关注学生成长，这是对学生综合素质进行评价的一个好方法。同时成长记录袋能帮助学生发现自我、激励自我、欣赏自我、反思自我。”她精心策划和组织了几次成功的大型“成长记录袋”交流活动，其中主题为“让青春在这里驻足、让理想在这里闪光”的高一年级成长记录袋展示活动至今深入人心。

的确，成长记录袋扭转了以往以分数作为唯一评价标准的观念，转变为注重学生的学习过程，这将有助于增强学生的学习动机。对于一些学生来说，他们在正规的测验中会由于焦虑而不能正常地发挥出自己的学习能力；还有一些学生，他们的思维方式是趋向于深思型的那一种，对问题的思考往往比冲动型的学生要慢，但对问题的解答相比之下更全面而有深度，但正规测验严格规定的时间限制也使他们不能很好地得到发挥；还有一些学生更擅长动手实践，而正规测验中的纸笔测验形式也使得我们不能对他们进行全面、正确的评估。

学生不可能是完美的，但是在其成长的道路上一定是有其亮点的，成长记录袋评价的多角度和多层面，正是给了不同发展程度的学生多角度、多层面展示自己的机会，让他们找到自信和动力，使更多的学生获得不同的成功体验，增强他们的信心，为今后的发展打下坚实的基础。

成长记录袋活动受到历届同学们的欢迎，关键是它能引导学生们更加关注自己的成长过程，用心记录成长道路上的点点滴滴。通过记录，审视成长，通过记录，启示人生：敢于发现、善于欣赏、勇于反思、重在激励，这也正是漫漫人生路每个人面对顺逆、历经荣辱时所必须具备的勇气和素质。

我校始终坚持德育为首的教育理念，把“做一个堂堂正正的有骨气的中国人”放在学校德育工作的第一位。坚持以人为本做教育，秉承传统，紧紧把握时代脉搏，注重在教育过程中传承民族文化，培育民族精神，并且注重及时更新教育理念，与时俱进，不断调整和拓宽教育范畴，注重培养学生高尚情操，以培养学生具有高山仰止、景行行止的崇德之风，礼以养心、义以修身的尚礼之风，读圣贤书、行治世用的笃学之风，尊重规律、领悟真谛的求真之风，突破自我、与时偕行的创新之风，天下大任、匹夫有责的担当之风为教育工作者的崇高使命。

在新的形势下，在新的德育体制改革中，我校会进一步扎扎实扎做好德育工作，进一步开拓出工作新局面。我校寄希望于莘莘学子能够学有所长、学以致用，立鸿鹄之志，成栋梁之才，从而实现人生的价值，为国家和社会造福。

第四章 探索与整合：构建基础性和多样性相统一的课程体系

课程作为教育的核心要素，是实现学校办学目标的基本保证，是发展学生的重要载体，是人才培养的蓝图规划。中关村中学按照时代发展的要求和学生发展的特点，在对现代社会文化欣赏、批判和反思的基础上，选择以人为本的现代教育课程观，在构建学校课程体系过程中，以促进学生全面发展和个性特长为课程目标，关注学生的道德品质、健康素质、科学素养和人文情怀。以“满足学生个性需求、挖掘和整合课程资源、彰显教师个性、突出学校特色”为基本思路，适度开发校本课程。以有效实施国家课程为核心，关注地方课程和校本课程的功能定位，促进国家课程、地方课程和校本课程协调发展，逐步构建丰富多元的课程体系，最大程度地满足学生发展多样化的需求和社会对人才的多元化需求。

一、学校课程建设的求索与蜕变

回顾中关村中学的30年的发展历程，从1982年建校时只有6个班的初中校，发展到2012年拥有92个班的完全中学，中关村中学的课程建设经历了由单一到多元，由自由发展到规范设计的发展过程。在梳理学校发展过程的基础上（见表4－1），我们能够更加清晰地找寻到学校课程发展的脉络和特点。

表4－1 学校发展的关键事件与课程增设情况一览表

时　间	关键事件	学校课程增设情况
1982年	中关村中学建校； 成立化学学科兴趣小组	初中国家课程； 初中化学课外实验课程
1983年	成立天文观测小组	天文观测实践课程
1984年	增设计算机高中班	电脑技术实践课程
1987年	增设高中普通班	国家高中课程
1991年	设立初中艺术特长班	舞蹈、合唱实践课程

续表

时　间	关键事件	学校课程增设情况
1999 年	设立初中科技特长班	建筑模型实践课程； 航海模型实践课程； 计算机实践课程； 生物实践课程
1996 年	执行《全日制普通高中课程计划（试验）》	高中选修课程
1996 年	成立武术学生社团	武术实践课程
1998 年	成立学生电视台	电视节目制作实践课程
1998 年	成立第一届“周恩来班”	“学习周恩来精神风范”德育实践课程
2000 年	成立创新思维社团	初中创新思维实践课程
2003 年	外聘大学教师； 成立无线电测向社团； 成立计算机兴趣小组； 申报北京市高中示范校	高中“中学生媒介素养”课程； 无线电测向实践课程； 智能机器人实践课程； 高中校本课程门类达 10 多种
2005 年	北京市高中示范校建设	“多元文化艺术欣赏”课程
2006 年	学校特色建设项目	初中校园科普课程
2007 年	高中课程改革	研究性学习课程； 综合实践活动； 30 多门高中校本课程； 人生规划课程
2010 年	成为国家级特色高中建设项目试验校	与中科院联合开发高端校本课程
2011 年		高中创新思维实践课程

1982 年建校之初，学校课程基本上以国家课程为主体，课程结构单一、缺乏弹性。随着学校的不断发展，反映地方经济、政治和文化的

发展水平及其对人才的特殊要求的地方课程被纳入学校课程体系，起源于学生兴趣小组的实践课程形成并发展，学校自主开发的校本课程种类显著增加，并成为学校课程体系的重要组成部分，国家课程、地方课程和校本课程三级课程结构逐步形成。课程结构的复杂性增强，多样性增加，选择性增强，在关注学生全面发展的同时，最大程度地满足学生兴趣，发展学生个性特长，体现出尊重生命个性和差异的课程观念，彰显出课程的发展功能。在课程建设过程中，学校充分利用中关村高科技园区丰富的科技教育资源，加强与科学院所的联系，通过共建课程、开展项目研究和科普活动等形式培养学生的实践能力和创新意识，开创了中学与科学院所共同培育人才的教育模式，同时形成了科学教育特色课程体系，推动了学校的可持续发展。

二、构建基础性和多样性相统一的课程体系

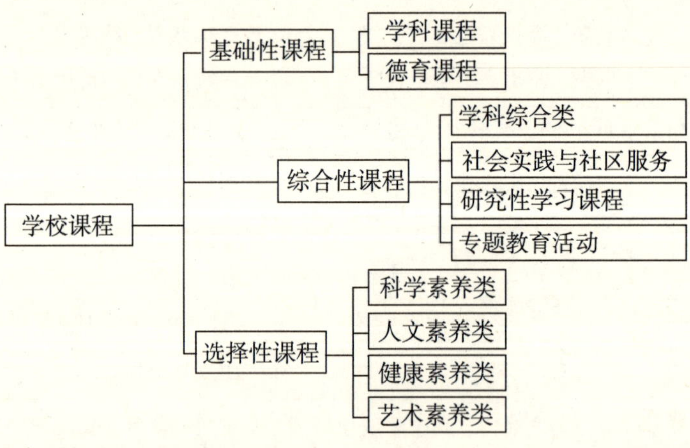

图 4－1　课程结构

“培养具有民族精神、国家意识、国际视野和社会责任感，有较高的科学人文素养，身心健康，有主动进取的人生态度，勇于探索的科学精神和实践能力的优秀中学生，做一个堂堂正正的有骨气的中国人”是

北京市中关村中学的教育目标。学校的课程要为教育目标服务，使学生聪慧，使学生高尚，实现学生在智力与品格、知识与美德上的和谐统一，让每位学生健康快乐地成长，体验到人生的幸福。

我校的课程体系在继承学校优秀传统的基础上，选择以人为本的课程观念，着眼于未来社会公民素养必备的基本素质，关注学生的个性差异和兴趣特长，凸显“强调基础”“重视综合”“突出特长”的特征。在课程体系的构建中，注重国家课程、地方课程和校本课程三级课程的均衡，关注人文课程与科学课程的融合，关注综合课程和分科课程的协调，关注校内课程和校外课程的互补，提高课程的全面性、系统性、多样性、选择性、灵活性和开放性，达到基础课程和发展课程的统一，使学生在共同文化的起点上得以发展自我，确立正确的世界观、人生观和价值观。

学校课程结构大体包括基础性课程、综合性课程和选择性课程三个维度（见图4－1）。基础性课程包括国家规定的必修学科课程和学校德育课程，其主要功能定位于发展学生共同的文化基础，包括未来社会公民所需要的基本知识、技能和价值观，以确保学生具备不同学科的良好基础知识、具备终身受用的生活技能、学习技能和良好价值观，为将来成为富有责任感和积极乐观生活态度的公民打下基础。综合性课程包括学科综合类、社会实践与社区服务、研究性学习课程和专题教育活动，主要功能定位于强调不同学科和不同领域知识间的联系，提升学生的知识整合能力，形成完整的世界观；关注现实社会中的问题，培养学生广阔的认知视野，提高学生综合解决复杂问题的能力。选择性课程包括科学素养类、人文素养类、健康素养类、艺术素养类。选择性课程的功能定位于尊重学生的个性差异，满足不同学生发展需求，促进学生个性特长发展。充分利用学校和社区资源，开发丰富多样校本课程，包括学校自主开发的40多门课程和与中国科学院等校外机构合作开发的近10门课程。选择性课程充分体现了以人为本的课程观念，满足了学生兴趣，为发展特长提供基础。

我校的课程具有以下特点。

第一，重视学生道德素养的提升，形成具有学校特色的形态多样的德育课程体系。道德是人类精神文化的核心，中学阶段是人生道德价值观形成的重要时期，其形成和发展对学生一生的发展有着重要的影响作用。学校德育课程内容分为信念教育、理想教育和人格教育三个体系，班校会、主题教育活动和社会实践活动是德育的主要课程形态，以“情系周恩来”的伟人教育、“与院士对话，感悟有为人生”的系列活动、高中人生规划教育和心理健康教育为主线组织和统领学校的德育，旨在通过课程的实施，引导学生用正确的价值标准来看待社会、人生以及生命，教育学生正确看待社会的作用和认识人生的意义，正确理解生命的价值，懂得关注自己的灵魂，形成坚定的信仰，具有健全的人文精神，养成关爱情怀。

第二，体健课程内容丰富，选择性强。经济的迅猛发展，人类生产生活方式的巨大改变，竞争的日趋激烈和生活节奏的加快，出现了心理压力加大、体力活动减少、营养过剩、少年儿童肥胖、高血脂、高血压、心脏病的低龄化等现象，这个问题不仅威胁着人们的健康，也直接关系着国家的发展。引导学生正确理解和认识体育锻炼、心理健康是刻不容缓的。我校的体育与健康课程在发挥学校传统优势项目的基础上，关注学生的需求，重视激发和保持学生的兴趣，开设田径、球类、体操等常规运动项目，增设中国民族传统体育项目，如武术、空竹，舞龙舞狮、太极、踢毽子、跳绳等课程，发展街舞、跆拳道、击剑等新兴体育项目，构建了体现传统性、时代性、自主性与选择性的体健课程体系。

第三，课程内容关注现实生活，关注时代发展对人素质的要求，体现课程的时代性和发展性。随着我国教育进程的不断推进，我们的课程设置越来越尊重学生的体验和感悟，关注学生生活的现实世界。我校开发了一系列紧密联系生活实际的校本课程，包括食品营养与健康类、科学理财类、人生规划设计类、媒介素养类等课程。通过这些课程的实施，提高学生科学指导生活和规划人生的能力，提高学生批判性地选择观念的能力，提高学生筛选和处理信息的能力，让学生学会过现代文明的生活，感受生活的幸福。

第四，重视艺术类课程开发，培养学生的艺术修养。高品质的生活不仅建立在丰富的物质基础上，更是建立在丰富的精神基础之上的。我校艺术类课程包括鉴赏类、表演与体验类、创作类和综合类，如多元文化欣赏、戏剧和影视欣赏、版画与摄影、国画、沙画、舞蹈与表演、歌曲演唱、涂鸦与图形创意设计、博艺创想、服饰文化与设计等课程，学生在课程学习过程中，提高鉴赏水平，丰富情感体验，激发生活情趣，展现个性才华，自由地表达自己的情感。学生在课程中感悟艺术作品所蕴涵的永恒的哲学思想，理解艺术蕴涵的人文价值，得到真善美的熏陶，形成健康向上人格。

第五，突出科技教育，形成学校的特色课程，促进学校特色发展。我校地处科技教育资源丰富的中关村核心区，科技教育成为学校的优势和传统，着力建设“奇妙的物理天地”“科幻画”“走进科学家”“影响人类文明的科学事件”“校园科普”“智能控制”“模型设计”等科学和技术类课程成为促进学校可持续发展的重要方略，并在课程的建设过程中，充分利用中科院各研究所的教育资源，探索联合培养创新人才的教育模式。

三、校本课程的开发与管理

校本课程是我国基础教育新课程体系的重要组成部分，如何让校本课程既能体现我校的办学宗旨、我校的资源优势和学生的个性化发展需要，又与国家、地方课程紧密结合，体现基础性和多样性，是我校校本课程建设的核心问题。自新课程改革以来，通过不断探索和调整，我们逐步形成校本课程建设基本思路：全面调研，精心设计，科学管理，有效实施，充分发挥校本课程对必修课程的延伸、拓展和补充作用。

（一）调研与设计

校本课程的前期调研工作，主要从以下四个方面进行：一是调研学生健康发展的需要。二是学校特色发展调研。三是学校与社会课程资源调研。四是教师开设课程需求调研。学校在全面分析调研结果的基础上，确定校本课程的总体目标，形成校本课程开发的原则，设计校本课程的内容，构建符合素质教育要求、促进学生个性发展、展现教师个人素养、彰显学校特色的课程体系。

1. 校本课程的总体目标

体系合理：将科学教育与人文教育相结合，构建多元、开放、凸显科学素养培养的课程体系，同时开设增强人文素养的校本课程，提升学生认知、情感和能力的全面发展，达到实施素质教育的目的。充分发挥教师教学特长，促进教师专业化成长。

课程多样：立足北京经济社会发展、未来学生社会生活的需求，选择能激发学生热爱北京的情感，增强对北京和社会发展的责任感、使命感的课程；拓展学生知识领域，增进学生对自然、社会和文化的认识和理解，提高学生的科学精神和人文素养，发展批判性思维能力、创新精神和实践能力的课程；培养学生良好的审美情趣，引导学生关注自我生活，发展学生的社会生活能力，形成健康的生活态度和生活方式的课程。

过程优质：丰富课程内容，优化教学设计和教学过程，充分考虑学生的认知特点和发展需求，通过课程实施渗透思想和方法，形成能力，提高素质。

管理有效：初步形成促进学生发展的校本选课管理体系。形成学校独特的校本课程文化，促进学校全面发展和可持续发展。

2. 校本课程开发原则

主体性原则：关注学生兴趣和学生终身发展，充分尊重和满足学生的差异性和多样化需求，充分发挥教师的主动性和创造性，展现教师教学特长，形成有利于学生和教师发展的课程。

发展性原则：根据学校实际状况，兼顾每个学生的发展需要，树立着眼于学生发展的教育价值观，以学生的发展为课程建设的基本价值取向。

开放性原则：与国家课程、地方课程相互整合与补充，各学科之间相互渗透和整合，合理利用可利用的校内外资源，学校教师、学生、家长和社会人士广泛参与，以加强课程结构的综合性、多样性与弹性。

实践性原则：强调在体验中获取知识，在调查、实验探究、设计操作、制作等实践中发现和解决问题，体验和感受生活，发展实践能力和创新能力。

过程性原则：关注学生在过程中获得的学习体验和个性化表现，关注不断生成的新的目标和主题，关注实践活动的方法、态度、体验等。

3. 校本课程内容设置

基于学校培养目标和学校开设校本选修课程的原则，基于对学生需求的调研和学校可利用资源的调研，结合学校特色，学校建立了如下的校本课程体系（见图 4－2），尽量满足学生个性发展和可持续发展的需求。

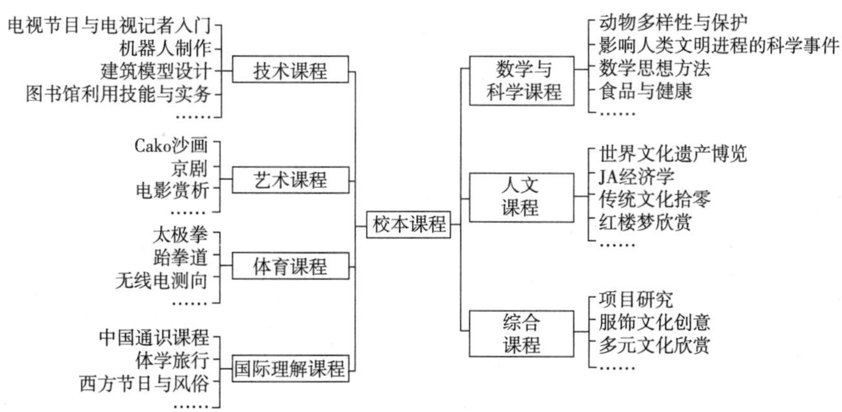

图 4－2 校本课程体系

（二）管理与实施

1. 科学有效的管理机制

学校根据学校校本课程建设需要，建立了一套健全民主、奖励机制完善的管理体制，建立了校本课程开发和实施的三级管理模式。

一级管理：成立“校本课程开发与管理工作领导小组”，全面负责对校本课程建设作出正确决策和部署，在经费投入、政策支持、办学条件、制度建设、师资培训、舆论宣传等方面提供保障，对实验过程予以指导和调控，指导二级和三级管理的工作。

二级管理：成立“校本课程开发指导小组”，由教学处牵头、以学校骨干教师为核心，负责从课程内容、教学过程、学习效果、学情调查等四个方面对校本课程的申报、审定、立项、指导、考核、评价、调整等具体事宜，并全面负责开发与实施具有地域特色、适应学校特点的地方课程和校本课程，促进学校办学特色。

三级管理：成立“校本课程实施小组”，由教学处牵头、以各教研组长、年级组长为主体，负责对各学年、各年级的课程计划形成建议并组织反馈，协助作好学生选课的指导工作，优化整合现有资源，开发建设新型课程资源。

2. 促进发展的学业评价机制

在实践过程中我校逐步形成了自主发展的评价理念：评价目的立足发展、评价内容多元化、评价过程动态化、评价方式多样化、评价技术科学化。

在发展性评价理念的指导下，我校选择以“学业发展性评价报告单”（见表4－2）代替原来的记分册，把报告单应用于日常教学的评价工作中。在保持评价内容相对稳定的同时，根据学生和学科实际情况及时调整评价内容，并做好评价单的信息整理、归类、存档、反馈的系列工作。这种评价方式，更新了教师的观念，规范了学生的行为，促进了学生发展。

表 4－2　学业发展性评价报告单

课程名称：　　　　　　　　　　　　　　　　学生姓名：

<table>
<tr><td rowspan="3">评价项目</td><td colspan="5">过程性评价（40%）</td><td rowspan="2">终结性评价（60%）</td><td rowspan="2">等级</td><td rowspan="2">总评</td></tr>
<tr><td>考勤</td><td>作 业</td><td>平时测验</td><td>课堂表现</td><td>学科活动</td></tr>
<tr><td></td><td></td><td></td><td></td><td></td><td></td><td></td><td></td></tr>
<tr><td rowspan="3">评语</td><td>教师</td><td colspan="7"></td></tr>
<tr><td>学生</td><td colspan="7"></td></tr>
<tr><td>家长</td><td colspan="7"></td></tr>
</table>

过程性评价是学业评价的重要组成部分，主要包括课堂表现、作业评价和学科活动等内容。

学生的课堂表现与学习效率、学业成绩有着极为密切的关系。关注学生的学习过程，把学生的课堂表现纳入学业评价，并作为过程性评价的重要组成部分，这是充分发挥评价的导向、约束和调整作用的有效措施之一。我校对学生课堂表现进行评价，立足公平、真实，体现评价的诊断、导向、激励和调整的作用，充分发挥教师的创造性，体现学科和模块的特色，形成了一些具有可操作性和体现学科特色的经验和有效方式。根据不同课程不同特点，课堂表现的评价方式也不同，主要是授课教师结合所授课程的特点、学习活动特征等确定具体评价方案。

作业评价是对日常教学、学生评价最重要内容之一，作业质量可以反馈学生学习过程的许多信息，如作业态度、课后复习情况、课堂学习情况等。通过作业评价，能监控学生自主学习效果，引导学生内涵发展，奠定学生可持续发展的基础。我校在探究作业评价功能上进行了探索，目前已经固化了一些好的经验。例如，展示—激励型的作业评价方式，这种评价方式以展示和评析学生优秀的作业或作品为主要形式，特别关注学生的起点和发展过程，通过肯定、激励和表扬达到评价的目的和效果。这种评价方式的主要目的不仅是给学生一个分数或等级，更是要发现和发展学生多方面的潜能，满足学生发展中的需求，帮助学生认识自我，建立和增强自信，促进学生在原有水平上得到发展。

在教学过程中，每个学科都会根据自己学科的特点设计丰富多彩的教学活动，因此，我校在评价的过程中充分考虑到学科鲜明的特色，制订评价方案时，考虑到学科特色活动或某专项在过程性评价比重，以彰显学生特色发展、个性发展。

四、学校课程的精品与特色

（一）面向多元："多元文化艺术欣赏"课程

在多元文化并存发展的今天，教育内容和教育形式也需向多元化方向发展，以满足学生对不同领域文化知识的需求，以促进相互理解和尊重，培养学生对多元文化的欣赏，适应时代的要求。为此我校于2005年尝试创设了一门面向全体学生的综合校本课程——"多元文化艺术欣赏"。

多元文化认知是一个长期的过程，我们要做的不只是让学生知道一首歌曲、一幅画和一个知识点，更重要的是要让他们了解整个文化背景，培养学生认同自我文化，欣赏他人文化的能力，并进一步理解文化背后所蕴涵的历史，从而提高学生的综合素质。因此对于本课程的实施，我们采用了电视播放的形式，每天固定时间播放一集，每集5分钟。课程开发小组由电教教师、学科教师和学生共同组成。课程素材由各学科教师提供，内容涉及古今中外、不同学科领域的多元文化作品。课程编辑由电教、美术、音乐教师完成，学生参与制作，并负责录制解说词。从2005年9月开播，到2011年年底，"多元文化艺术欣赏"共录制了1000集，其中包括国歌赏析专辑、美术专辑、古希腊神话专辑、中国古代文化圣贤专辑、《复活的军团》系列、奥运专辑、名家名曲专辑、音乐与动漫、学生作品展示等多个系列，以及具有时效性的涉及校园新闻和社会热点的专辑或专题。6年来，"多元文化艺术欣赏"已成为学生每天不可或缺的校园文化课程，成为中关村中学一道亮丽的风景线。

1. “多元文化艺术欣赏”课程的特点

课程内容选择体现文化的多元性。课程内容的选择贴近学生生活，形式生动活泼，学生乐于接受，并结合艺术特点，引导学生形成正确的人生观、价值观，达到教育学生的目的。在“中国古代圣贤”系列中，主要介绍了中国儒家思想的奠基人和全球儒学“至圣先师”——孔子、中国本土化宗教道教思想的始祖和灵魂人物——老子、最早揭示战争奥秘、阐释战争与和平理论的世界级军事家——孙子等，展示了中华两千五百年文化积淀的人生智慧与谋略，本土宗教信仰中的道德哲学与精神浓缩。在“古希腊神话、英雄史诗和古希腊戏剧”中，古希腊神话传说已成为西方文学艺术作品，美学理论和社会科学专著取之不竭的灵感源泉，是我们更好地理解西方文学源流，文化传统乃至人文精神的必由之路。通过中外历史文化横向和纵向的比较，来表现各国文化的传承以及中国传统文化与西方文化之间的相互影响。

加强与各学科的紧密联系。中国古代圣贤以及古希腊文化还从另一个角度向人们展示了其中与各学科文化的联系，体现了古今中外的文学、历史和美学等方面的文化艺术。《复活的军团》涉及军事、历史、文物、科学和物理学方面的知识，学生在欣赏画面的同时，还学到了书本上学不到的知识，开阔了视野。这些作品具有欣赏价值的同时又具有很深刻的哲理性和丰富的知识性。它以历史为背景但是又融合了中国古代美术史的内容，故事性强，故事的切入点具有神秘感，学生和老师反映很好。

集趣味性和知识性于一体，雅俗共赏。深受广大师生喜爱的“广告盛宴”这部分主要是介绍实用美术知识，它的创意很新颖，学生们十分感兴趣。这使学生认识到学习美术并不只是学习技能，也要了解社会文化发展概况，必须处理文化信息，学生在上课时学会了搜集社会文化信息，并且应用到生活之中。

课程内容与现实生活相结合，具有时代感。《教师节》专辑、学校艺术节《涂鸦大赛》特辑、《百年奥运》专辑、国庆60周年典礼《我与祖国共奋进》专辑、纪念汶川地震一周年《不能忘却的记忆》专辑、《圣诞歌曲》、《新年音乐会》等，这些都从不同侧面渗透多元文化的影响。

发挥学生特长，展示学生风采。充分调动学生的积极性，成立学生制作组，并广泛征集学生作品，特别制作了《学生作品》专辑，学生们积极学习制作软件和编辑技巧，亲自动手制作自己喜爱的作品与同学们分享。在参与的过程中，学生不仅提高了自学能力，而且增强了自信心，获得了成就感。

2. “多元文化艺术欣赏”课程实施的效果

在文化多元的今天，打破单一的教育形式，以一种全新的教育模式来开阔学生的视野，提高学生欣赏美、理解美和创造美的能力是意义非凡的。

“多元文化艺术欣赏”课程为师生提供了展示自我的舞台。在整个课程的实施过程中，师生们共同搜集资料、筛选整合、编辑制作，大家分工合作，各尽所长，充分发挥了各自的才能。特别是教师对学生自主创意的激发，不仅使他们提高了思维品质、审美品位、创新能力，而且加强了合作意识，呈现出更加积极向上的精神面貌。

“多元文化艺术欣赏”课程给师生带来了与众不同的感受。每天5分钟的课程涵养了学生心灵，丰富了学生的文化生活，潜移默化中传承了中华民族文化精神，了解了世界不同国家和民族的文化，形成了平等尊重的多元文化价值观，具有了面向世界的开放意识。我们通过对8个教学班学生调查发现，82.75%的学生对“多元文化艺术欣赏”这个课程满意，86.84%的学生经常认真观看，66.97%的学生愿意把播放的内容向亲朋好友传播。同学们说，“多元文化艺术欣赏，让我们了解了各种文化的差异性，进而尊重各文化的内涵”，“文化是多姿多彩的，每一期的多元文化节目都能给我带来新的惊奇”，“制作的作品富有创造性，非常新颖”。同时我们也对学校的教师进行了访谈，了解教师对“多元文化艺术欣赏”课程的看法，教师们表示“很喜欢，编排新颖，各具特色，形式活泼”，“有利于开拓学生视野，提高学生艺术修养”，“内容丰富，使师生增长了很多方面的知识和常识，系统性也很好”。

实践证明，“多元文化艺术欣赏”这一教育形式是成功的，并具有一定的示范性和较高的推广价值。

（二）强调综合：“图说中国历代服饰文化”校本课程

在悠久灿烂的中华文化中，服饰文化是其中光彩夺目的篇章。服饰是一个民族的文化象征，它既蕴涵着历史，又承载着艺术。中国历代服饰积淀着中华民族丰厚的文化内涵，它就是一部穿在身上的历史，向人们展示着中华民族的思想意识、民风民俗、审美观念、精神风貌以及历史时代背景。中国是一个多民族的国家，其服饰丰富多彩，自成一体，以其独特的东方美闪烁在世界工艺文化之中。

高中课程改革正式启动后，通过调查发现学生有选修“图说中国历代服饰文化”这门课程的需求，他们选修这门课的原因大致有以下几类：（1）有绘画基础的学生想了解历史上的服饰是什么样的，以及服装的色彩、图案花纹的搭配和寓意等方面的系统知识，以便设计和绘画人物服饰。（2）对历代服饰感兴趣的学生，想知道历代都有哪些服饰、服饰的分类，古代不同阶级人物的服装、发型、饰物的差别。（3）有的想了解衣服的穿着和装饰方面的知识。（4）有的希望在这门课上看到过去人们的穿着，得到一些美的灵感，美化心灵。开设“中国历代服饰文化”这门课可以满足学生这些方面的需要。

“图说中国历代服饰文化”是一门将历史文化与美学艺术相结合的跨学科的综合课程，是由我校历史组何翠明老师2006年起自主开发的一门校本选修课程。课程借助服饰图片这一载体把历史文化与美学艺术有机地结合起来，采取了特别适合当代中学生心智发展和审美需求的图文一一对照的“图说服饰”的形式呈现具体内容，即运用大量的历代绢画、壁画、砖刻、石刻、陶俑、木俑、瓷俑及服饰的复原图和示意图等多种类型的图片，客观地、系统地、形象地揭示出我国历代服饰的文化内涵，服饰的造型美、装饰美及其发展规律。课程内容按照历史时代的先后将中国历代服饰文化划分为9个章节，分别是史前服饰文化、夏商周服饰文化、秦汉服饰文化、魏晋南北朝服饰文化、隋唐五代服饰文化、宋代服饰文化、辽夏金元服饰文化、明代服饰文化和清代服饰文化。课程采用师生互动的教学方式，尤其注重学生参与体验，密切联系学生的生活。活动形式灵活多样，如学生走台秀自己的服饰和各民族服饰，中国或国际时装秀观赏，日常生活服饰中的古代服饰影射，影视和绘画中的服饰辨析，诗歌和小说描写中的服饰评说，仕女服饰赏析，士人服饰探究，织品的图案花纹大观，谈服饰方面的心得体会，临摹古代服饰，现代服饰创意设计，参与社会上正在兴起的汉服复兴运动，等等，以实现服饰知识与生活实践的有机结合，力求学以致用，培养学生的创新精神和实践能力。

课程采用过程性评价和终结性评价相结合的评价方式（见表4－3）。过程性评价包括平时考勤和参与活动的积极程度。终结性评价设立多元化的检测形式，共7种，学生可以根据自己的兴趣爱好和特长优势自主选择其中的一种。以2011—2012学年第一学期为例，35个高一学生选修这门课，其中32个选择了动手性的检测形式，3个选择了评说性的检测形式，而32个中有29个选择了创意设计。这表明学生喜欢动手性的和创新性的检测形式。

表4－3　课程学业评价表

<table>
<tr><th colspan="2">过程性评价</th><th colspan="3">终结性评价</th></tr>
<tr><th>指标</th><th>权重</th><th colspan="2">指标（7种检测形式，任选1种）</th><th>权重</th></tr>
<tr><td rowspan="3">出勤</td><td rowspan="3">20%</td><td rowspan="2">临摹历代服饰</td><td>手绘</td><td rowspan="7">60%</td></tr>
<tr><td>电脑绘</td></tr>
<tr><td rowspan="2">汲取历代服饰元素，进行现代服饰创意设计</td><td>手绘</td></tr>
<tr><td rowspan="4">参与活动的积极程度</td><td rowspan="4">20%</td><td>电脑绘</td></tr>
<tr><td colspan="2">对古装影视中的服饰进行评说</td></tr>
<tr><td colspan="2">对历代绘画中的服饰进行评说</td></tr>
<tr><td colspan="2">对文学作品中的服饰进行评说</td></tr>
</table>

“杨贵妃着绿色的霓裳，色彩很明亮，是可能的，有合理的一面，但她外穿大袖轻纱衫不合理，因为大袖轻纱衫属于中晚唐衣着潮流，而杨贵妃是盛唐时的人。个人认为应去掉大袖轻纱衫，改为长长的纱质半透明的披帛缠绕在身上，这样，既增添了些许的羽化升天的缥缈之感，又多了几分欲露还羞的性感。杨贵妃的妆容淡得恰到好处，没有繁缛的浓妆艳抹，更加符合仙人的脱俗之感。舞动起来，步摇飞舞，披帛纷飞，霓裳闪亮，整幅画面美丽极了。再配上霓裳羽衣曲那佛化、清雅、令人飘飘欲仙的乐曲，更加如同仙女飞向天宫般的朦胧美丽，抓人眼球。”

——对电视剧《唐明皇》中的《霓裳羽衣舞》
杨贵妃服饰的辨析和点评（张泽宇同学）

“原始服饰较为简陋，但不失狂野粗犷之美；它没有华丽斑斓的色彩，但充满了清新的大自然之美。身着兽皮，那斑驳的豹纹，彰显一种霸气；身着树叶裙，那浓密的绿色展现着一种奔放。”

——“论原始服饰之鄙与美”（于舒扬同学）

“图说中国历代服饰文化”课丰富了学生对中国历代服饰及其文化内涵的知识，开拓了艺术视野，发展了学生的想象力、赏析能力、创新能力和实践能力，增长了学生生活智慧，提高了学生的审美情趣、民族自豪感和对古人的敬佩之情，让学生懂得了用历史的、发展的眼光去看待问题。

中国历代服饰是极为珍贵的非物质文化遗产。开发“图说中国历代服饰文化”课为“非物质文化遗产”进入中学校园开辟了切实可行的有效的途径。这门课帮助学生传承和弘扬历代服饰这一我国优秀的传统文化。学生在了解、借鉴中国历代服饰文化的基础上，进行现代服饰创意设计，这就实现了中华优秀传统文化与现代文明的交融，达到古为今用、推陈出新的目的，从而有利于中国历代服饰这一优秀传统文化的可持续发展。例如，学生通过观看“蜀锦”方面的视频，了解到这一技术的精湛和高超，从而激发他们传承这一技术的欲望，并将包括“蜀锦”在内的中国历代织品图案应用于自己的设计创作中。

学生手绘服饰创意作品

学生剪贴纸服饰创意作品

学生电脑绘服饰创意作品

图 4-3　学生作品

（三）培养特长：“电视节目与电视记者入门”课程

中关村中学电视台成立于1992年，建台初期是由老师制作节目。从1998年开始，电视台定期播出“校园新闻”，初期有少量的学生记者参与。2003年，启动了全面培养学生记者工程，特别聘请中央民族大学传媒学院的张芝明教授担任指导教师。2007年，为了把我校学生的培养目标设置得更具前瞻性，使我们培养的学生思维更新、更适应未来社会的发展，我校在高一和高二年级分别开设了“电视节目与电视记者入门”和“中学生媒介素养”两门校本选修课程，旨在提示学生批判性地观看、收听并解读影视、广播、网络、报纸、杂志和广告等媒介所传输的各种信息的能力，当然还包括使用宽泛的信息技术来制作各种媒体信息的能力。

我校电视台记者培训课程采用自然淘汰法进行管理。每年在高一招生时不限制名额，不设置考试门槛，目的是全面了解和培养学生，不落下每一个有兴趣、有潜力的学生。在学习过程中学生可以根据自己的情况随时选择退出，就像大浪淘沙，留到最后的学生都是真正热爱电视台、有较强责任意识、能够融入这一集体的精英。进入高二年级，我们对留下来的学生进行有针对性的精致培养。我们将理论讲授和节目制作有机结合，并将学生特长和兴趣综合起来。有口才的学生，指导他们去做主持人和记者；写作能力强的学生做撰稿人；摄影技术好的学生主管摄影；爱好电脑的学生多做技术支持。

无论是开设选修课程还是电视节目制作，都要根据中学生电视台的特点进行指导。因为对象是中学生，这就要求教师在针对性上予以特别关注，因为它非同于媒体和高校电视台。为了让电视台的学生记者会制作或欣赏出具有一定水准的电视节目，要求他们要掌握电视媒体的特殊性，教学方法上要考虑到中学生的知识结构、现实兴趣和未来发展。因此在实践性教学上始终注意学生的参与和互动，互动讨论后教师讲评，有利于调动学生的积极性，克服其随意性。每次学生制作出的作品，无论是否符合节目播出标准，教师都要逐个进行点评，以利于提高学生的能力。符合要求的节目会在学校电视台播放。随着我校演播厅的建成，演播厅节目录制给学生的成长搭建了一个很好的平台，我们的《校园新闻》不仅内容更丰富、更具有可看性，而且制作水平也大大地提高，从中我们也发现了很多人才。

通过记者培训课程的学习，部分学生拥有了较高的专业素质和媒介素养。在节目编导上具备了一定的节目策划、结构安排、内容排版、人员调配的能力；掌握了 EDIUS、AE、PHOTOSHOP 等影像处理软件；熟知了素材组合及人、声、词、画、音、字等节目元素的具体编排细节；摄像组的同学能够自如驾驭机器，并拥有较为良好的画面感；记者和主持人能够掌握上镜技巧，并具备较强的表达能力和随机应变能力。经过中学阶段的培养，这些小记者已经初步具备了一名媒体工作者应有的技能和素养，他们中有的已经成为优秀的传媒人。

“还记得第一次推开学校电视台大门时内心的紧张与激动，却不记得最后一次关上门时的不舍，因为这扇门从未关上。

对电视台感情很深很深，以至于高三了退台了依旧往电视台跑，往电视台的沙发上一坐，看着熟悉的非线，摄像机，头脑就像放映机一样在转，记忆的胶片就被不停地回放。

记得第一次拍摄时的兴奋，也记得第一次编完片的骄傲，记得第一次被批评时的不甘，也记得第一次想选题时的苦恼，记得电视台的五味杂陈，记得这些经历使我成长。不光是我，电视台里每一个成员，只要参与了工作，或多或少有收获有成长。

电视台如同一艘在海上疾驶的帆船，我们是舵手，每人都在为这个集体出力，让这艘船航行得更快更稳。我们若是不团结，每人往不同的方向划，这艘船必定不会平稳，我们若是不掌握好划船的技术，这艘船必定划不太远，我们若是不懂责任不会付出，这艘船必定会触礁沉没。在这艘船上，我们学会了这些。”（肖弋，2009—2010 学年中关村中学电视台台长，2011 年考入中国传媒大学）

“两年前，我只是一个怀揣着传媒梦想的高一新生，在中关村中学学生电视台的门口徘徊着、憧憬着；时光飞逝，现在我已经是一名志愿报考传媒类学校的高三备考生。在电视台工作的两年，让我了解到了更多、学习到了更多传媒行业的基本知识，成为实现我的传媒梦的助力之一。正是在电视台里获得的这样的优势，让我更加坚定了我从事传媒的理想，有志者，事竟成，我会一直为此而努力。再有几个月我将离开中学进入大学，但学生电视台里仍会有那么一些和我一样拥有传媒梦想的学生，他们也会和我一样，在学校电视台工作中找到自己的兴趣和志愿方向。”（李民，2010—2011 学年中关村中学电视台台长）

（四）注重人文：“中国京剧表演艺术欣赏与文化解析”课程

注重学科的综合性，培养学生的人文精神，是新课程理念所倡导的，基于这样的指导思想，我校徐彬老师和王爱平老师于 2007 年合作开发了“中国京剧表演艺术欣赏与文化解析”选修课程。

1. 课程开发的背景与意义

京剧既是中国古典艺术的精粹，也是展现民族形象的代表，具有传承历史文化、弘扬民族精神的深远意义，有必要向高中学生介绍，并引导学生对其产生兴趣。京剧立足中国民族文化与艺术，涉及文化、艺术领域的众多学科，具有很大的学科跨度和综合性。京剧内容丰富多彩，博大精深，易于引发学生的兴趣，又适宜学生亲身实践，能够培养学生的探求欲望和能力，具有很好的学科价值。京剧在北京有着最为广泛的群众基础，资源丰富，便于取材设教，是地方性课程的上好选材。高中学生在音乐、美术、历史、语文等课程中都曾接触过京剧，以选修课程的形式进入课堂，可以成为主修课程的课外延伸和补充。

2. 课程的特点与开发原则

“中国京剧表演艺术欣赏与文化解析”课程具有如下特点：第一，内容综合广泛。京剧等古典表演艺术涉及了历史、文化、文学、音乐、美术、表演等多种学科门类。第二，教法寓教于乐。本课程的一个重要教学目标在于通过培养学生对古典表演艺术的兴趣，促使学生对其有所了解。因此，通过生动有趣的实例激发学生欣赏京剧等古典表演艺术的兴趣是重要的教学手段。第三，讲解深入浅出。古典表演艺术博大精深，涉及的文化知识、艺术理论甚多，为了达到本课程的教学目标，在课程设计时要用丰富、生动的实例和手段阐述最基本的知识和原理，让每一个上课的学生能够听懂，进而产生共鸣和进一步学习的动机。第四，实践活动丰富。本课程的主要教学内容要通过多种感官协同作用达到教学目标。因此，应尽量多设计可供学生亲身参与的活动。让学生在充分感知的过程中有所收获。

在对本课程进行开发的过程中，应遵循以下基本原则：第　，在体系建构方面，遵循“广泛与深入相结合，以广泛为主”的原则。古典表演艺术是文化和艺术的融合体，其体系庞大、复杂。选修课的课时十分有限，因此只能带领学生对这个体系做一个简单的了解，很难深入研究，只能以广泛为主。第二，在目标设定方面，遵循“文化与艺术相结合，以文化为主”的原则。京剧等古典表演艺术是民族文化的精髓，也是表演艺术的范例，但对于高中学生而言，文化的传承显然比艺术的研习更具有实际价值，因此，本课程的目标主要定位在引导学生通过艺术的形式进一步渗透文化。第三，在教学手段方面，遵循“欣赏与分析相结合，以欣赏为主”的原则。带领学生欣赏是本课程的主要任务和手段，引导学生分析是本课程的主要教学目标。鉴于本课程的综合性较强，因此在两者之间以欣赏为主。第四，在教学任务方面，遵循“理论与实践相结合，以实践为主”的原则。本课程的教学方式是以实例为主，以学生参与听、看、表演等实践为主，理论讲解起到归纳总结的作用，进而提高学生的欣赏水平和理解能力。第五，在实例选取方面，遵循“名段与全剧相结合，以名段为主”的原则。鉴于本课程的教学时间相对于内容而言是十分有限的，因此教学过程中以浏览式的广泛了解为主要形式，所涉及的实例多是名家名段的经典段落，适当对个别典型的剧目进行完整的欣赏和简要分析。第六，在评价方式方面，遵循“以促进与比较相结合，以促进为主”的原则。本课程的评价方式以展示学生的学习心得、促进学生的实践兴趣为主，因此作业具有很强的开放性，而不刻意强调评价的比较和甄别功能。

图 4-4　京剧校本教材封面

3. 课程的框架及内容

在设计本课程的体系框架时，有三种既定的模式可供参考：第一，艺术类院校的现有教学体系；第二，中小学阶段各个学科相关教学内容的综合；第三，将戏曲爱好者较为关注的相关内容进行综合。经过比较分析可以发现，各艺术类院校的现有教学体系因为专业培养目标的需求过于高深和庞大，不适合高中选修课的教学要求。而中小学阶段各个学科相关教学内容之间缺乏关联性，难以发展成体系，而戏曲爱好者较为关注的相关内容是很好的欣赏范例，但这些内容缺乏理论性。基于以上原因，在课程开发时扬长避短，借鉴艺术类院校现有的教学体系，保留最基本的常识，把理论性强、基础要求高和教学条件要求高，难度较大的部分去除，用人们喜闻乐见、耳熟能详的经典内容作为切入点和实例，结合中小学阶段学生在其他课程中接触过的内容作为课程内容，使学生能够通过本课程对京剧等中国古典表演艺术有一个较为广泛的了解，理解一些基本常识，并能达到看懂，甚至是欣赏的层次。（见表4－4）

表4－4 课程结构和内容

模块	章 节	课程内容	课时
艺术鉴赏	京剧历史渊源	京剧历史背景和发展状况	1
	京剧的行当	京剧行当划分和特点	4
	京剧的表演	京剧的表演特点	4
	京剧的流派	京剧的流派划分、形成、代表剧目	4
文化解析	京剧与文学	介绍《西厢记》等作品	1
	大师传奇	介绍京剧大师的故事	2
	京剧与文化	从中国传统文化特点的角度审视京剧的艺术特点	1
作品展示	将学生的学期作品统一展示，让学生在自我实践中生成新的收获		1

4. 课程实施效果

在课程的实施过程中，学生了解京剧知识，感悟其与民族传统文化之间的内在联系，尝试从中国传统文化特点的角度去审视京剧的艺术特点，体会两者之间的表里关系，形成一种艺术观，传承一种民族精神。

余笑影同学在学完本课程后撰写“中华国粹　源远流长”一文，展现出课程对学生的发展价值。

中华国粹　源远流长

父母都赶上文革，是最后一批下乡青年，母亲说那时什么流行歌曲啊，电视剧啊都没有，唯一的娱乐就是听样板戏，据说八个样板戏她都能唱得有板有眼。虽说从小受到父辈的影响，也知道个样板戏现代京剧什么的，可是幼时的自己真是对那穿着很“土”的衣服的，许多年前的，具有浓烈时代背景的样板戏产生不了分毫兴趣。

真正强烈震撼我的是一出传统京剧——霸王别姬。起初是偶尔在网上看到了同名电影《霸王别姬》，而后便去找了传统京剧。看完后，被深深地震撼了。美，太美了，梅先生简直把虞姬演活了。一颦一笑，一举一动都内涵着独特的韵味。那时是第一次认真地听完一出戏，那时只知道个生旦净丑。对京剧丝毫不了解，即使如此，也无法抹去当时心中的感动。

而开始真正接触京剧，便是高二时参加的京剧选修课了。当时一眼便选定了，没有丝毫犹豫。自己对京剧有一种打从心底的向往，京剧太博大精深了，平日里自己也只能在电视上的戏曲频道中听听段子，闲暇时自己在从网上下载一些，要说系统了解京剧还真无从下手。

而选修课便提供了一个太好的平台。

在这一年的选修课中，我们走进了京剧的殿堂，稍稍探寻了些许的奥秘。自唱念做打到各个行当再到各家流派。虽说只是浅入浅出，但京剧的魅力我们还是领略到了。

最开始因为霸王别姬而接触到了京剧，所以在所有内容中，我最感兴趣的也是对旦行的讲解。梅兰芳先生作为四大名旦之首，也是我们平日里接触的最多的。《霸王别姬》《贵妃醉酒》这两出名剧也都基本上听完过。想来，自己还是比较喜欢梅派的，虽然听过的梅派剧目不多，梅派传人也了解得不多，梅派戏的特点也说不出来个一二，连略懂皮毛也谈不上。但就这仅有的一些了解，我觉得梅派是端庄大方的，贵妃也好，宠妃也罢，都是端庄高贵的形象。表演出的感觉不能活泼地失了身份，也不能死板地失了“人气”，人物的喜怒哀乐都融进了唱段中，语调稳重，落落大方。我最喜欢的梅派戏便是《霸王别姬》了，伴在霸王身边的虞姬温柔中透着坚强，梅先生也好，其他梅派弟子也好，都用那柔中带刚的语调演绎了这位奇女子，语调时高时低，牵动情丝，余音袅袅，绕梁三日。

荀、尚两派自己平时是涉及不多的，仅仅在课上听了老师播放的段子，看了《荀慧生》的电视剧，平日里到真没有特地找段子来细细品味。对于荀派的第一直觉是俏，尾音都是打着转的，尽现了小姑娘的俏丽活泼。老师说尚派唱武旦很有名，所以听唱段的第一感觉也是充满了英气，凸显女英雄的飒爽。

至于程派，据网上有些人统计，据说当代程派是最受欢迎的，程派的戏迷可谓是最多的。这有点出乎我的意料，对于我们这些刚刚接触京剧的人来说，总觉得梅派才该是最受器重的。

不过虽然这样想，还是从网上下载了一些程派的段子。老师说过程砚秋先生的嗓音条件不是很好，有些低沉。这一点从我下到的《锁麟囊》《嫦娥奔月》等段子中便可以明显地听出来，感觉尾音有些被吞咽了的感觉，最后一字一吸，下一句又马上吐了出来，给人一种上下起伏的感觉，甚至有些呜咽的感觉。如泣如诉，如怨如慕。

我对京剧的了解还远远不够，京剧还有太多有魅力的秘密等着我去探索。或许现在我们这一代很多人依然欣赏不了京剧的美，但是我相信还是有很多人依然深深爱着这个传统古典的艺术，欣赏着她的美，为她而痴，因她而醉。

余笑影

2009 年 6 月 9 日

（五）面向未来：“生活的智慧”课程

当今世界，人类面临着一系列的危机，包括人和自然的关系所产生的生态危机，人和社会的关系所产生的人文危机，人跟人之间的关系所产生的道德危机，人自己和自己关系所产生的心理危机，国家和国家之间所产生的安全危机和文化与文化之间所产生的价值观危机。产生这一切危机的根源主要是人类自身造成的。解决这一问题的重要途径就是要树立可持续发展的价值观。中学阶段是一个人价值观形成和生活习惯养成的重要时期，渗透可持续发展教育，培养学生的可持续发展意识和生活方式尤为重要。我校作为可持续发展教育的项目学校，我们在努力探索学校日常教育、教学工作中渗透可持续发展教育的方式。由于课堂教学是学校教育的主渠道，为了更有效地在课堂教学中全面系统地实施可持续发展教育，学校组织开发可持续发展教育课程，编写了可持续发展教育的校本教材——《生活的智慧》。目的是培养学生形成可持续发展需要的学习能力、科学知识、价值观念与生活方式，使他们成为能够履行促进经济、社会与环境可持续发展责任的新一代公民。

“生活的智慧”课程的总目标是，基于可持续发展的核心理念——尊重，培养学生形成可持续发展需要的学习能力、科学知识、价值观念与生活方式。课程关注学生对尊重内涵的理解，让学生在探究现实生活问题的基础上体会尊重人、尊重性别差异、尊重文化差异以及尊重环境和资源是自然、社会和人得以和谐发展的重要基础；关注学生学习方式的改变，让学生在观察分析、调查研究、设计方案、阅读鉴赏、合作交流、体验反思的过程中，转变学习方式，提高解决问题的能力。学生在学习课程的过程中，学会关注生活，关注社会，关注自然，关注自身健康，提高保护环境意识，形成可持续发展的观念，改变生活方式和行为方式。

“生活的智慧”课程内容的选择，遵循“面向未来、着眼现实”和“学科综合、贴近生活”的原则。课程内容分为五个专题：第一，尊重与责任，包括“学会与人相处”“男女有别”“尊重多元文化”“保护文化遗产”“保护野生动物资源”“勇于承担责任”；第二，保护环境，包括“让环保走进生活”“防止水污染”；第三，勤俭持家，包括“节约资源和能源”“变废为宝”“学会理财”；第四，健康有道，包括“远离香烟”“远离毒品”“预防传染病”“健康饮食”；第五，防灾减灾，包括“地质灾害”和“气象灾害”。每个专题从不同的角度选择内容构成系列话题。例如“尊重与责任”专题中，既选择尊重人、尊重性别、尊重自然的内容，又针对我国改革开放的步伐日益加快，国际交流日益增多，着眼于学生的国际意识和对多元文化的认同和理解，选择了“尊重多元文化”的课程内容，让学生认识不同文化差异，学会理解、尊重和沟通，促进人类文化的可持续和谐发展。针对环境问题这个世界热点，选择“让环保走进生活”专题内容，让学生认识环境问题产生的危害性，树立环境保护意识，关心周围的环境及其变化，行动起来，保护环境。在“健康有道”专题中，结合“毒品的泛滥”这个当今世界面对的重大社会问题，选择“远离毒品”的内容，让学生全面详细地了解毒品，对它给人类带来的巨大危害有清醒的认识，积极参与禁毒宣传，养成良好习惯，过健康而有意义的生活。总之，在之前所处的这充满变化和挑战的伟大时代，课程内容的选择要贴近学生现实生活，关照学生的“生活世界”，让学生在学习过程中体味到教育的生活意义和生命价值。

课程实施采用专题教育和主题活动相结合的方式进行，与可持续发展专题教育相结合，与“世界环境日”“地球日”“水日”等节日相结合，与社区服务相结合，与学科教育相结合，与研究性学习课程相结合，全方位对学生进行可持续发展的主题教育活动。每年的研学课程中，涉及可持续发展内容的课题占1/5，学生研究性学习课题的数量与内容反映了学生对可持续发展的关注程度，学生的可持续发展意识在逐步提高。

（六）发展艺术：“传统装饰艺术的学习与应用”课程

1. 课程开发的背景和意义

传统装饰艺术的寓意特征是在传统文化的大环境中即在礼乐文化的氛围中被强化的。在装饰艺术中，无论是图案纹样或是装饰的图画，其寓意所表达的中心主题是“吉祥”，这是一个延绵千万年的永恒性主题。“吉祥”本意为美好的预兆，吉者福善之事，祥者嘉庆之征。《周易·系辞》有“吉事有祥”之句，《庄子》也有“虚室生白，吉祥止止”之说。由此可见，吉祥是对未来的希望和祝福，具有理想的色彩。吉祥是中国人对万事万物希冀祝福的心理意愿和生活追求，它从一个方面反映了装饰至善至美的本质。以地方文化特色的校本教材开发为载体，进入有机的自然、人文、社会、美学等多个学科领域内的交叉。引导学生在对传统文化特色的理解中不仅仅关注知识内容本身，更注重对学科特质的把握。这就符合了时代和谐共生，使学科文化向生活世界回归的要求。例如，2008 年北京奥运会将中国传统装饰图案——“祥云”运用得淋漓尽致，向世界展示了中国传统文化在现代社会的应用。所以引导学生学习传统、运用传统，对继承和发扬中华传统文化具有极其现实的意义。

从近几年的教学实践来看，教学效果是非常理想的，学生将学习到的知识运用到校园生活中，如布置教室、绘画板报、设计活动海报等。还有不少学生运用传统装饰图案元素创作的艺术作品荣获市级和区级各类赛事的奖项。

本课程对于高中生来说是对国家课程内容的延伸，学生通过本课程的学习不但能够深入地了解中国传统文化和艺术，而且还要学会提炼传统艺术的精髓运用在现代的设计之中，通过这样的学习，不仅培养了学生的审美情趣和文化素养，而且提高了学生的动手设计能力和创新能力。

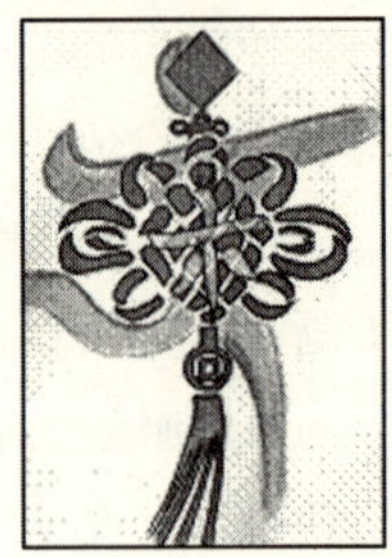

学生海报设计作品

图 4－5　学生作品

2. 开发思路与实施过程

“传统装饰艺术的学习与应用”是将国家课程高中《美术鉴赏》中中国传统艺术部分的装饰图案纹样进行归纳提炼总结而成的，中国传统图案纹样是人类形象地把握世界的方式，是一种基本的纯化的艺术方式，它以一定的形式构成而反映出一定的观念。装饰纹样的吉祥主题，包含着传统文化的众多内容和人文主义精神，它是传统文化精神的镜子，是传统民俗文化的主要内容，包括了人生的各种需要和方方面面。中国传统美学强调的是主客统一的整体意识和“求全美满”的美学观念，认为万事万物都是一个和谐统一的整体，都遵循同一个本质规律，因而中国古代的艺术家始终致力于“以整体为美”的创作，将天、地、人、艺术、道德看做一个生气勃勃的有机整体，以人的情感赋予物的形式，借物抒情，“以形写意”“形神兼备”，是一种善和美的行为和意志。在传统图案的题材和构成形式上，都表露出我国人民那种“善始善终”的处世哲学。

中国传统装饰艺术不重“写实”重“传神”，不重“再现”重“表现”，提升为“物我同一”的审美观念，是中国人文化意识和形态哲学观念的体现。它具有两个特征：一是包含科学合理部分，是古人对自然规律的总结；二是它的想象性和创造性，体现了中国人对吉祥幸福的向往，也反映了装饰至善至美的本质。我校将以上思想融汇在课程中。因此，此课程是以中国传统美学和传统文化中对美的形象和认识表现来编排这门选修课的教学内容。教学内容主要分为三大部分：一、传统图案艺术的分类赏析；二、学习运用传统元素装饰绘画的技能；三、学习运用传统元素设计海报。

课程开发的原则是以学生的发展和需要为本，关注学生能够将课堂所学知识在现实中合理运用，引导学生运用传统元素，装点现代生活，树立继承和发扬传统文化的历史责任感，自觉弘扬中华民族精神。培养学生的创新意识，为学生搭建展示的舞台，鼓励更多的学生拿起画笔描绘出心中的梦想，参加各类美术赛事，取得优异成绩。

3. 课程框架和内容

内容体系按知识结构难度层次构建，具体内容见表 4 -5，课程从三个难度梯度“欣赏、感悟、品味传统—分析、研究、探讨传统—发扬、创新、运用传统”以层层递进的关系来培养学生整理、分析传统装饰图案中装饰图案的种类和基本特征，总结归纳传统装饰图案的形式美、造型美和色彩美，将传统装饰图案中的精华进行提升，赋予时代气息，并锻炼学生将传统装饰图案元素在现代设计中进行创新应用的能力，引导学生运用传统元素于现代生活，这既是传承又是发展。

表4－5 “传统装饰艺术的学习与应用”课程设计

章	内容
绪论	课程的性质和主要内容
第一章	史前图腾文化
第二章	青铜器装饰图案
第三章	玉器装饰图案
第四章	瓷器装饰图案
第五章	装饰画的表现形式
第六章	黑白装饰画的应用
第七章	彩色装饰画的应用
第八章	海报设计构图和色彩要素
第九章	传统元素的寓意在海报设计中的使用

4. 实施成效与探索建议

“传统装饰艺术的学习与应用”课程实施初见成效，学生的学习积极性很高，学到了许多传统文化与艺术的精髓，创作出了一大批优秀的美术作品，取得了优异的成绩。用学生的话来说“我终于知道这图形是什么意思了！”“原来古人是这么想的，很有道理！”“古人太聪明太智慧了，原来觉得挺‘俗’的东西居然有如此多的内涵，还要多学习啊！”“我也能画出这么漂亮的作品，以前根本都不敢想！”“我获奖了，真的吗？真不敢相信！”等。

学生在一系列的传统艺术的学习中能够真正感受到传统的魅力，引导学生将各类图片、资料进行分析和归纳，总结提炼传统美术的表现形式和色彩特征，将传统美术中的精华进行提升，赋予时代气息。锻炼学生知识的联系能力和应用的想象能力，中国传统纹样背后的“意”是人们迷恋其造型的关键。不论古人还是现代人，对美好事物都一样地心存向往，因而传统纹样蕴涵的吉祥意味同样适用于现代设计，适用于传达现代人的设计意念。在我们的生活中处处可以发现古为今用、推陈出新的佳篇。

（七）聚焦能力：研究性学习课程

研究性学习课程是国家必修课程“综合实践活动”的重要组成部分，本课程总目标定位于让学生获得亲身参与研究探索的体验；培养学生发现问题和解决问题的能力、收集、分析和利用信息的能力；让学生学会分享与合作；培养学生的科学态度、科学道德和社会责任心和使命感。

为了有效地实现课程总目标，学校设立专职老师负责课程的实施，根据不同年级学生的年龄特点，制订不同的具体目标。高一年级着重培养学生科学的问题意识和掌握一般的科学研究方法，增强学生的综合、整体认识能力，让学生以人文精神和科学态度，从社会生活、现实生活中发现、提出问题，抓住问题的本质，判断问题的价值，初步学会制订研究方案、撰写调查报告和论文等。高二年级着重培养学生收集、分析、综合信息的能力，培养学生初步具有设计研究方案（包括实验设计方案）、构建知识模型以及研究、解决问题的能力。高三年级，着重培养学生的思辨、批判、反思能力，为学生研究问题思维模式上的创新意识打下基础。

高一年级的研究性学习课程，每周设置一课时，由专职教师在课堂上讲授研究性学习的方法，指导学生根据自己的兴趣自主选题，成立学习小组，设计研究方案。因为每学年学生课题数会达到两百多个，涉及许多学科和领域，仅凭专职教师无法进行深入指导，因此，课题确立以后，学生就根据课题需求，从校内或校外聘请指导教师进行辅导。师生一起完成研究性学习课程。高二和高三年级的研究性学习课程的实施，注重课程的整合，课程资源的利用，研究性学习课题研究与信息技术教育、社会实践相整合，与北京市青少年科技俱乐部活动相结合，与北京市青少年科技创新学院“翱翔计划”相结合，部分学有余力的学生走进科学院或大学的实验室，在研究员、教授的指导下开展课题研究。中国科学院的植物所 、化学所、生态环境所、软件所、心理所、声学所、动物所、微生物所、研究生院、北京大学生命科学院、中国农业大学生物学院实验室、首都医科大学儿研所、北师大生命科学院、中国医学科学院药用植物研究所、军事医学科学院等都接收过或正在培养我校学生，我们一起探究培养创新人才的教育模式。

在研究性学习课程的评价方面，我们遵循四个原则。一是参与性原则，注重学生亲身参与和学生全员参与，强调课程计划规定的学时活动量及参与情况和参与态度的考核，同时重视学生的自我评价。二是过程性原则，关注学生参与活动的过程和实践体验，重视对过程的评价和在过程中进行评价，并且对学生的评价与对学生的指导紧密结合起来。三是综合性原则，评价的内容、要求、过程和结论都应是综合而全面的。四是激励性原则，鼓励学生发挥自己的个性特长，施展自己的才能，激励学生积极进取，勤于实践，勇于创新，不断促进自身的发展。评价的过程贯穿于研究性学习的全过程，操作时重点从三个环节着手，即选题阶段的评价、中期评价和结题评价。选题阶段的评价要关注学生发现问题、提出问题、解决问题的意识和能力，促使学生以积极的态度进入解决问题的过程中。给选题论证报告和研究方案打分。中期评价主要是检查研究方案的实施情况，研究资料积累情况，以及研究过程中遇到的问题、困难和解决问题、克服困难的情况等。对评价结果要及时反馈，对于在研究中学生自己难以解决的问题，要通过教师指点、学生小组内部讨论、学生小组间交流、寻求校外帮助等方式予以解决。教师还对研究周记打分。结题评价包括对学生参与研究性学习全过程的情况、体验情况、资料积累情况、结题情况、研究结果及成果展示方式等进行评价。研究性学习成果可以是一篇研究论文、一份调查报告、一件模型、一块展板、一场主题演讲、一次口头报告、一本研究笔记，也可以是一次活动方案的设计。学期末采取指导教师（专家）打分，学生自评和互评相结合的方法进行。

学生通过课程的学习和实践，增强了探究和创新意识，初步学会了科学研究的方法，发展了综合运用知识的能力，提高了学生信息收集和处理的能力，增强了社会责任感。几年来，学校有 20 多项研究性学习成果获得国家和市级青少年科技创新大赛奖项，成绩斐然。

第五章 研究与变革：构建生命课堂

一、变革中求发展，研究中出特色

课堂，一个平常而又神秘莫测的地方，一个充满众生灵喜怒哀乐的地方，一个赋予没有生命的知识以生命活力，给予不太成熟的人以成熟的魅力，让生命绽放光彩的地方，一个让师生朝着适宜的方向展现自我的场所。课堂应该是生命精华展现的小舞台。

短短30年的时间里，我校的课堂教学在变革中谋求发展，在合作研究的基础上追求特色，让课堂真正成为充满生命力、体现创造力的地方。培养学生做一个堂堂正正的有骨气的中国人，就是要通过课堂让学生学会生活、学会学习、学会工作和学会思考，这既包括培养学生的数学与科学素质、经济与技术素质、社会与文化素质、信息素质，还包括培养学生的学习能力、沟通能力和社会责任感，培养学生的实践能力和创造性思维。

我校努力构建以学生发展为中心，促进师生共同发展的生命课堂。每一位学生都是生动活泼的人、发展的人、有尊严的人，每一位学生都是教师应该关注的对象，教学过程应该成为学生一种愉悦的情绪生活和积极的情感体验。把机械沉闷、程式化、缺乏生气乐趣的课堂变成挑战智慧、激发好奇心、彰显生命活力的课堂，这就是我们期待的课堂。

围绕着让学生会学习，教师们关注和研究学生最近的起点，引导学生走向最远的终点。以参与、合作、探究和体验为内涵，构建发挥学生主体性的多样化的学习方式，促进学生主动地、富有个性地学习。在课程内容的选择与设计上，重在理解和掌握知识，加强学科知识的整合，加强与现实生活和学生经验的联系，形成教学面向生活实际的丰富多样的表现形态。教师们关注学生主动参与的有效度、合作学习与探讨的实效性、学生自主选择及差异发展。

（一）构建生命课堂，回归教学本真

著名教育家叶圣陶先生曾经说过：“教育是农业，不是工业。”重温叶老的这句话，首先激起我们的思考就是：工业与农业的根本区别究竟是什么？答案是：农业的对象是生命，工业的对象是材料和产品。

既然教学的真谛和本义在“生命”之中，那么，“生命”的特性是什么？“生命课堂”的教学内涵又是什么呢？

但凡生命，都有它自身的生命力，都有一个渐进的自然生长过程。这种生命力来自于它自身的意志和精神，来自于它自身的生长特点和生活习性，来自于它自身的本性和内在力量。对于生命的这种本性和内在力量，外部环境不能彻底改变它，但是可以顺应它、保护它和发展它，此所谓古人云：“能顺木之天，以致其性。”教学的工作对象恰恰就是生命。正因如此，教学需要的是能真正了解生命的“农人”，而不是流水线上技术熟练的“工人”；教学需要的是保护、引导，而不是强制、塑造。学生的发展是动态的，教师要运用智慧促进学生的主动发展，要激发学生发现知识的兴趣，教会学生发现知识的方法，让学生自主建构和应用知识。要注意到学生已有的经验和基础，着眼学生的未来发展，思考当下的教学。

但凡生命，都有它的独特性和差异性。与农业不同，工业可以统一产品的型号、保持产品性能的一致，输入相同的生产程序。一句话，可以使用相同的模式和流程制造产品。然而，“世界上没有两片完全相同的树叶”，不同的农作物都有不同的生活习性和生长特点，需要不同的栽培方式；既不能拔苗助长，也不能强制它的生长。每个学生都是独立的活生生的生命个体。他们都有不同的生活经历、认知特点、学习风格和发展方式。这意味着，差异是教学的逻辑起点，教学应当从差异开始，以差异结束，而不是强制每个学生都按照一个相同的方向，以一种相同的方式发展。

但凡生命，都是一个有组织的整体。构成这个整体的各个部分必须得到均衡的满足和发展，否则就会被扭曲成为畸形和病态。在农人那里，农作物的根、茎、叶、果等各个器官都是协调生长和发育的，其中任何一个部分失去滋养，农作物要么不丰满，要么就失去生命。同理，学生是一个完整的生命存在，他需要在身体、知识、智慧、情感和精神等方面得到均衡、全面的发展，否则就会失去健康，成为不健全的人。课堂教学中要把学生看成立体的鲜活的人。

但凡生命，都需要生长环境，良好的生长环境会促进生命的发展和成长。小而言之，课堂上教师、学生、课程和课程文化等诸多要素共同构成教学环境。大而言之，学生、学校、社会又构成一个社会环境，学生就在这样的教学和社会环境中通过交往活动和自主活动得以生存和发展。我们的教学就要适应社会发展需求和人的发展方式的新变化，教会学生学习和思考。学习不仅是简单地继承和接受，而且也是一个生成和创造的过程，是一个运用知识提升自己和服务社会的过程。

能够把握学生成长的规律和需求，顺应并引导学生学会做人、学会做事、学会学习、学会思考，这样的课堂就是真正的生命课堂，回归教学本真的课堂。

（二）尊重教学规律，探究教学本质

教学的核心任务就是教会学生如何学，在课堂教学实践和研究中，教师们一直在思考：学科教学本质问题、教与学的规律问题，从关注教师教过渡到关注教师教的同时关注学生的学，关注学生的学习需求和长远发展，逐步在思考学生学习的内在机制与创造性思维的发展问题。

围绕上述一些问题，我校进行了一系列课堂教学研究专题活动，基于课堂实践提出实际问题，然后收集资料、探讨解决办法，再次回到课堂实践检验，最后提升总结经验。强调扎扎实实的学习和研究过程，充分发挥教科研的先导作用，解决课堂实效性问题，构建生命课堂。在课堂教学的实践和研究中，出现了一些教学效果好，值得推广的经验和成果。

1. 实施差异教学

每一个学生都是独特的个体，学生之间是存在差异的，这就要求教师教的过程要关注到差异。2006 年 10 月全校开展“实施个别化教育的策略研究”研究课活动，通过剖析一节课，展示、交流和研究实施个别

化教学的策略和教学切入点，并建立了“实施个别化教育的策略研究”的课题。课题汇报每学期至少安排一次，学校科研骨干参加，由课题主持人汇报课题进展情况，展示课题研究的阶段成果，活动集汇报、交流、学习、检查、评价、反思于一体，既提高了教师研究的积极性，也切实让学生在差异中获得不同的发展。同时开展“个别化教学策略”主题征文活动，征文活动主题明确，重点突出，成果集中，收集了大量原始资料，在课题研究中留下痕迹，有利于课题成果的形成，还能促进教师对研究过程的梳理，促进课题研究的深化，并在课堂中让学生受益。

除实施个别化教学的探索外，我校还探索层级教学设计。学生在学习过程中，知识深度、学科能力、学习方法等方面，都随着学生年级的增长而不断发生着变化。因此在不同的阶段，教与学的侧重点是各不相同的。2010 年下半年，我们在教学环节设计、单元教学设计研究的基础上，开始进行“层级教学设计”的研究，依据学生在不同阶段水平的差异进行教学设计，实现知识、能力发展的螺旋式上升。

我校组织了“关注学生发展，优化教学设计，提升学科素养——层级教学专题研究”。各教研组就同一内容、在不同年级上研究课，组内共同磨课、听课、评课。物理组进行的层级教学的内容是电路知识，电路知识在初三、高二、高三的学习内容都有所涉及。大家通过学情分析、教材分析和课标分析后，确定初三教学设计为电功率，高二教学设计为实验新教学，高三教学设计为电表内阻的测量和电学实验图像，通过层级教学研究，老师们对各年级电路教学的差异性有了更深入的认识。化学组以“元素化合物”作为此次层级教学的知识主线，以“氯”作为主题在高中三个年级完成研究课，分别是：高一“富集在海水中的元素——氯”；高二“元素化合物复习——卤族元素”；高三“氯及其化合物综合应用”。研究课后教研组进行了深入反思与总结，老师们达成共识，认为高一是一个“点”，就是让学生初步认识卤族元素的典型代表——氯；高二是“线”，在元素周期律的指导下将卤族元素穿成线进行学习；高三是“面”，重点是氯及其化合物相互转化的网络关系。

初中教学侧重于从感性认识入手，结合实际和实验，使学生认识概念；高中教学通过常见实验培养学生的实验综合能力，这样对于高中三年，乃至中学六年，这一内容在不同阶段的定位也有了更深层次的思考，教师更加明确同一内容在不同阶段的教学目标和如何实现这一教学目标。

通过“层级教学设计”研究，教师在设计教学过程时，更加关注不同学习阶段学生的知识基础、认识能力和学习需求，更加关注不同教学阶段对同一内容在知识、能力方面的要求，来确定适宜的教学目标与教学方法，使学生的学科素养在不同的年级能有相应的提升。

2. 优化教学设计

只有找到适合师生发展、学校发展的课堂，才是真正有效的课堂。以多元代替一元，以对话代替独言，以主动探究代替被动接受，使师生的生命力、创造力在课堂上得到充分发挥，使师生的潜能得到充分的发展。课堂教学的复杂性和多变性、教学活动的目的性和有效性，都要求教师在课前必须精心地进行教学设计，通过精心预设，让课前预设与课堂生成互动共生。

围绕课堂教学，学校组织教师们一起梳理出最关注的若干问题：

如何通过课堂教学落实课程标准的要求？

如何构建新的课堂教学模式，以充分体现新课程“以学生发展为本”的核心理念？

如何创造性地使用新教材，实现三维目标？

如何实现学生学习方式的转变？

……

围绕教师们最关注的问题，我校确定了以“优化教学设计”作为校本研究的重要内容。教学设计是运用系统方法科学解决教学问题的学问，它以教学效果最优化为目的，以解决教学问题为宗旨。优化教学设计，对提升课堂教学质量、促进教师间深入合作研究有着重要意义。自2008年起，我校立足教研组、备课组，充分发挥教师的创造性，开展实践和研究，充分挖掘学科教学价值，优化教学设计，形成新的教学模式，促进学生学科能力与综合素养的提升，促进教师专业成长。

围绕“优化教学设计”，引导教师在进行教学设计时，关注课标与教材，关注学生活动设计，关注学生学科素养的培养等。我校组织了“研究课标教材、关注活动设计、提升学科素养、促进师生发展”新课专题研究暨教学示范课展示，“关注教学设计、提升教学能力、促进专业成长”青年教师研究课，“关注学科特点、提高课堂教学实效性”课堂教学研究、展示等活动。通过听评课，引导教师进行更有针对性、更深入的学习与研究，取得了良好的效果。

语文组和化学组开展了“课堂提问有效性研究”，物理组开展了“如何创造恰当的物理情景”，地理组开展了“启发式讲授法”“探究式学习法”等教学方式研究，生物组开展了“如何通过实验课培养学生的探究能力”。各教研组、备课组围绕专题进行学习研究整合教学内容，设计教学环节与方法，进行课堂教学实践，修改教学设计，反复打磨，形成新的教学思路与方法，使教师对相关的研究内容及其在课堂教学中的价值有了更深入的认识。

通过系列研究和实践，教师的教学设计能力得到了很大提升，单课时教学效果得到优化。在教学实践中也发现了一些问题，常规教学三维目标容易割裂，缺乏有效融合；知识点零散，缺乏系统；教学内容多与教学时间紧张的矛盾，使得课堂上常常不能充分开展学生的自主、合作、探究等学习活动。2009年下半年我们开始进行单元教学设计的研究。单元教学设计强调对教材内容的整合，解决教学目标在课堂上的有效落实问题。我们从单元教学目标设计、单元教学结构设计、单元教学策略设计、单元教学评价等方面进行研究，进而进行课堂教学实践。

为了提高课堂教学效益，我们采用了“同课异构”的研究形式。就同一教材、同一单元的教学内容，针对不同的学生，采用不同的教学设计。采用“同课异构”的形式，教师是信息资源的共享者，是独特教学设计的展示者，又是促进的合作者。教师的教学智慧得到充分展现，教师间取长补短，获得提高课堂效率、解决实践问题的好方法，同时有利于帮助教师形成适合自己的教学设计风格。

进行单元教学设计，着眼于学生素养的全面发展，追求单元教学的整体效果，有利于实现多维目标的融合，有利于教学过程与结构的优化，有利于教学方式的多样化，有利于解决教学时间紧张和教学内容零散的问题。2010 年 3 月，化学组 3 位老师在同一班连上 3 节课，完成单元教学设计的课堂教学实施展示。市级骨干教师、课题组老师、北师大学生共 140 多人参加了听课、研讨活动。

3. 变革教学方式

有这样一种课堂，可做到将教师的讲授、繁复的笔记变为网络上弹指间智慧的碰撞；有这样一种课堂，可做到在没有铃声，没有围墙，又随时随地有老师、同学在身边；有这样一种课堂，可做到其间不仅有学生的独自演讲，更有大家的激烈讨论在回荡。

2007 年我校地理组参加了“信息技术的科学应用与促进教学方式的改革”项目。借助网络这一虚拟课堂，实现跨学校、跨年级、跨班级，甚至是跨学科的网络授课，在课程的开发、实施和研讨的过程中，以课题研究为框架，以课堂教学为媒介，以问题探究为线索，以互动探讨、自我反思为形式，立足在课改中进行课题研究，更新教学理念，转变教学方式。

地理组重点推出“旅游地理”及“自然灾害及防治”两个选修模块，其间参与学校 19 所，参与教师 48 人，参与学生近千人。我校两个模块均参加，参与学生是 2010 年和 2011 年毕业的两届学生。教学共经历了六个实践阶段：准备阶段，熟悉平台，激发兴趣；启动阶段，调查学情，自由分组；推进阶段，专业指导，加强认识；再推进阶段，提出问题，深入思考；交流阶段，现实课堂，总结交流；总结阶段，深入推进，结论共享。

学生在选课平台上进行课程的选修，教师在平台上介绍课程设计，根据个人情况学生可以选择 48 名地理教师中的任何一位教师进行学习。授课教师通过网络调查和测试，将 4 名或者 6 名知识掌握程度不同的学生组成一个小组，组际总体水平相当，以便为小组内的合作交流提供保证。

每个学生都可以根据自己的兴趣爱好、学习习惯、学习进度和深度，自由地调用所需要的信息资源；可以根据自己的知识基础和学习速度自定学习进度，主动参与网上练习和讨论、提出自己的看法和建议；可以根据自己的理解和相关的知识去重组或构建新知识等。这样就充分体现了教学的个性色彩，赋予了每个学生在学习时空、内容、方式和数量等方面的自主权和调控权，促使教学的中心转向学生，由对教的重视转向对学的重视。凡是学生能够自己解决的问题，都让学生自己解决，凡是学生不能独立解决的问题，组长（版主）或教师就要通过网络启发、引导、组织大家一起讨论，合作解决。经过一个月左右的网上学习之后，教师根据实际情况把学生集中起来，进行现实课堂授课，总结上一阶段情况，解决学生网络学习中的问题，布置下一阶段的任务并提出相应的要求。

网络技术给学生创造了一个能自主安排的学习环境，虚拟课堂改变了传统教学方式，由“1 师对 n 生”的单线推进方式转变为“n 师对 n 生”的多线并进的方式。同时，结合现实课堂弥补虚拟课堂的不足，很好地实现教学目标。

构建生命课堂，需要教师对自身学科的深刻理解，对学科能力的要素、结构、层次等问题有较高的认识，对学生课堂学习的方式、过程、机制与特点，学生课堂学习的策略及方法，学生学科能力发展的过程、机制与特点以及学生在课堂上有效学习和最优发展的实现机制等问题有明确的认识，进而才能采取切实有效的教学策略和方式让课堂生动、鲜活，富有生命力，促进师生的共同发展。

二、实施有效策略，提升教学质量

课堂教学是一门科学，有严谨的科学规律。但教学又是一门艺术，需要经过教师自身的实践和体验精雕细琢，逐渐积累。只有科学合理地运用教学策略，才能使课堂教学更加有效，更具魅力、活力和生命力。

（一）科学预设目标，动态调整过程

传统课堂教学的目标往往从教师的角度出发，重在教师的教，关注的是教材的讲授，强调的是基础知识与基本技能的落实，目标比较单一。现代教育理念要求实现三维目标：知识与技能、过程与方法、情感态度与价值观。构建起比较完整的课堂教学目标体系，由以知识本位、学科本位转向以学生发展为本，实现知识、能力、态度的有机整合，体现对人的生命存在及其发展的整体关怀。

在教学中，深入解读课标，立体解读教材，研究学情现状，科学制定目标，实现有效教学。

“课标”是教学之本。教师在引领学生学习之前，自己首先要深钻课标，依据课标要求深入挖掘教材中丰富、深厚的资源，才能激活学生的潜能。

“学情”是设定教学目标的基础，没有“学情”分析的教学目标往往比较空泛，没有针对性。只有真正了解学生的已有知识经验和心理认知特点，才能确定学生在不同知识、不同技能和不同学习活动中的“最近发展区”，才能制定有梯度的、难易适宜的、能引起共鸣的、符合客观实际的科学的教学目标。

在初中语文阅读教学“联系上下文解词”的教学内容中，面对积累少、阅读量小的学生，目标定位为“结合上下文和生活实际了解课文中词句的意思”，目标定位于“了解”。面对阅读量增加、经验积累较多的学生，目标定位在“能联系上下文，理解词句的意思，体会课文中关键词句在表达情意方面的作用，并能借助字典、词典和生活积累理解

生词的意义”，提出“理解词意”“体会关键词句的作用”等要求。面对有一定积累、理解力很强的学生，目标定位在“联系上下文和自己的积累，推想课文中有关词句的意思，体会其表达效果”，提出“推想词意”“体会表达效果”的目标要求，这样循序渐进、螺旋上升，最终实现“具有独立阅读能力”的总目标。

课堂教学不是根据原有的教学设计刻板地进行，而是依据课堂教学实际，进行教学内容、教学方式等方面的变化。教学过程调整动态的目的就是更好地让学生掌握知识、提升认识、加深体验、提高学科素养，也就是为了更好地促进学生发展。

语文组李冬梅老师在教授苏教版教材七年级上册“冰心诗四首”一课时，预设的情感态度和价值观，受到美的熏陶，在生活中能感受母爱。教学中设计两个环节实现目标，第一个环节目标是体验人间至深至爱亲情，学生品读《母亲》《纸船——寄母亲》两首诗，感受诗中传递出的浓浓的母女之情。在师生同议、同讲、同评、同品中，引导学生仔细品味和辨析两首诗的区别。前者主要是一种童稚期寻求母爱保护的心态，而后者则是步入青年以后对母爱的怀念和依恋；前者侧重于母爱的伟大和无私，后者着力表达对母亲的感恩和回报，恰好表现了不同年龄阶段对母爱的认同和理解。这种对比阅读方法的介绍，使学生体验到不同阶段母女间相互的浓浓真情。在后面两首诗《成功的花》《嫩绿的芽》的学习中，师生也运用对比阅读的方法，感受到蕴涵其中的深刻哲理。由于强化了学生比较阅读方法的落实，导致第二个教学环节无法在课上完成，教师适时地把谈谈自己在生活中感受到的母爱这一教学环节，改成了以作业的方式呈现，教学内容得以动态调整。在教学中，只有依据课堂生成，动态调整教学过程，发挥鲜活丰富的动态教学资源的作用，学生才会获得更全面的发展。

在教学中，教学目标的实现是一个充满互动变化的过程。教师要独具慧眼，依据学生表现，及时捕捉教学资源，并将其加以利用，真正实现教学目标的落实。

（二）开展探究活动，培养探究能力

目前教学改革的重心已发生了明显变化，从重“教”转向重“学”；从让学生接受结论转向让学生自己去探索知识的形成过程，自己去解决问题，充分发挥学生的创造潜能。

高一化学第6章《氧族元素　环境保护》中的第2节是“二氧化硫”的内容，为了更好地激发学生的学习兴趣，促进学生学习方式的转变，培养学生的创新精神和实践能力，教师采用自主探究的方式开展这节课的教学，将酸雨的内容与二氧化硫（SO_2）性质的内容联系起来，让学生在体验科学研究的过程中达成本节课的学习目标。

引入环节，教师利用学生实际生活中的问题作为情境，激发学生兴趣。“空气质量预报涉及哪些物质?”“大气污染的SO_2会导致酸雨的形成，什么是酸雨？它是如何形成的？具有哪些危害?”

有关酸雨的讨论调动了学生学习的积极性，同时也为本节课SO_2的教学作了铺垫，教师及时把问题引到形成酸雨的SO_2上，让学生观察小试管内封闭SO_2，并描述它的性质。通过观察，学生们总结出SO_2“无色气体，有刺激性气味，有毒，比空气重”的物理性质。接着，教师提出问题：“SO_2是否溶于水？是否与水发生反应?”要求学生不仅回答问题，还要说出自己的依据。学生们跃跃欲试，以小组为单位进行讨论，设计实验方案，并在全班进行实验方案的交流。

通过讨论，学生预测SO_2能与水发生反应，产生酸性物质，并指出可用指示剂石蕊试液滴入刚才所做实验中溶有SO_2的水里，验证这种预测。但在石蕊液滴加到哪里的问题上，学生们产生了分歧：有的小组认为将石蕊试液滴加到水槽中；有的小组认为将石蕊试液滴加到小试管中。对于不同的想法，教师鼓励学生通过实验进行验证。

因不同的小组将石蕊试液滴加的位置不同产生了不同的结果，把石蕊试液滴加到槽中的小组很难见到预想的红色；而把石蕊试液滴加到小试管中的小组则见到了红色。学生们都认为SO_2可与H_2O化合为H_2SO_3，为什么会产生不同的结果呢？有的小组用H_2SO_3溶液浓度不同解释了这个问题，这一点得到了大家的赞同。最后大家对石蕊试液验证了 SO_2 与水反应生成酸性物质的结论达成共识。

整个探究过程中，学生的观察能力、实验能力和交流能力得到提升，创新意识和解决问题的能力得到了充分的发挥。

通过教学实践，教师总结出培养学生探究能力的教学模式，即“创设情景—提出问题—分析问题—创造性地解决问题”的教学模式，通过教师创造探究的条件，循序渐进地启发引导学生在情景中发现问题、提出问题、制订探究计划、实施探究计划，以及分析总结、得出结论、创造性地解决问题等，引导学生运用形象思维、分析比较、判断推理、归纳总结、合作交流，探究未知知识领域，从而有效地促进学生探究能力的提升。

整个教学过程，教师为主导，学生为主体，教师的职能发生了转变，教师不再是知识的垄断者和传播者，更多的是学生学习活动中的引导者、帮助者、咨询者和学习的伙伴。而学生则是在教师的启发指导下，运用已学过的知识和技能，以新知识的探索者和发现者的姿态，发现问题、探索问题和解决问题，亲自体验知识的形成过程。

（三）重视学法指导，教会学生学习

授人以鱼，仅供一饭之需；教人以渔，则终身受用无穷。把教学重点放在学生的“学”上，让学生愿学、乐学、会学，成为学习的主人，从而达到“教是为了不需要教”（叶圣陶先生语）的境界。这就需要教师注重学法的指导。

在中学化学教学中，学生普遍反映这门学科是“一学就会，一听就懂，一多就乱，一长就忘”。为此有必要让学生掌握一些科学的记忆方法，提高学生的记忆能力。方法一是理解记忆法，从材料中选出一些关键字词，作为记忆的“要点”，从而引起材料的全面展示。方法二是编制记忆口诀，如记忆元素化合价时，常见盐的溶解性时，可将其编成口诀，这样一次记住，长时不忘。方法三是顺序法，杂乱无章的信号在大脑中是不会长久的，而有顺序、有逻辑的记忆就会记忆得更牢固。初中

化学常见沉淀的颜色可用“三白一蓝一红褐”七个字来记忆。过滤操作时应注意的事项可归纳为“一贴、二低、三靠”。配制一定溶质质量溶液的方法时采用“一计算、二称量、三量取、四溶解”的顺序帮助记忆。方法四是押韵法，这种方法不但增加了材料的趣味性，而且又利于牢记。如实验的基本操作要诀：取固体药品时，一横二放三慢竖；取液体药品时，一倒二向三紧挨。检查装置气密性时，手握仪器看气泡，移开手后看水柱，等等。

高中语文教学运用圈点批注法，放手让学生讲理解；放情让学生说思路；放心让学生写评论。这种方法把品味鉴赏问题交给了学生，日久天长，学生就会主动思考，整理思路，择取最简练精准的语言表达自己的想法，在主动积极的思维和情感活动中获得属于自己的那份感动，那份智慧，那份会心，那份得意，那种源自心底的生命的力量。

激发学生学习的积极性，培养学生自学能力，挖掘其潜能，让学生从学会逐步过渡到会学、乐学，是学法指导的关键。通过教师对学生自学方法的指导，正确地处理了传授知识与发展智力的关系、教师主导与学生主体的关系，真正地把课堂还给学生，学生的知识领域、能力领域和非智力领域（情感领域）都得到了较大拓展，提高了教学质量，为学生以后的学习和探索奠定坚实基础。

（四）实施分层教学，促进个体发展

苏霍姆林斯基说过：“教育工作的实践使我们深信，每个学生的个性都是不同的，而要培养一代新人的任务，首先要开发每个学生的这种差异性、独立性和创造性。”正如世界上没有完全相同的两片树叶，每一个学生都是一个独特的生命存在，存在着生理发展和心理特征上的差异性和独特性，因此学生在学习过程中就会存在着个体差异。

传统教育历来强调共性，忽视学生的差异性。强调学生平均发展，鼓励“全优”，不能正确地对待学生的不足，有的学生成绩欠佳，被称为“差生”，导致学生丧失了前进的信心和动力。其实，学生的差异无处不在——学生生活背景的差异，学习基础的差异，接受能力的差异。

只有当教师真正在心中形成差异教学的理念，才能真正做到“以人为本”，一切从学生出发，促进学生发展。我们应树立承认差异、发现差异、发展差异的教学观点，抓住课堂的主渠道，对学生实施个别化的教学方法。

尊重学生的差异，并把学生的差异视为一种亟待开发和利用的教育教学资源，实现学习的个体化和教师指导的针对性，实现学生的差异发展。

1．立足个体差异，树立分层理念

针对学生的差异进行教学，根据差异的性质提供不同的教学方式，在统一教学目标的支配下，实行积极的“有区别对待”。我校把这种客观存在的差异转变为可利用的教育资源，并在实践中努力尊重学生的差异，力求让每一个学生都能找到自己理想的位置。为了让学生都得到发展，我们努力钻研并践行了立足学生差异发展的分层教学。

分层教学，是根据学生在一定阶段内的认知水平、知识基础、发展潜能、兴趣爱好等方面的客观差异性，在尊重主体意志的前提下，学校依据资源配置条件而实施的教学形式，其教育理论的合理内核是因材施教的原则，其哲学的理论基础是具体问题具体分析，一切从实际出发。分层教学有利于面向全体学生，是人本主义教育思想的生动体现。

2．依据实际学情，灵活分层教学

在实施分层教学的过程中，首先对学生进行分层，分层教学与以往分快慢班有着本质的区别。以往快慢班往往可以通过一般性的考试来进行选拔，而分层教学就是根据学生的基础知识、学习能力的差异和提高学习效率的要求，结合教材和学生学习的可能性，通过学生自我评估完成的，完全由学生自愿选择适合自己的层次。课堂上，教师依据课标中各知识点的不同要求（了解、理解、掌握），将学生依次分为 A、B、C 三个层次，在了解学生层次的基础上，教师首先在备课上进行分层，结合不同层次的学习需求，制定分层教学目标。各个层次教学目标的实施和制定有着明显的不同。低层的目标为：低起步、补台阶、拉着走、多鼓励。中层的目标为：慢变化、多练习、小步走、抓反馈。高层的目标为：小综合、多变化、主动走、促能力。“较低层次的教学目标+新增目标=较高层次的目标”，根据不同层次的教学内容与要求，使每一层次的教学内容和要求与这一层次的学生的“最近发展区”相吻合。在教学目标分层的基础上，教师还要根据学生的实际水平设计三个不同层次的练习，A层完全注重双基，循序渐进，反复练习，注重通法，淡化技巧，打牢基础，B层重视基本知识、基本方法，技巧、能力要求低一点；C层注重技能，提高速度，培养能力。

地理学科大胆进行教学实践，从教学组织形式、教学内容、教学进度等方面开展分层教学活动。按照学生的学习情况，教师把全班学生分成6个学习小组，分别是纬度一组、纬度二组、海陆一组、海陆二组、地形一组和地形二组。纬度一组和纬度二组是两个平行组，属于低层次学生组；海陆一组和海陆二组是两个平行组，属于中等层次学生；地形一组和地形二组是两个平行组，属于高层次学生。为了满足学习活动开展的需要，教师改变了传统的“秧田式”座位排列方式，学生不再只是面对教师，而且可以面对同伴，几个学生围坐在一起，面对面地合作交流、实践、操作。这一形式为学生创造了一种更宽松的课堂环境，使学生对课堂教学产生新鲜感，也更能激发学生学习兴趣，为学生之间交往创造了民主、自由的学习氛围。教师充分发挥每一个组员的作用，同时又鼓励冒尖，让好学生在竞争中脱颖而出，形成榜样作用，带动全体学生学习。

针对同一教学内容，教师为不同水平的小组准备了难度不同的学案，为不同层次学生设计不同的教学目标。例如，让低层次学生描述现象，中等层次学生试着解释成因，高层次学生综合分析，举一反三，形成新的学习思路和学习体会，促进课堂教学进程，提高课堂效果。

另外，学生还可以根据自己的实际情况选择不同水平的课堂检测题目，题目共分三个档次，三个不同学习层次的小组可在适合本组学习的题目范围内选题并完成。这样可更有效地指导学生学习，帮助每一个学生完成适应自己水平的学习。

教师课堂教学设计要从实际出发，同时也让学生跳一跳才能够得到，这样学生才能感受成功的快乐，从而产生更持久的学习热情。英语组的教师就分层次授课进行了研究。尽管呈现在学生面前的材料是相同的，但教师的要求是有差异的，教师所给予的特别关注和个别指导也是不同的。教师让学生以小组为单位，执行共同的任务，各尽其职，发挥各自优势和特长。例如让学生根据提供的情景，围绕所学英语语言内容和知识编对话。对于 C 层的学生，要求对书上的对话进行背诵表演；对于 B 层的学生，要求对书上的对话稍加改编后进行表演；对于 A 层的学生，要求能根据语境改编和拓展对话，表演要有一定的可视性，就如同是一次真实的语言交际活动。针对不同层次的学生，提出不同的要求，让学生参与而不是旁观，在学中用，用中学，使每个学生都体验到成功的快乐。

面对学生的差异，强调学生的个性发展，从学生的实际情况出发，调整教学要求，以满足不同层次学生的需要，努力做到作业分层。C 组控制作业量，确保基础知识的掌握。A 层减少基础作业量，给予他们自由发展的空间。作业难度分层，做到基础目标、发展目标和创造目标的统一。对后进生降低难度，确保完成基础目标。对中等生保持难度，努力完成发展目标。对优等生增加难度，努力实现创造目标。例如在学习了“凡尔赛宫”一课后，设计三类作业：A 层，抄写生字词并会听写，摘抄文中描写凡尔赛宫宏伟的句子；B 层，听写生字词，收集关于世界七大奇迹的其他知识；C 层，以生字为原材料，自主设计作业，仿照凡尔赛宫的写法，介绍一种建筑物。这样可使 A 层学生有练习的机会，B 层和 C 层学生也有充分发展的余地，都能享受到成功的喜悦，从而提高学生学习语文的积极性。

正是有了学生个体的独特和差异，我们的课程才变得丰富多彩。承认差异是素质教育最为重要的教育理念，差异发展就是以学生个体差异为发展基础，以因材施教为教育手段，使学生的差异在尊重中得到主动发展。

为了保障分层教学在我校能够持续有效开展，学校建立教研组—备课组—教师三位一体的学习型组织活动体系，做到集体活动和个人活动相结合，理论学习和教学实践相结合。从发现问题到集体备课，从备课到实践，从实践到反思，从反思到改进，从改进到有效解决问题，从解决问题到再反思，将教研组打造成一个学习型实体。

总结教学实践，我们可以发现，通过实行分层教学，不认真听讲的学生不见了，同学们都积极主动的投入到学习中，学生的学习成绩提高了，每个同学都可以体验到成功的喜悦，学习的信心增强了、兴趣提高了，学会了与人合作，使教学进入了一个良性循环。

三、挖掘学科本质，打造精彩课堂

生命是教育的原点，生命的发展是教育的最终归宿，我国著名教育家叶澜说过："教育是直面人的生命、提高人的生命、为了人的生命质量而进行的社会活动，是以人为本的社会中最体现生命关怀的一种事业。"因此，充分地唤醒生命意识，开发生命潜能，让每一个学生自由、充分、最大限度地实现自己的生命价值应当是教育最真切的意义和最本质的使命。从这个意义来看，我校"做一个堂堂正正的有骨气的中国人"的培养目标恰恰深切体现了这一点。

教育学生"做一个堂堂正正的有骨气的中国人"，就是让学生善学习，会生活。构建以人为本，促进发展的生命课堂是达成这一目标的有效途径。在日常教学中，努力让课堂焕发出生命活力是我校教师们的共同追求。

华东师范大学教授周斌曾说过："真正焕发生命活力的课堂，并不是教师个人的精彩课堂，也不是学生个人习得学科知识的课堂，而是教师与学生借助课堂教学这一活动与平台，在教师的精彩教学之中，在学生学科知识的习得过程中，体会人与人之间的情感共鸣与知识共享的乐趣的课堂。"简而言之，精彩的生命课堂就是将课堂教学视为人的一次生命之旅，师生共建知识交往的场景与平台，让知识教学充满生命对话、交流的活力与魅力。

这样的课堂不是一个人的精彩，而是师生共同的精彩。对学生而言，精彩的生命课堂是青春、生命活力和创造力被焕发的地方，是参与知识传播和建构的过程。学生在参与中找出知识信息的关键点和规律，在教师的引导下，用自己的经验解决实际问题。学生是生命的感悟者，是自我生命的完成者。对教师而言，精彩的生命课堂教学是实现生命价值的过程，每一堂课的质量和效果都会直接影响自身对职业的情感和态度。一堂知识丰富，传播生动的课不但能引起学生的心灵回应，激发学生创造力，教师自身也会获得精神的满足与愉悦，进而追求更富生命价值和教育意义的教学，建立情意交融，孕育人性的精神殿堂。在这样的课堂里，师生全身心投入，他们不只是在教与学，他们还在感受课堂中生命的律动和成长，享受着创造的喜悦与满足，品味着人性的灿烂与魅力。

打造精彩的生命课堂，是我们进行课堂教学改革的必然。多年来，我校以校本教研制度建设为保障，以多种形式的交流研讨活动为内容，以教学反思和课题研究为载体，以科学的评价激励制度为动力，使教师团队在研究中不断成长，从而使得生命课堂的探索不断向纵深发展。

本书展示了几个教研组在对生命课堂的研究、实践中呈现的教学特色，收录了不同学科的不同老师的课堂教学实录片段，从这些真实的记录中我们不难发现老师们探索“促进师生发展的生命课堂”的闪光足迹。捕捉其中精彩瞬间，我们可以“听”到执教者鲜活的教学语言，可以“看”到师生的互动交流，可以领略灵活善变的教学机智，可以感受到课堂教学当中所蕴涵的先进理念，更可以窥见课堂背后校本教研的智慧结晶。尽管学科不同，学生不同，执教者的禀赋、学养和教学风格也不尽相同，但他们的课堂一样地焕发着生命活力，一样地彰显着师生的精彩，一样地提升着生命的价值。

当然，精彩并不意味着完美无缺，无论是教研组对自己教学特色的总结梳理，还是教师的课例展示都还或多或少地存在一些值得商榷的地方，但却显示了各学科对生命课堂的独特理解和践行，也充分反映出我校教师在课改进程中的不懈追求和创新，其中折射出来的勇于改革、执著进取的精神，是值得肯定和尊敬的。

（一）语文：多元对话建构意义

语文教学过程中的教与学处处体现着“对话”，师生交流、学生讨论是必不可少的环节，而这些活动无不是为了激发学生对于文本的体察、思考和感悟，归根结底是为了让学生与文本产生深层次的对话，从而获得更多的情感体验和审美情趣。因此促进学生与文本之间的对话就显得格外重要，我们在语文教学中除了让学生阅读和分析文本外，还尝试引导学生多角度、多层面解读文本。

体验情感，与人物对话。通过创设一种情感与认知相互促进的教学情境，引导学生在活动和体验中有效地获取知识和情感体验。例如学习小说时，我们引导学生把某篇小说改编为课本剧并表演；给小说中的某个人物写一封信；设想小说的不同结局；选定小说中的一个人物，以第一人称写心灵独白等，学生在活动中获得亲身体验，触及情感世界，引发多向思考，在想象中充分发挥学生的创造能力。

探究背景，与作者对话。教师在课堂上教给学生与文本对话的方法，形成一种学生能够独立探究的情景，让学生能利用文本的空白与作者对话，自己发现问题、探究问题、解决问题。这种方式利于深层次挖掘教材，适用于文质兼美的散文阅读或其他经典篇目。

在这种对话教学方式中，教师要善于选好切入点，提出能激起学生思考的问题。如讲授《荷塘月色》一文时，我们以课后练习中余光中等人对朱自清的褒贬不一的评价为媒介，让学生自主品读、评析朱自清散文的特色。无论是褒扬的评价，还是贬抑的分析，这些评论家都抓住了朱自清散文最基本的特色，而这些特色正是我们高中学生要学习的地方。这样就发展了学生的思维，加深了学生对朱自清艺术风格的理解。在这种对话教学方式中，可以惊喜地发现许多个性化的、有新意的阅读对话，它是学生在探究中产生的独有的审美体验。

批注点评，与自我对话。学生预习时将自己对课文的理解感悟及研读其他参考资料时的收获批注在课文的书眉页侧，上课彼此交流，之后教师组织学生对批注进行评价，明显的错误要及时纠正，对创造性的评价要鼓励。课后还可以让学生进一步把自己的阅读感受整理成读后感，以巩固课堂成果。这种方式适用于内涵丰富的经典名篇。

批注式对话教学能让学生说自己的话，符合阅读的个性化特点。它可以让学生自由地与文本对话，容易触发灵感和奇思妙想，它还有利于养成良好的不动笔墨不看书的阅读习惯。各种对话方式的运用，使得语文课堂呈现出鲜活、多元、个性、丰富的特点。

课例：林黛玉进贾府

高中语文组　刘　艳

教学设计说明

本单元是中外小说单元，小说的学习重点是鉴赏人物形象和品味小说语言。《林黛玉进贾府》节选自古典四大名著《红楼梦》的第三回，是一篇传统课文，位于全册书的第一课，对小说的阅读与鉴赏应该起到引领的作用，因此要注意在授课中传授鉴赏人物形象和品味小说语言的方法。教师安排用5个课时来完成本文的教学。第一节课，教师简介作者和作品；第二节课，学生分角色朗读全文；第三节课，分析环境描写，并用圈点批注法赏析林黛玉的形象；第四节课，用圈点批注法赏析王熙凤这个人物形象，运用比较法来体会作者对王熙凤和林黛玉这两个形象不同描写的匠心；第五节课，用圈点批注法和正文反作法赏析贾宝玉这个人物形象，最后小结来结束全文的学习。

教学精彩片段赏析（第四课时片段）

片段一

师：今天我们来品读描写王熙凤的文字，说说她是怎样一个人。同学们可以交流一下你们预习的成果，大家可以互相讨论一下，彼此激发智慧的火花。

（学生讨论）

师：我们现在汇报一下，在描写王熙凤的文字中找出你感受最深刻或最想点评的一两句话进行交流。

生：我点评两处。第一个是王熙凤的出场，她先说：“我来迟了，不曾迎接远客”，大家都是敛声屏气，恭肃严整，王熙凤这样放诞无礼的出场就说明她在贾府里很不一般。再看下面，“见一群媳妇丫鬟围拥着一个人从后房门进来”，对比上文写三春的出场：“不一时，只见三奶嬷嬷并五六个丫鬟，簇拥着三个姊妹来了”，这三个人，最多就是奶嬷嬷和丫鬟围拥着来的，而王熙凤是被一群（强调）媳妇丫鬟围拥着来的，说明她在贾府中起着重要的作用。

师：好，不错，点评了两处。最可贵的是她的思维方式，她在赏析的时候运用了比对的方法，一个是周围的环境和王熙凤放诞无礼的比对，还有一处是三春周围的这些人和王熙凤周围的人物进行比对，用来突出王熙凤的特点。非常好。

点评：①教师的开场环节设计是以讨论的形式呈现的，可以活跃课堂气氛，让学生迅速进入学习状态；可以检查学生预习的情况，相互之间有一个监督检查的作用；还可以互相交流，启迪和激发智慧，取长补短。

②提问的语言简练，明确，指向性强，有利于学生明确任务。

③教师的点评紧扣学生的回答，简练，清楚。尤其是对学生的优点能从思维角度点评，对其他学生起到一定的指导作用。

④缺点是对王熙凤的特殊地位、性格特点可以利用学生回答中的重点词语以强化效果。

片段二

师：有心的同学可能就会问，作者用什么样的高超技艺和手法，把两个人物塑造得如此鲜活？今天我就来运用比较鉴赏法，来体会一下作者高超的写作技巧。

师：我们先来看两人第一次出现在读者面前有什么不同？

生 1："步步留心，时时在意，不肯轻易多说一句话，多行一步路，唯恐被人耻笑了她去"，这是最开始对林黛玉的描写，体现出她是一个特别小心、谨慎的人。和王熙凤的出场未见其人，先闻其声，先可以听到她的笑声和话语，有一个特别鲜明的对比。

师：非常好，他找了王熙凤出场时未绘其形，先使闻声；林黛玉是未描其人，先写其心。两个人的性格特点在出场的时候就表现得很突出了。在王熙凤这个人身上可以看出她非常圆滑周到，礼数周全，她出场却比其他人迟到了一步，是谁让他迟到呢？（学生略显疑惑）是作者！作者为什么会让王熙凤迟到？（停顿）大家可以想如果王熙凤没有迟到，她应该在前文就出现了，和现在出场的效果比较一下，有什么不一样？

生 2：如果让王熙凤和其他人一起出场就会让人觉得平平淡淡，因为迟到了，便显出了他的放诞无礼，情节也就有波折了。对描写叙述都有好处，让人爱读。

师：好，吸引读者。

生 3：我觉得一开始就出来，跟别人一起出来，就太平淡了。（笑声）她这么出来泼泼辣辣的，和其他人形成鲜明的对比。（笑声）

师：也就是个性更突出了。还有其他同学从其他角度看的吗？

生 4：我觉得这么安排是为了让情节波澜起伏。一开始是，黛玉进贾府，先见到的是贾母，见到贾母后，是三春来，这些人都是非常恭谨，贾母是非常热情。这时候，王熙凤来了，将情节推上一个高潮，然后黛玉就跟着邢夫人拜见贾赦和贾政……

师：（温和地打断）你是不是说远了？还是想把情节串一下？这和提出的问题有关系吗？

生 4：有关系！（坚定的！）（笑声）拜见贾赦和贾政这又低下去了，因为他们俩并没有见黛玉，然后宝玉再出现，让情节一波三折。

师：他已经从全篇的角度，从情节上说，人物如果不在这个时候出现，情节就缺少波澜起伏了。好，还有补充吗？

生 5：如果一开始就出现，黛玉也不知道她是谁，也就不会特别关

注她。(读者）只会有（应为注意）贾母和黛玉，就不会体现出凤姐的不一样，与众不同。(笑声)

师：也就是说凤姐没有了施展魅力的舞台，因为主要的事件不是她的，早一点出来会喧宾夺主，(学生点头）非常好。我用两句话点评一下作者写两人出场的技巧，巧选时机，先声夺人显声势；笔触细腻，敏感性情跃然纸上。

点评：这是分析王熙凤和林黛玉两人出场的一个片段，真正体现出语文课堂对话和学生个性解读的特点。

①教师开头导语，提示出下面授课的主要内容和目的，欣赏作者高超的写作技巧，语言简洁明了，指向性强。

②对学生1的点评到位，语言简练全面，语言形式整齐，显示出很强的文字功底。紧接着自然引出下一个问题：王熙凤迟到的问题。

③王熙凤迟到问题的提出有三句话：一句是卖关子，引起学生注意；二句提问是问题的核心；三句的补充是基于学生有所迟疑的情况下的提示，符合学情，也为没有思路的学生提供了思考的路径。

④对学生2的点评不够全面，对学生4的点评显然是超出教师预设后的紧张，因此对该生的肯定，尤其是勇气可嘉的角度，肯定不足。当然学生不同角度的回答，有个性地进行评赏，甚至是学生原生态的表达，教师点评比较简洁。在评语背后，留给学生更多的空间，并推动着讨论和思考深入下去。对话中可以感受到活跃、民主、宽松的课堂氛围和学生活跃的思维状态。

⑤片段一与片段二联系起来看，课堂问题设计有梯度，文本挖掘深刻。通过有梯度的教学设计成功实现了学生和老师的对话，学生与文本，学生与学生之间的对话。教师的理答能对课堂上预设和生成的问题进行有效的评价，在很大程度上对教学目标的达成有很大的帮助，体现了循循善诱式的激励和引导的教学艺术。教师穿针引线的作用和教学机智在一定程度上激发了学习的积极性，同时也

促进了学生的深入思考，每个学生的回答中都有其独特的感受体会，以及个性化的解读和表达。

（二）物理：基于原型探究问题

我国著名的教育家陶行知先生将教育思想核心归结为“生活教育”。他认为最好的教育就是从生活中学习，即“生活即教育”“社会即学校”“教学做合一”。物理学科是最能将教育寓于生活的学科。结合这一学科特点，我们的物理教师力争在课堂上把生活、物理、社会三部分有机地整合，让学生在切身体会中感悟到科学知识、在情境探究中提升人文素养。

初中和高中学生已具有一定的生活经验，在社会、学校、家庭中存在大量他们感兴趣的物理问题：如新型电器和通信工具中的物理知识；公共设施和交通工具中的物理应用；游乐场中的各种物理现象等。把这些与学生生活密切相关的事物引入物理课堂，能够增加学生对物理的亲切感，激发学生的学习欲望，逐渐使学生形成稳定的学习兴趣。

物理课堂教学中，过程与方法的教学目标是在学习物理概念和规律、解决具体问题的过程中实现的。我们的物理教师在教学中通过视频、图片素材和动手实验等手段创设物理情境，引导学生生成物理问题；在问题解决的过程中能把科学过程与科学方法引入物理课堂，这样的备课不仅能使学生有身临其境之感，领略物理学家的研究方法、科学精神，重新建构了他们自身的知识结构。

在物理教师的眼中，科学知识与科学思维、科学方法互为刀刃。没有刀，何来刃？没有刃的刀何用之有？知识是方法的基础，但这并不意味着知识可以自动地转化为方法。培根说过“知识就是力量”，但他更认为“学问并不把他们本身的用途教给我们，如何运用这些学问乃是学问以外的、学问以上的一种智慧”。这里所说的“智慧”就是科学思维和方法的把握。

在物理课堂上，我们分析、探究、演示、交流、实验……我们的教学方式多种多样。问题解决过程中的探究和交流是我们经常采用的方式，因为这种形式不但可以促进学生的深层思维，感受探索带来的乐趣。我们不可能使每一个学生都具有科学家那样渊博高深的知识，但却可以让学生学会科学家的思维方法，像科学家那样研究、分析处理问题，从而生活的更有效率更有创造性。我校的物理教学特色，就是努力使学生在情景中探究，从生活中感悟，从而将学生应掌握的物理知识深水静流般地转化为思维方法。

“从生活走向物理，从物理走向社会”是物理课程理念，引导学生从身边熟悉的自然现象和生活现象中探索物理规律是我们的教学手段，把学到的知识和研究方法与生活、生产联系起来，体会物理学在社会进步中的作用是我们的教学目标。让学生多动手、多观察、多思考，自主解决一些实际问题。如开展小发明、小制作竞赛，组织趣味物理知识比赛等，学生亲身体验到了运用物理知识解决实际问题的乐趣，就能更加积极主动地参与物理知识的学习中，从而使我们的物理课堂真正充满生命活力。

课例：电路设计

初中物理组　张延芬

教学设计说明

教学设计渗透平等、参与的理念，从生活现象出发，以创设问题情景为切入点，使学生积极参与其中，成为学习的真正主人。以已有的电学知识为基础，引导学生动脑思考设计电路，动手实践连接电路，总结设计电路的基本方法，在此过程中完善物理知识结构，发展科学思维，提高物理科学素养。

此外，因为课前学生已了解基本电路的构成和工作特点，但按照要求完成电路设计的能力还需提高，对电路中的故障分析接触很少，所以动手进行实践显得更为重要。本节课确定以谈话法、实验法展开教学，学生在问题引导下自然地进行探究式合作学习。

教学精彩片段赏析

片段一：导入部分

师：同学们知道：学习物理必须观察生活，动脑思考，动手实践。初中生小明就是一位善于观察，勤于思考的同学。在去外地旅游时，他发现了这样一个情况（结合PPT的文字和图片），火车的车厢尾部有两间厕所，只有当两间厕所的门都关上时，车厢中指示牌内的灯才会发光，指示牌就会显示“厕所有人”字样，提醒旅客两厕所内都有人。注意过这个现象吗？这个现象当中蕴涵着什么物理知识？

生：这个现象与电学中的电路设计有关系。

师：对！这就是生活中对电路设计的实际需求。今天的生活离不开电，也就需要我们具备设计电路的能力。因此，今天我们的学习内容就是：设计电路。

> 点评：通过火车车厢内厕所指示牌内的灯光问题情景引入课题，简洁明了，直接把学生的思维引入到：电路知识可以应用到解决实际问题中去。这不仅体现了“从生活走向物理，从物理走向社会”的新课程理念，还起到了促使学生积极参与课堂成为学习真正主人的作用。

片段二

师：首先，我们分析一下小明所发现的这个现象对应着怎样的一个电路。任何一个电路都由具体的元件组成，请同学在阅读中把其中涉及的电学元件找出来。

生：电源、两个开关、导线若干、一盏灯。

师：这两个开关应该怎样连接？你是怎样判断它们的连接方式的？

生：两个开关应该串联，因为题目中有句话说：门都关上，灯才亮，也就相当于两个开关都闭合灯才亮。

师：我们能不能画出对应这一现象的电路图呢？请一位同学到黑板上来画电路图，其他同学在笔记本上画出该电路图。

（学生画图教师巡视）

师：如果提供实物，同学们是否能够按照这个电路图来连接实物？请一位学生借助多媒体作模拟实物图，请两位学生到黑板上用演示器材连接实物，其他同学两人一组，利用桌子上的器材来连接实物。

教师点评台上台下同学连实物的过程，并提示学生注意以下几点：第一，连接实物时，应从正极出发顺次连接，要把开关断开，避免导线交叉。连接完实物后进行检查。第二，连接完毕之后，请闭合、断开开关，体会电路功能：两开关都断开，灯不工作；仅一个开关闭合，灯不工作；两个开关都闭合，灯才能工作。这样我们成功地设计出了火车内部的一个简单电路。电路的设计要求同样存在于其他交通工具中。我就发现了一个与电路设计有关的现象（结合 PPT 的图片及文字）：在无人售票车后门的两侧扶手上各装有一个按钮，要下车的乘客只要按下任何一个按钮，驾驶台上的电铃都会发声以提醒司机。在这个现象中隐含着一个怎样的电路设计呢？

学生思考，根据现象判断其中的电学元件以及连接方式，动笔画图，教师点评，动手连接，体会电路功能。（略）

师：思考这两个情景问题的解决过程，请你总结出设计电路的基本步骤。

学生思考、回答，教师带领学生总结并板书：①根据叙述找元件；②按照条件判断并联和串联；③先串（并）后并（串）不慌乱。

点评：老师对教学内容的设计首先是提出具体任务或问题，引发学生思考，接着学生提出猜想和假设，然后设计解决方案，最后实施并总结方法。在实施过程中，借助实验桌上的器材、黑板上的实物器材、演示课件中的实物模型最大限度地让学生动手实践，锻炼了学生的能力。这一教学过程体现了教师是教学内容的设计者和学习活动的组织者，学生是学习的主体。创设的情景从实际中来，问题的难度切合学生的实际情况，在学生认真动脑思考之后多数人能够得出正确答案，实现了知识和能力的培养目标，更重要的是通过对这两个很吸引人的问题的解决，实现了本节课的过程与方法的目标，归纳总结设计电路的基本方法。可以说，在这一环节的教学中，教学内容的设计和实施充分体现了师生平等、和谐民主，学生学习效果良好；教学方法设计充分体现了“注重科学探究，提倡学习方式多样化的”的新课程理念。

片段三

师：现在，同学们又成功地设计了护士值班室的电铃、电灯和按钮开关电路，看来设计电路的方法大家已经基本掌握。可是实际生活中的电路设计并不都是如此直观。例如（结合PPT的图片及文字），很多小轿车上都装有一个用来提醒司机是否关好车门的指示灯，四个车门中只要有一个门没关好（相当于一个开关断开），该指示灯就会发光。请你在三分钟时间内完成其中的电路设计。

学生动笔设计。教师巡视指导学生设计电路图。

师：请几位学生到黑板上展示出自己的电路图，其他同学评价，该电路能否符合题目要求？怎样实现的？错误的电路图错在哪里？该怎样修改？正确的电路图应该是怎样的？（注：在此题的设计中，基于保护电路的需求，需要一个保护电阻与四个开关串联，然后再与一盏灯并联。但是，很多学生没考虑保护电阻，所以出现短路错误；有的同学审题不清，认为门没关好时相当于开关闭合，结果出现四个电阻并联的错误连接方式，将同学们的错误及正确答案展示出来，在对比中引领同学分析讨论，最终确定正确方案。）

师：你能利用手中器材连接这样一个实物电路吗？

生：动手实验，连接实物电路并体会电路功能。

点评：这个教学环节的设计可以说是一举三得。首先，又一个生活情景问题的提出与解决，提高学生在刚才练习过程中形成的科学思维能力。其次，在前三个练习的基础上，多数同学掌握了设计电路的方法，具备了设计电路的基本能力。这时，如果还只是进行同一难度的电路设计，学生的学习兴趣会下降，会觉得任务没有挑战性，很乏味。而此处老师给的电路设计很巧妙，字面中没有出现的保护电阻成为这个电路设计的点睛之笔，而门没关好时相当于开关断开的要求又使得一部分同学由于审题不细出现了错误设计，题目耐人思考，难度有提升。因此，可以说通过题目难度的有效排列使同学既能品尝到成功的快乐，又能在经历失败之后从老师同学的分析之中得到进一步提高，在潜移默化中进行了戒骄戒躁的学习态度教育。最后，在师生对错误电路图的分析、讨论和连接实物电路体会电路功能的过程中，开放性的交流、实践性的探究真正地激发了学生的深层思维参与，让学生学会了科学家们的思维方法，像科学家那样研究、分析、处理问题，从而使课堂更有创造性和生命力。

（三）英语：整合拓展　激发潜能

初中英语课程的主要任务是根据学生的智力、心理与英语学习的特点，开发学生英语学习的潜能。教学中应充分利用学生已知的英语知识与技能，采取多种教学策略帮助学生掌握新的英语知识与技能，培养学生的创造性思维、自主学习与合作学习能力。多年以来，我校初中英语课堂已经形成了自己鲜明的特色：情境教学，任务引导；注重实践，促进习得；整合教材，拓展视野；教学相长，师生双赢。

英语是一门语言，是一种沟通的工具。我们认为，语言只有不断地练习、强化、再练习、再强化才能形成一定的思维习惯。

我校使用的教材是人教版的《新目标英语》，这套教材注重语言的实践性，注重话题的可操作性，倡导任务型教学，教师可发挥的空间很大，但它的语法功能设置不成体系，学生理解一些语言现象有一定困难。针对这样的情况，我校教师大胆整合教材内容，对部分内容进行了修改甚至删减，同时也补充了一些操作性强，更有实效的内容。比如我们根据这套教材整理出来的以词—句—文为体系的《基础知识手册》和《基础知识评价手册》就是很好的校本教研课本。同时在初中各年级开设特色课“英文报刊阅读”，不仅有助于学生学到地道的现代英语，提高学生词汇量，夯实听、说、读、写、译等各方面的基础，而且有助于学生了解到海内外时事，丰富知识，感受异域文化，从而体验到学习英语的乐趣。另外，我们还大胆启用国外原版的英文教材《企鹅英语》和《典范英语》作为辅助的读写教材，来弥补现行教材阅读量小的缺憾。

我校教师重视学生综合能力（听、说、读、写）的培养、挖掘和提升，教师们精心设计课堂教学，运用音乐、电影、视频、游戏、对话、短剧等形式来提高学生兴趣，学生在课堂的体验中收获着知识，积聚着能量。在这富有智慧与创意的课堂里，成长起来的不只是我们的学生，还有我们的老师。

课例：Unit 10　I'm going to be a basketball player
（我打算做一名篮球运动员）

初中英语组　刘丽萍

教学设计说明

本单元的教学目标是用一般将来时谈论未来自己与他人理想的职业及原因，为实现理想所作出的打算和安排。这是本单元的第一课时。学生已经掌握了和职业有关的一些名词，对于职业的基本句式有一定的基础。授课班级学生英语学习兴趣浓厚，有创新精神，表达欲望强烈。

本课由视频引入职业话题，为学生设置了源于学生生活的教学情境，自然地引出开放性的教学任务，采取自主学习与合作学习相结合的方式，让学生进行探究。教师作为课堂的组织者和调控者，引导学生结合过去所学的知识，发挥想象力和创造力。

教学精彩片段赏析（英语授课）

片段一：导入

师：给同学们展示一组图片，引出人物——著名篮球运动员姚明。他的篮球打得非常棒，我们每个中国人都为之骄傲。在我们班里，有这样一个男同学，他热爱篮球，崇拜姚明，你们知道他是谁吗？大家看图，就是他，我们班的Harry。在这张图片里，Harry笑得那么高兴，好像有什么事情要告诉我们。Harry，看到姚明的这些图片，你有什么想说的吗？

生：我也打算做一名像姚明那样的篮球运动员。

师：非常好，这是Harry的理想，也是我们将要在第十单元里学习的内容。请同学们齐读第十单元的标题。

生：I'm going to be a basketball player（我打算做一名篮球运动员）

点评：在引入部分，教师用学生既熟悉又喜欢的体育明星姚明引出职业这个话题，一下子就将学生的眼球吸引住了。接着，又联系班里的实际情况，将最崇拜姚明的学生作为教学实例，让这个话题和同学的距离一下子就拉近了，并紧扣住了单元的题目：I'm going to be a basketball player。

片段二：汇报职业调查报告

师：请同学们根据我们刚才的听力内容，仿照第一部分作对话练习。

（学生练习对话）

我们刚刚都谈到了自己的梦想和将来的职业设想，现在我们以小组为单位，在组内进行职业设想的调查，并将屏幕上的表格补充完整后，整理成一篇调查报告。

学生小组活动后进行展示交流。

生1：Kelly想做一名设计师，因为他从小学习画画，现在她打算努力学习并练习绘画。Lora想做一名经济学家，因为她想发展中国的经济，现在她打算好好学习。Mike想做一名警察，因为他乐于助人，他说他需要健康的身体并且需要去警察学校学习。而我想做一名律师，因为我想遇见不同的人，现在我打算更加努力地学习法律和政治。

生2：James打算做一名记者，因为他觉得那样可以遇见很多人，也可以赚很多钱，他打算多多练习口语。Tracy打算做电台主持人，因为她觉得那是个令人激动的工作，而且她喜欢表演，她打算让自己更外向一点。Jackie 想做一名电脑程序师，因为他对它很感兴趣，而且他觉得他可以设计电脑游戏，他打算学习计算机科学。我打算做医生，因为医生可以救人，对社会很有帮助，现在我打算向我妈妈学习，因为我妈妈就是个医生。

师：你们都有很好的梦想，这很好，但是我们要知道，没有人可以孤立地生活在社会中，不管做什么，我们都需要和别人合作。只有与人更好地合作，才能让我们的城市和国家变得越来越好。

点评：在这个环节学生开展小组调查并写出报告，这就要求学生运用目标语言进行交流，彼此了解对于未来职业的设想和理由。在交流中，学生也在互相了解和帮助下完成一个报告，提高学生的科学素养。

片段三：描绘和谐社区

师：现在我请同学们设想一下，你们选择什么样的未来职业？才能让我们的城市越来越好呢？我们以小组为单位进行讨论，小组中，每个同学可以选择不同的职业，最终，你们的有效合作能够让你们生活的环境更好。比如：学生 A 是一名银行职员，他给了学生 B 一些钱，因为 B 打算做一名工程师，他用 A 给的钱建造了一个新的购物中心……

现在请你们通过想象和合作来改善你们自己的环境。

学生小组活动后的展示交流。

生 1：Kelly 想做一名设计师，她打算设计一栋高级写字楼，Mike 想做一名警察，所以他要负责维护这栋写字楼的治安情况，我打算做一名工程师，负责建造这栋写字楼，Lora 想做一名经济学家，她打算把这栋楼以很好的价格出租出去来赚取利润。

师：很好，你们的设想非常好。但是由于时间的关系，我们不能够一一地分享你们的创意了。所以今天的作业就是将你们的想法写在作文本上，明天老师会　　地拜读你们伟大的设想。今天的课就到这，同学们，再见！

点评：这个任务的设计很大胆，因为这是一个开放式的任务，

对于高水平的学生来说，语言和思路甚至都可以不受这节课内容的限制，只要是学生能想到的，能说出来的，符合这个情境的都可以畅所欲言。这对于学生来说是个挑战，对于教师来说，也是个考验。但是，我们的课堂需要这样的尝试，因为只有大胆的尝试，设计趣味性强和挑战性强的任务，才能激发学生的潜能，彰显教师的能力，焕发课堂的生机与活力。同时，这个任务教育学生，社会中的分工与合作是很重要的，虽然职业不同，但是却都在合作中共同建设我们的和谐社会。而学生也只有互相合作，共同出谋划策才能完成这个任务。

（四）数学：领悟思想，提升理性

数学是研究空间形式和数量关系的科学，在形成人类理性思维和促进个人智力发展的过程中发挥着独特的、不可替代的作用。学生在中学时代接受了很多数学知识，做了大量的数学题，但生活中除了简单的计算外，几乎没有机会用到更多的具体的数学知识，会逐渐淡忘所学知识。然而不论从事什么工作，数学课上所培养的理性思维，有条理地思考、清晰表达的能力都显得尤为重要。

数学基本思想方法影响着人的思维方式，也影响着人接受、加工和处理问题的自觉意识或思维习惯。当然，数学学科思想方法的生成不是一蹴而就的，它体现在学生学习的漫长过程。从认识论的角度看，对客观事物的认识必须经历“具体—抽象—具体”的过程，才能达到对事物完整、科学的认识，而每一节课都是这个认识过程的一个缩影，所以我们在课堂教学中既注重用归纳的方法使学生理解数学概念和结论的形成过程，体会其中蕴涵的思想方法，同时还注重数学概念和数学结论在生活实际和解决问题中的应用。此外，在应用过程中，我们还强调知识之间的联系，把一些看似无关的东西，通过数学思想方法编织成网，形成数学知识结构，在这个过程中，使学生受到数学思维的训练。在学习过程中，还必须有学习的主体——学生的积极主动参与，只有这样，才能使学生真正受益终身。现实的课堂中经常都有“老师讲得乏味，学生埋头苦睡”的景象，如何让学生主动参与进来呢？那就要让教学成为师生、生生之间信息传递的互动过程，同时也要成为师生、生生情感交流的过程。教学活动绝不是一种简单的知识授受过程，而是知识的一种相互建构的过程，是师生共同建构学习主体的过程。

基于以上认识，数学教研组在教学实践中以“问题探究”为切入点，作了一些有益探索。

“问题探究”主要是通过教师提出问题（逐渐过渡为引导学生提出有价值的问题）创设一种“问题情境”，通过师生分析探究问题（展示思维过程），引导学生通过自己的实践，观察、比较、分析、讨论、归纳掌握知识，并灵活运用所学知识和数学思维解决问题。

创设有效的情境。首先要营造一个民主、宽松、和谐、愉悦的探究环境。只有在这样的环境中，学生才有勇气展示自我，表现自我，才会毫无顾忌地和老师一起去探究、去发现。为此，教师在课堂教学中，要允许学生向老师提出问题，甚至是不同见解；允许学生要求老师把未解之处再讲一遍，允许学生在灵光闪现时的随机发言等具体做法。此外，教师还要做到用平等、亲切、商量的口吻与学生交流，比如“我说清楚了吗?”“你能告诉老师你是怎样想的吗?”“你用什么方法解答的?”等。其次，要为激发学生的探究欲望创设问题情境。教师要尽量做到让学生进入一个数学问题的真实情境中，尽可能地以新颖有趣的问题情境贯穿整个教学过程，把学生置于急于解决未知问题的氛围中，激发学生产生探究的欲望和动机，让学生调动各种感官探究未知，并根据不同的内容，采用不同的教学方法。如通过复习与新知识紧密相关的旧知识，运用迁移规律，以旧引新创设；针对学生易错多发点创设；利用故事和谜语创设；结合生产、生活实践创设等方法。

设计多元的探究形式。探究是为了解决问题。教师只有采用合理的探究形式，才有利于问题的解决。常用探究活动的形式主要有以下三种。

个人探究。每个学生根据已有的知识和生活经验，主动发现问题，大胆质疑，用自己的思维方式自由探究和发现，从不同的角度去寻找解题思路，用科学的方法去探究问题，形成独特的个人见解。个人探究不仅能使学生学到科学的探究方法，而且能锻炼学生坚强的意志，培养学生的探究精神和创新能力。

小组合作探究。由于个体的心理素质和认识结构的差异，在独立探究时，会形成的不同见解。通过学生的表述、补充、争论等多种合作探究形式，使学生的思想得到充分展示，不同的意见或见解在相互碰撞中产生创新的思想火花，学生的思路会更开阔，获得的概念更清晰，结论更准确。

全班集体探究。在经过小组探究，问题基本得到解决后，小组探究陷入僵局时，或探究有独特见解时，教师应及时组织集体探究，借以推广小组探究的成果，解决中心议题或关键性问题，使学生看到问题的不同侧面，对自己和他人的观点进行反思，构建起更深层次的理解。

“问题探究”式的数学课堂不是喧嚣杂乱的，它平实有序；师生的探究不是流于形式的表演，而是生动活泼的思维活动；探究的目的不是对一个具体表象的感知，而是强调展示思维过程，认识数学本质，让学生感受到学习数学的乐趣。

课例：高一数列复习课

高中数学组　魏敏

自17世纪德国数学家莱布尼兹首次提出“函数”这个概念后，函数的概念经过了一个漫长曲折的发展过程，在近400年的历史发展过程中，人们对函数的认识经历了三个重要的历史阶段，变量说、对应说、关系说。学生认识函数也同样需要时间和过程。初中学生经历了“变量说”；在高一的学习中，学生又体验了“对应说”，在这个过程中学生对概念的认识得到了深化和发展。美国教育家布鲁纳早就明确指出：“学生对所学材料的接受必然是有限的，怎样能使这种接受在他们以后一生的思考中有价值？回答是，不论他们选取什么学科，务必使学生理解该学科的基本结构。如果学生能以函数为“线”将有关的新知识编织成“网”，必然能达到建构知识体系，深化概念认识，形成函数思想的作用。在必修4中，学生学习“数列”章节，对应于数列的函数是一种定义域为正整数集（或它的前 n 个数组成的有限子集）的函数，它是一种自变量“等距离”地离散取值的函数。从这个意义上看，它丰富了学生所接触的函数概念的范围。“数列”一章的学习正好就是一个契机。

作好预设，教师应充分了解学生现有的心理、情感和认知的需要，作出弹性化的教学设计。对于每个教学环节，学生会怎么想？会提什么问题？对什么更有兴趣？对学生的各种提问应该怎么回答等都要关注到，只有做好各种预设，教师才能在课堂上游刃有余，更好地解决问题。可以说，没有巧妙的预设就没有精彩的生成。期待更多的“生成”精彩，就应该在备课时做周详巧妙的教学预设。基于以上原因，教师安排学生上完本章新课后，根据自己的改错本总结“数列”这一章的错题，由数学科代表组织同学找出大家的共同问题并归纳总结。备课组教师根据各班学生的总结和自己的教学经验总结易错题，整理出复习学案。课堂上，在教师的引导下，通过学生独立思考和交流讨论等，对数学问题进行求解、发展与延伸、迁移与变形，以培养学生处理信息、获取新知、应用新知的能力，积极探索的科学精神，团结协作的精神等。由于提出的问题与学生错题相关，老师又做了精心的选择和编排，所以容易激发学生的学习兴趣，而问题的解决又让学生不断体验到成功的喜悦，进一步增强了学生学习的自信心。

本节课也是在海淀区数学教研员关闳老师指导下备课组内合作研究的一节课，是对课下如何指导学生探究、归纳总结问题，课堂上如何开展师生、生生相互交流合作的一次有益尝试。

教学精彩片段赏析

片段一：从函数的观点看数列的定义

师：同学们学习了“数列”这一章内容，又对这一章的易错题进行整理，在大家整理的基础上，我们完成了学案。今天我们一起来解决学案上的问题，上一节数列复习课。

师：（投影片）数列：11，13，15，…，$2n+1$ 的项数为多少？

生 1：n。

师：正确吗？求这个数列中共有多少项就是问这个数列中共有多少个数。我们先从最简单的数数的问题开始，朋友们，跟我一起来数一数（教师指着数列中的数，同学数一个，教师往后移动一个）。

生：1，2，3，…，n（数到最后一项时声音参差不齐，也有说$n-4$的）。

师：那它共有多少项呢？

生：n 项（也有说 $n-4$ 的）。

师：哪种结论正确呢？（停顿）数列倒过来说呢？

生：列数。

师：所以有人说“数列”正是一门研究如何排列数的学科。（略微停顿）刚才同学们在数数的过程中就体现出了一种对应的关系，这和我们学过的函数的对应关系具有一致性。所以，教材建议我们可以从函数的观点来研究数列。从刚才同学们数数的过程我们可以看到下列对应关系（展示投影片）。

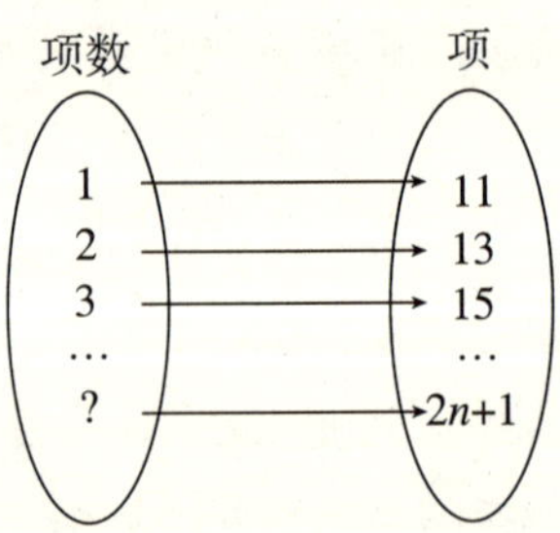

师：我们数到第一项的时候就是 11，数第二项的时候就是 13，数第三项的时候是 15，中间有些省略号，这给了我们想象的空间，那我们看 $2n+1$ 项到底和谁对应呢？刚才同学说它就是第 n 项，后来大家说是第 $n-4$ 项。你说说为什么是 n?（提问刚才回答共有 n 项的同学。）

生 1：我没有数项数，我看到最后一项是 $2n+1$，以为它是数列的通项公式，所以就认为这是第 n 项了。不过，现在我会了。假如通项公

式是 $a_n=2n+1$ 的话，$a_1=3$，但该数列中 1 对应的数是 11，中间缺少 5，7，9 三个数，所以应该在 n 上减去 4。

生 2：我还有别的解法。前面同学之所以做错是因为他认为出现 n 的代数式，就一定是第 n 项。实际上，我们可以求出该数列的正确的通项公式，并假设 $2n+1$ 是第 x 项。然后有 $a_x=2n+1$，由观察可知，已知数列是一个公差为 2 的等差数列，所以该数列的通项公式为：$a_n=a_1+(n-1)d=11+2(n-1)=2n+9$。所以 $a_x=2x+9=2n+1$，从而可以解出 $x=n-4$。

师：通过研究通项公式来研究项和项数的对应关系的确是一种好方法。

点评：精心选择活动素材和活动的形式是组织有效数学活动的基础，一个简单的“数数”的活动，启发了学生对数列对应的关系的认识。紧接着通过展示书上的定义，揭示这种对应关系就是函数关系，通过比较两幅图，学生 1 自然发现了自己的错误，并且找到了解决问题的方法。学生 2 受学生 1 的启发，找到了另一种解法。教师的“引”恰到好处，带给人启发；学生的“展”，有自省也有新发现，思维的火花四射。

师：(PPT 出示练习题)

练习 1：已知有穷数列：5，7，9，11，…，$2n+7$。其中后一项比前一项大 2，求出这个数列的通项公式；$4n+9$ 是否为这个数列中的项？

教师巡视各组同学，和他们一起讨论。选择一名学生板演。

生：由已知，该数列是一个以 5 为首项，以 2 为公差的等差数列。

$\therefore a_n=5+2(n-1)=2n+3$

$\therefore$ 该数列的通项公式为：$a_n=2n+3$。

$\therefore$ 该数列是奇数的数列。

又因为 $4n+9$ 是奇数，所以 $4n+9$ 是这个数列中的项。

其他学生：可是这个数列是有穷数列啊！

师：这有什么关系吗？

生3：有！因为 $(4n+9)-(2n+7)=2n+2>0$，所以 $4n+9$ 不是该数列中的项。我认为该数列的通项公式为：$a_n=2n+3\ (1\leqslant n\leqslant n-2)$。

其他学生：我认为他分析得很好，但是 $1\leqslant n\leqslant n-2$ 是什么意思？

生3：哦，错了，但该数列的确只有 $n-2$ 项啊！

其他学生：因为已知数列是有穷数列，所以要标出 n 的范围，这类似标出函数的定义域。但本题中 n 应该认为是常数，通项公式中的 n 可以看成函数的自变量，两个 n 不是同一个 n。只需要换个字母就行了例如，$a_x=2x+3$，$1\leqslant x\leqslant n-2$。

师：函数的三要素是什么？

生：对应法则、定义域和值域。

师：当对应法则、定义域确定时，值域也就确定了，所以有人认为函数就提两要素也可。当我们研究函数时只有在其定义域内研究才有意义。研究数列也是如此，比如存款利息、出租车收费等问题对计息的期数、行驶的里程都是有限的，所以请大家不要忽略 n 的范围。

点评：复习课上有一个突出的矛盾，就是时间太紧，既要处理足量的题目，又要充分展示同学的思维过程，二者似乎很难兼顾。老师在这个问题上解决得很好，首先是精心选题，备课充分，使问题形成问题串，由易到难，环环相扣，不做简单的重复。其次是老师能采用“焦点访谈”法，只在焦点处发动同学探寻突破口，通过访谈，集中学生的智慧，让学生的思维在关键处闪光，能力在要害处增长，弱点在隐蔽处暴露，意志在细微处磨砺。练习1不是对例1的简单的模仿，而是引导学生对用函数观点看数列的一次更深入的探讨。当学生3已经认为自己找到解决问题的“钥匙”时，又出现了一个新错误，通过其他同学的帮助终于在函数的基础上找到了解决问题的方法。突出了函数的作用。这个片段中的师生对话，生生对话完全是有感而发，有时学生甚至情不自禁在自言自语中思考，非常鲜活。

片段二

教师：（PPT 出示练习题）

例 3　若 $\{a_n\}$ 是等比数列，且前 n 项和 $S_n = 2^n + r$，则 $r = ?$

师：刚才王子卓同学对前面的题作了正确的分析，这学期王子卓同学的成绩逐步上升。（大家笑）王子卓，你能不能展示一下例 3 的解法？

学生王子卓：好的。（板演）

$\because S_n = 2^n + r \therefore S_{n-1} = 2^{n-1} + r$ $(n \geqslant 2)$

$$\therefore a_n = \begin{cases} S_n - S_{n-1} = 2^{n-1} & (n \geqslant 2) \\ S_1 = 2 + r & (n = 1) \end{cases}$$

由已知$\{a_n\}$是等比数列，有 $a_1 = 2^{1-1} = 1$　$\because a_1 = 2 + r$　$\therefore 2 + r = 1$

$\therefore r = -1$

师：这个做法正确吗？

生：正确，特别是他写通项公式时注意了 n 的范围。但我认为没有必要写出通项公式，只需写出前三项就可以了。

师：大家说得很好，但我还有一个办法，根据刚才我们的总结，如果能观察等比数列$\{a_n\}$中：$S_n = C - Cq^n$（公比 $q \neq 0$，1；C 为不为零的常数）比较已知条件中 $S_n = 2^n + r$，分析对应函数的形式立刻可知 $C = -1$，$q = 2$，$r = -1$。

教师：（PPT 出示练习题）

练习 3　已知数列 $a_n = 2n - 1$，$b_n = 3^{n-1}$，设数列$\{c_n\}$对任意正整数 n 都有：

$\dfrac{c_1}{b_1} + \dfrac{c_2}{b_2} + \dfrac{c_3}{b_3} + \cdots + \dfrac{c_n}{b_n} = a_{n+1}$成立，求 $c_1 + c_2 + c_3 + \cdots + c_{2009}$的值。

请同学们分组讨论。

师：没有思路的小组举手（根据巡视的情况给该小组派“指导教师”）。

教师提示：没有思路是不是因为条件中涉及的数列太多？我们以前上过一节习题课，题目叫“打开思路的方法”，对不对？请大家翻看笔记本。

生4：我找到了一种打开思路的方法。

要求 $c_1+c_2+c_3+\cdots+c_{2009}$ 的值，我可以先求出 c_1，c_2，c_3 看看规律，猜出通项公式就能求出前2009项的和。

师：归纳、猜想、证明的确是解决数列问题的一种行之有效的方法。说说你怎么求 c_1？

生4：$\because$ 数列 $\{c_n\}$ 对任意正整数 n 都有：

$\frac{c_1}{b_1}+\frac{c_2}{b_2}+\frac{c_3}{b_3}+\cdots+\frac{c_n}{b_n}=a_{n+1}$ 成立，$\therefore$ 当 $n=1$ 时，$\frac{c_1}{b_1}=a_2$，即 $c_1=a_2b_1=3$

当 $n=2$ 时：$\frac{c_1}{b_1}+\frac{c_2}{b_2}=a_3$，即 $\frac{c_2}{b_2}=a_3-\frac{c_1}{b_1}$，$\frac{c_2}{b_2}=5-a_2=5-3=2$，$c_2=2b_2=2\times3=6$

生5：我也想到了一种打开思路的方法。刚才前面的同学是从特殊到一般，我想从一般到特殊，但我的答案和大家对不上，不知哪里出错了。

师：大家正好一起分析，把你的方法展示一下。

生5：（实物投影，讲解）

$$\because \frac{c_1}{b_1}+\frac{c_2}{b_2}+\frac{c_3}{b_3}+\cdots+\frac{c_n}{b_n}=a_{n+1} \therefore \frac{c_1}{b_1}+\frac{c_2}{b_2}+\frac{c_3}{b_3}+\cdots+\frac{c_{n-1}}{b_{n-1}}=a_n \quad (1)$$

$\therefore$ 两式相减有：$\frac{c_n}{b_n}=a_{n+1}-a_n=2 \quad \therefore c_n=2b_n=2\times3^{n-1}$

接下来用等比数列的求和公式。我们组的同学告诉我，用我的通项公式 $c_1=2$ 和前面同学的矛盾。我仔细检查了，没有计算错误。

师：我想这个问题王子卓同学可以告诉你，刚才还有同学夸他这方面的优点。

学生王子卓：是的，他没有注意（1）式中 $n\neq1$，所以他的通项公式只对大于1的整数有效。一定要注意 n 的范围。当 n 等于1时应用第一个同学的方法求 c_1。不过他这种打开思路的方法值得我学习。

点评：一道好的数学题，即便具有相当的难度，它却像一段引人入胜的故事，又像一部情节曲折的电视剧，那迭起的悬念、丛生的疑窦正是它的诱人之处。如老师对练习3的处理，当大多数同学都没有思路时，老师不急不躁，给同学留出学习时间，让同学回忆以前的课例，这就是在教学生学习方法，相信有很多同学能悟出记课堂笔记的用处。当大家找到打开思路的方法后，又有同学出了问题，老师给他机会，大家一起和他找问题，关键是他通过王子卓对例3的处理，知人善用，派王子卓出马解决问题。王子卓果然不负众望，不但解决了该同学的问题，还很谦虚地对他进行了表扬，课堂气氛非常好。通过师生对话、生生对话有效突破了难点。

（五）化学：层级探究，自主构建

化学新课程倡导的基于构建主义的化学学习观，要求变被动学习为主动发展，变抽象为真实具体，变接受学习为探究学习及自主学习，变孤立、静止学习为合作、交流学习，变只注重结果为过程与结果并重。层级发展是高中化学新课程的核心词之一，在化学模块教学中，对于某一模块知识的功能价值的把握是很重要的，同一知识在不同模块及学生不同时期的学习要求不同，因此“层级教学”成为连接高一至高三化学教学的有效桥梁。

传统的集体备课拘于同一备课组小范围内，教师之间面对某一年级的某一课题难以开展专业交流，不易进行专业对话，而“层级教学”的研究方式，能让不同年级的任课教师共同经历一种合作、对话、探究的专业体验，促进不同备课组之间，听课教师和被听课教师之间，听课教师之间的深度合作，也让专家的引领发挥更大的作用。

“层级教学”以不同年级备课组合作为依托，是学习建设合作体的重要手段，是教师合作发展的有效平台，如何做到“定位准确”是教学的关键。

元素化合物知识主要是在高一第三章和第四章学习，是会考和高考的重要知识板块。下面以氯及其化合物学习和复习为例，探讨对元素化合物层级教学的理解。

以往复习元素化合物知识的通常做法是，以化学方程式为基础巩固单质及其化合物的性质，使有关知识系统化、网络化。强化学生对知识的记忆能力，但缺乏灵活应用所学知识的能力。在新课程的元素化合物教学中，需要帮助学生从具体元素化合物的感性知识和素材中把握学科知识的内在联系，尽可能联系所学习的概念、原理知识，揭示现象的实质。同时，要帮助学生掌握分析问题的方法，从题目的分析、解答中理出更为合适的思考问题思路和解决问题的方法，不能只重视知识材料的记忆、归纳，不能让学生形成机械模仿、生搬硬套的学习方式和思维惯性。

“层级教学”是一项各年级合作的教研活动，化学组的各位教师经过学习—实践—反思的过程，在层级研究中培育了合作精神，学到了合作技能，加深了对“层级教学”的理解，在实践中体悟了教学研究之“乐”。更重要的是采用恰当的策略帮助学生自主探究、构建，在学习中领略到无穷乐趣，从而成为自我生命成长的完成者。可以说“层级教学”是师生共同发展的有效途径。

课例1：富集在海水中的元素——氯

高中化学组　吴迎春

教学设计说明

在高一阶段（必修1）化学课中，以物质分类、氧化还原作为理论方法，通过元素化合物内容（第三和第四章）教学逐步实践和应用理论方法认识物质性质。元素化合物的学习重点，不是定位在系统地掌握元素化合物知识，而是定位在“通过对实验现象、实物、模型、图形、图表以及自然界、生产和生活中的化学现象的观察，获取有关的感性知识和印象，并对这些感性知识进行初步加工和记忆的能力”。为了实现这个目标，我们采取的教学策略为，利用理论方法预测物质性质；利用理论指导解决实际问题（检验、转化等），在解决问题的过程中学习性质。

教学精彩片段赏析

师：71%的地球表面被海洋覆盖，这片茫茫的大海含有丰富的化学资源，请大家从化学的角度谈一谈如何认识海洋资源？

生：海洋中有水，有氢元素和氧元素，海洋中有盐，有钠元素和氯元素，都是化学元素。

师：说得很好。大家从物质的角度或元素的角度都可以理解海洋，如果我们从元素角度理解，海洋中含有多种元素，在目前被发现的110多种元素中，海洋中就有80多种。这些元素大多数以盐类离子的形式存在，其中氯化钠最多，占到了88.6%。如果把海水中的盐结晶出来，平铺在陆地上，地球表面将增高150米。下面请大家看看海水中元素组成的示意图，从图中大家可以看到海水中除了氢元素和氧元素外，氯元素含量最多，达到了2.6×10^{19} kg。今天，我们一起学习第二节，富集在海水中的元素——氯。

提问：请大家先思考，含有氯元素的物质有哪些？

生：食盐、盐酸、次氯酸、氯气、氯化钡等含氯元素的其他盐……

师：好。在我们的生活中含氯元素的物质很多，而且它们在我们的生产生活中具有广泛的用途。先请大家看两幅图片，通过图片我们知道氯化钠是工业生产的基础原料之一，被称为化学工业之母，同时也是人体必需的物质，对人体血液循环和新陈代谢具有重要作用。盐酸是化学工业重要原料之一，在工业上用盐酸可以合成很多重要物质。氯气对人类贡献也非常大。其实在生活中还有一种重要的含氯物质，我们经常会接触到，那就是84消毒液，大家在生活中接触过吗？

生：接触过。

师：你们知道它的主要成分和作用吗？

生：消毒，漂白……

师：我们一起看看84消毒液的说明书，它的有效成分是次氯酸钠，属于含氯元素的一种盐。它的作用是，杀菌、消毒、漂白，很多情况下，人们用84消毒液杀菌、消毒。关于它的漂白性，我自己做实验试了一下。孩子的校服上不小心被红墨水弄脏了，我用稀释后的84消毒液浸泡了20多分钟，校服上的红色污渍消失了，而且使用84消毒液的地方更白了。下面请大家自己完成实验，通过实验探究84消毒液的漂白原理。实验前请大家认真阅读学案中的实验步骤，注意实验安全，药品用量要合适，操作要规范，认真观察，仔细记录。

现在请大家认真阅读学案。

生：阅读学案。

师：请小组合理分工，然后开始实验。

生：按要求，完成实验。

点评：注意发挥实验的功能。本节课对氯气的学习，主要是关于物质性质的学习。学生还没有学习物质的结构，不具备从结构出发推断物质性质的能力，主要是从实验现象出发分析物质的性质。通过实验，不仅能直观化地展示物质的性质，而且能培养学生从实验中把握化学的学习方法。实验既是学生学习的内容，也是学生探究知识的工具，而且能激发学生学习化学的兴趣，因此精心设计并完成每一个实验，充分发挥实验的功能显得尤为重要。

课例2：氯及其化合物综合应用

高中化学组　李莹

教学设计说明

科学探究是科学家探究科学问题、发现科学规律的基本活动，也是人们认识科学现象，获得并理解科学知识的重要途径。实施科学探究策略就是在学科教学中给学生提供模拟科学探究活动的机会，让学生在给定的情境中，能通过分析、判断提纯有探究价值的问题，能对探究结果等提出恰当的假设，能设计简单探究课题的方案，能运用比较和分析、归纳和综合等方法进行分析和评价，能准确地表述探究结果，并应用探究结果解决相关问题。这样，学生从被动接受知识变为主动探求知识，他们通过探究活动实现了掌握学科概念、形成探究能力和培养科学态度的有机统一，从而形成更全面、稳固的学科素养。策略1，明确元素化合物复习的核心问题和思路方法。策略2，在梳理知识的过程中，从点到面，从课内到课外，让学生体会思路方法的功能价值，最终实现自主应用。

教学精彩片段赏析

师：今天我们来复习氯及其化合物的综合应用，请看高考说明对这部分的要求并找出其中的关键词。

生：思考、交流。

师：大家请看这是我找出来的关键词："非金属单质及其重要化合物"、"海水"、"转化"，同学们看到的环境质量影响也是其中一部分。请大家回忆我们都学过哪些含氯的物质，并用分类的方法写在学案的坐标中，其中横坐标代表物质的类别。这些含氯物质可以分为哪几类？

生：氯气、盐酸、次氯酸、高氯酸、氯化钠、次氯酸钠、次氯酸钙。

师：还有没有其他含氯的氯化物？

生：含氯的有机物？

师：对，含氯的有机物。比如说，一氯甲烷、二氯甲烷、氯乙烯等。这么多的含氯物质中，我们每天都会接触到的是什么呢？

生：氯化钠，食盐。

师：大家请看图中表示的是海水中11种离子的分布情况，我们可以看到钠离子和氯离子的含量是相当多的，因此我们可以从海水中提取氯化钠。从海水中提取氯化钠的方法是，将海水引入盐田，经过日晒风干得到粗盐，粗盐通过提纯之后得到食盐。食盐又称做化学工业之母，食盐在我们生活当中可以腌制食品，可以调味。在化工生产当中可以生成纯碱。可以生成氯气和氢氧化钠等。食盐经过什么方法可以得到氯气呢？请大家将你的方法写到学案上，并用化学方程式表示出来。

生：书写方法和化学方程式。

师：同学有写电解食盐水得到氢氧化钠和氯气（标注方法1），也有写电解熔融氯化钠得到的是金属钠和氯气（标注方法2）。我们可以看到都是用电解的方法。请比较这两种方法，哪个方法更适合工业制氯气？为什么？

生：我觉得方法1好。首先原料特别的多，也不是特别昂贵，并且3种产物都是很重要的化工原料。

生：我觉得方法2条件比较苛刻，熔融要求温度必须非常高，且生成的钠非常不稳定，可能又会和氯气反应，产生氯化钠。

师：那么电解熔融氯化钠在工业上有什么用呢？

生：工业上制备金属钠。

师：氯气是制备金属钠的副产品，而通过电解饱和食盐水我们可以得到3种产物，一举三得。下面请同学将电解饱和食盐水的电极反应写出来。

生：书写电极反应。

师：前一段我们已经复习了电化学相关原理，请整理书写电极反应的基本思路。

生：思考，讨论，总结归纳基本思路。

师：这个反应就是氯碱工业的基本原理。我们来看基本的分析思路：氯化钠溶解于水，在水中电离出氯离子和钠离子。水电离出氢离子和氢氧根离子。氯离子、钠离子、氢离子和氢氧根离子，在通电的情况下定向移动，并且在两极发生反应。与电源正极相连的电极是阳极，与电源负极相连的电极是阴极。在通电时阴、阳极到底发生了什么反应？

生：通电时，在阳极的氯离子比氢氧根容易失去电子，氧化生成氯气；在阴极，氢离子比钠离子容易得到电子，还原生成氢气。阴极反应中，氢离子是由水电离产生的。

师：这就是工业上制氯气的基本原理。

> 点评：本节课内容是高三的第一轮复习，一方面要进行基本知识的梳理，另一方面还要进行适度提升。高三元素化合物的复习要达到两个目标，第一，以元素为单元梳理其常见物质的性质及其转化关系，完善知识结构；第二，与其他内容（概念和原理、化学实验）相结合，形成关于物质——反应的知识系统。本节课中以氯及其化合物知识为主线，用氧化还原、电化学和水溶液中的离子行为作为理论指导，运用对比、正向思维和逆向思维的思维方法，做到具体问题具体分析，思维有序。在复习中一方面是知识的复习，另一方面是方法和能力的提升。教师善于在复习中发现学生的不足之处，及时分析原因，给予指导。

通过氯及其化合物相关知识在不同年级的学习和复习，可以比较清楚地看到，元素化合物知识在不同层级的要求。新课标关注和尊重不同学生的发展需求，要为他们提供适合其发展的化学课程和教材内容，既有阶段性又有选择性。在教学中我们要适应教材体系，教学中不要一步到位或随意拓展教材中元素化合物知识内容，而应该从教材出发，在尽可能少的知识体系上培养学生学习的思维能力。教师通过帮助学生构建知识体系培养学生归纳问题的能力，只有这样，知识在学生头脑中才是鲜活的。

（六）政治：回归生活，通晓事理

思想品德和思想政治课程是对中学生比较系统地进行公民品德教育和马克思主义常识教育的基础课程。就其本质而言，是一门智育与德育内在统一的显性德育课程。根据中学生的年龄特点，由浅入深地进行公民品德教育、马克思主义基本观点教育和有关社会科学的基础知识教育；引导学生在经历课堂学习和社会实践活动的过程中，逐步提高用正确的观点和方法观察分析现实问题的能力，以及参与社会生活的实践能力；帮助学生拓展国际视野，弘扬民族精神，树立建设中国特色社会主义的共同理想，逐步形成良好的思想品德和正确的世界观、人生观和价值观，为他们自主、自立、自强的终身发展奠定基础。

新课程改革要求教学要面向学生，面向生活，面向社会。因此我校在高中政治课堂教学的实践中，特别关注学生的生活体验，通过教师和学生双边的认识、实践和创造性活动过程，与学生展开面对面的对话，使学生的课堂学习与社会生活实践紧密结合起来。这样一方面拓展学习的时空，另一方面把学习生活置于社会生活的大背景下，学生在丰富多彩的生活中，在自然和社会相融的过程中，获得知识，通晓事理。

“文化生活”模块，是以进行马列主义、毛泽东思想、邓小平理论和“三个代表”重要思想的基本观点的教育为主要目标，在教材的各个部分，有机地渗透正确的世界观、人生观和价值观，充分体现了教材的育人功能。

我们注重在学生生活经验的基础上，通过社会情境和问题的设计，让学生感觉到真切、可信，让他们在情感体验和思想矛盾的过程中，学会独立思考，初步学会按照辩证唯物主义和历史唯物主义的立场、观点和方法进行有条理的思考，较为深入地分析文化现象，能够理解文化生活的意义。通过知识的讲授和学习，帮助学生认同正确的价值标准，把握正确的政治方向，形成良好的道德品质，树立正确的文化观，选择正确的价值观，为自己的终身发展奠定基础。

课例：文化创新的源泉和作用

高中政治组　马清平

教学设计说明

本节课的教学设计运用典型的文化现象——“奥运会开闭幕式”为背景，创设情境，创造性选取和运用开场节目《击缶而歌》，围绕缶文化元素，引领学生回顾缶文化发展历程，从中品评文化创新的源泉和动力是社会实践；通过师生共同探讨奥运文化盛宴带来的影响，体会文化创新的经济、政治、文化等方面的现实意义；利用对热点文化现象的探讨，体会保持文化生命力的方法和途径。教师引领学生感悟社会生活、自主探寻知识。

在教学过程中，主要运用谈话法引领学生从缶文化发展中感悟并生成关于文化创新的知识，提升学生运用理性思维分析认识事物的能力。

教学精彩片段赏析说明：此处节选教学过程中探究活动1和活动2的实录片段。

通过回顾缶文化的发展历程：盛器—乐器—奥运缶，利用情境，引导学生得出社会实践是文化创新的源泉；通过探讨奥运缶对青铜冰鉴缶的发展所带来的缶文化内涵变化的原因和动力的感悟，明确社会实践中不断出现的新情况，提出的新问题，以及社会实践的发展是文化创新的动力。

片段一

师：精彩的奥运开幕式现在想起来还历历在目，画卷、文字、戏曲、丝路、理乐等，通过奥运开幕式，我们真的饯行了我们的承诺——世界给我16天，我还世界五千年！震撼的开幕式，让世人重新认识了中国——古老而又现代。

这开幕式的开场节目，一定令大家感到视觉上的一种冲击和震撼，还记得是哪个节目吗？

生：《击缶而歌》。

师：奥运会之前，缶可能早已淡出了人们的视野。在开幕式上，缶的出现，让我们眼前一亮。今天这节课，我们围绕中国的缶文化来探讨中华文化继承和发展的实质。

（放视频《击缶而歌》）

师：《击缶而歌》以其震撼的场面拉开了北京奥运的序曲。你了解缶吗？你知道缶是怎么样的一个器具吗？（展示图片介绍）第一幅是最早出土的古代的缶，它是一种敞口的陶器；第二个是有盖的闭口的青铜器，叫鎏金青铜缶；第三个很像我们奥运缶，是湖北出土的青铜冰鉴缶。

你知道它的外形为什么会有这样的变化吗？

生1：和生活中的用途有关，更加适应人们的生活。

生2：最初，缶只是用来装酒或水的，不用盖。

生3：后来为了酒水易于保存，就加了盖。

生4：青铜冰鉴缶号称“古代小冰箱”，经过改造，使它变成一种很好的能起到保温保鲜作用的东西。

生5：青铜冰鉴缶由两部分组成的，里边是青铜缶，外边叫青铜鉴，中间有隔层，在隔层中放冰块夏天可以冰酒，冬天放温水温酒，所以号称“古代小冰箱”。

师：大家介绍得非常好。生活的不同需要，激发人们的想象与创造，使缶由简单的陶罐发展成多功能的“古代小冰箱”，从中反映出我国古代人民的勤劳和智慧。古时候的缶只有盛东西这个功能吗？

生1：它是伴奏用的打击乐器。

生2：介绍“击缶而歌”的故事。

生3：可能是王公大臣在一起吃饭，然后高兴了，唱歌，需要伴奏，正好面前放着酒，就拿着餐具敲盛酒的缶，用这个声音来伴奏。

生4：缶是源于民间的，古代生产力水平低，普通百姓没有乐器，人们饮酒至兴致处，用酒勺击缶吟唱助兴，缶就演变成了一种乐器。

师：缶不仅是古代盛酒水的一个盛器，还发展成一种打击乐器，让缶有了文化元素，成为一个文化符号。那么缶为什么会有这样的变化呢？

生1：满足人的需要。

生2：满足生活需求。人们在生活中不断有新的想法新的需求，通过自身的努力制造出各种新的生活器具来满足需求，这样就形成了社会的不断发展和进步。

师：是人们的社会实践的力量推动着人们把简单的盛器发展成文化，因此我们得出结论，社会实践是文化创新的源泉。

点评：通过对缶文化发展历程的回顾，利用情境，引导学生得

出社会实践是文化创新的源泉；从形象鲜活的缶文化入手，利用对缶的不同功能生成原因作为视角，提出问题，易于激发学生的好奇心和求知欲。学生在对缶文化现象的感知过程中，主动生成文化创新发展的知识。课堂教学成为学生感悟社会生活和自主探寻知识的过程。体现“教育源于生活”的理念。

片段二

师：《击缶而歌》作为开场节目要展现中国人知礼好客、团结奋进、吉祥欢庆这样的主题，还要有一种震撼力来吸引观众，乃至全世界的目光，那么奥运缶是怎样做到这一点的呢？视频解说：介绍奥运缶的构造、特色。

生 1：和现代科技相结合，运用发光二极管，简称 LED。根据开幕式的需要进行改造。

生 2：继承传统。对青铜冰鉴缶加以改造。

生 3：加入奥运花纹、祥云图案这些奥运元素。

生 4：由 2008 个人组成击缶的缶阵，形成恢弘的气势。

生 5：用牛皮和钢琴弦给奥运缶添上发声功能。

师：奥运缶借助于人们给它注入的这些新元素才展示出开场节目所需的那种震撼力。奥运缶已经不只是简单的古代社会的一种盛器、一种乐器，在我们这个科技信息时代，它又有了新内涵。

结合缶从盛器发展到文化符号，发展到奥运缶这个特殊载体的过程，请思考缶文化的发展过程说明了什么？你觉得应该怎么概括这个问题？

（学生讨论）

生 1：去其糟粕，取其精华。

生 2：在实践中不断摸索。

生 3：适应现代需要的一种创新。为满足奥运会开场节目的需要，设计者们不断想出新的方案，来达到需要的效果。

生 4：合理运用社会已有的资源和条件，比如 LED 技术的运用。

师：因此我们得出一个结论：文化的创新和发展归根结底离不开社会实践，在发展的过程中社会实践又为文化的创新增加了助力。所以说社会实践是文化创新的源泉和动力。

师：借助于奥运这个平台我们激活了传统文化元素缶，赋予了它新的活力。那么中国的传统文化资源那么丰富，如何让它源远流长？如何激活它的生命力呢？当然要靠创新，文化发展的实质是文化创新。

点评：本段教学通过选用奥运缶功能的演变作为切入点，通过引领学生对已经熟知的奥运缶构造的认识，进一步分析探讨奥运缶功能的生成原因，从而明确奥运缶对缶文化的创新，是为适应奥运会开幕式这项实践活动的需要。从而领悟：社会实践是文化创新的源泉和动力；文化发展的实质是文化创新，有效突破了难点。教学设计贴近学生的生活实际和社会实际，有效激发学生的求知欲，体现了思想政治课的创新性和时代性特征。

（七）劳技：设计创造，手脑共舞

苏霍姆林斯基说过："儿童的智慧在他的手指尖上。"但作为学校综合实践活动课程之一的劳技课的传统教学方式却忽略了这"手指尖上"的智慧，让劳技课变成了教师做、学生模仿的简单的机械式训练。我校综合实践活动教研组着眼于促进学生多方面且富有个性的发展，把劳技课堂当做发展智力、培养能力的突破口，努力开发学生"手指尖上"的智慧，提高学生的技术素养，培养创新和实践能力，促进学生的多元发展。

为此，我们强化劳技课程的单元备课，注重体现技术教育最本质的内涵，即技术创新意识和创造能力的培养。一件有创意的作品的设计和制作不是一节课能完成的，需要以作品为载体，用一个单元（几节课）来完成，每节课都有其侧重点。

传统劳技课的教学流程是"明确目的→下料→装配组合→外观装饰→成品评价反馈"几个环节。完全是教师讲解示范，学生跟着动手做，进行模仿式操作训练，教学重点主要放在教会学生进行基本操作技能训练上。而我校的教学流程是：明确目的→产生创意→制作模型→优化设计→下料→装配组合→外观装饰→成品评价反馈，创造性地增加了模型设计与制作环节，着力提高学生的技术素养。

初中生想象力丰富，思维活跃，在老师的引导下，产生创意不难，在纸上画设计图也不难，难的是从平面思维到立体思维的转变，而模型设计与制作环节能有效突破这个难点。模型的制作过程使设计思想更明了、更直接地展现在人们面前，它可以验证设计的科学性、合理性和可行性。这个环节真正体现了“培养学生创新精神和实践能力”这一课程价值。如果说一般教学模式培养出的是技工，那么我们培养的则是有创造思想的工程师。

此外，本校的劳技课采用多元的发展性评价，挖掘每位学生的优势潜能。每一个学生都有不同于他人的先天素质和生活环境，有自己的爱好、长处和不足。发展性评价关注学生的个体差异，依据学生的不同特点从多个角度来观察、评价和接纳学生，并给予充分的肯定和欣赏。具体形式有学生对作品的自我反思性评价，学生之间相互评价，教师的过程性鼓励性评价。多元的发展性的评价帮助学生增强了信心，促进学生在原有水平上不断提高，为学生全面发展和终身发展奠定基础。

在劳技课的教学实践中，我们为学生提供“手脑共舞”的机会，为学生创设施展潜在创造才能的环境，也为学生综合运用知识，解决实际问题提供场所，努力让劳技课堂涌动生命的热潮，成为学生学习和创新的乐园。

课例：八音盒盒体模型的设计

初中劳技组 王丽文

教学设计说明

通过前一单元的学习，学生掌握了锯割、打磨、黏接等木工操作技术，体验了平面作品的设计制作过程。八音盒设计与制作这一单元主要目标就是培养学生从平面到立体的设计思维能力。本单元共安排5课时，第一课时，学生交流收集的八音盒相关资料；第二课时，也就是本节课，八音盒盒体模型的设计；第三课时，优化设计以及下料制作；第四课时，装配组合与外部修饰；第五课，是八音盒成品的交流与评价。

本节课侧重对学生立体设计思维形成过程的引导，通过用吹塑板设计制作立体模型的方法突破难点，学生积极性很高，创新空间大，绝大多数学生课上完成了模型制作，教学效果很好。

教学精彩片段赏析

片段一

（课前5分钟播放八音盒图片和八音盒演奏的音乐）

师：刚才的图片和音乐在视觉上和听觉上给我们带来了美好的感受。八音盒外形虽然多种多样，但是结构只是由两部分构成的，是哪两部分呢？

生：机芯和盒体。

师：大家听过不带盒的机芯发出的声音吗？下面老师就给大家演示一下。给一个八音盒机芯上弦，大家听一下声音效果。把这个机芯安装在一个盒体里边，大家再听一下声音效果。哪个声音效果更好呢？（比较机芯在无盒和盒中的声音效果的差异）

生1：放在盒子里好。

生2：装入盒子以后，它的声音变大了。

师：大家是否注意到它的声音变得也比原来要好听一些了呢？显然盒体有非常重要的作用。对它的声学原理感兴趣的同学，课下可以查资料进一步探究。

现在我们每个人都发了一个机芯，接下来你的任务就是用木板为机芯设计制作一个盒体。这样做出来的木质八音盒不仅价格比商场里买的要便宜很多，而且声音效果很好。更有意义的是，这是你们自己亲手设计制作的，能够体现出你们自己独特的个性。

点评：兴趣是创新的重要动力——课前播放上节课学生搜集的精美的八音盒图片和八音盒演奏的动听的音乐，使学生精神愉悦。在这样的课堂氛围中，教师的演示实验能有效地激发学生的学习兴趣，学生迫切想要亲手制作一个能表现其个性的八音盒，思维激活并启动，产生强烈的动手操作欲望，边干边学，有效地开发了他们的创新潜能。同时考虑到学生的认知差异和课堂时间有限要突出重点，给学生充足的动手操作时间，对难度大、有争议的问题，即盒体的声学原理，课上回避不讲，请学生课下探究。

片段二

师：一件木工作品设计的基本要求有哪些呢？（PPT 出示基本要求）我们要考虑材料和制作条件、作品的实用性、结构的合理性，以及外形的美观。

材料和制作条件这一点，通过前几节课的学习大家已经体会到了，用木板来加工制作的时候有一定难度，一旦我们的设计有问题，用木板下料后就不容易修改了。为了保证我们设计的作品能够有效实现，我们先利用易加工、易修改的吹塑板制作一个模型，用这个模型来检验我们设计的科学性、合理性。

实用性体现在这个盒体能够容纳下机芯并且能够让机芯固定在盒体的内壁上。这就需要考虑盒子的大小问题了，那么盒体的大小由哪些因素来决定呢？大家讨论一下。

（学生热烈讨论）

生 1：机芯的大小、吹塑板的大小。

生 2：还要考虑到吹塑板的厚度。

师：机芯的外形不是特别规则，但是近似一个长方体，所以可以用长、宽、高来表示它的大小。大家看我事先制作好的一个方盒子模型（实物展示：长方形盒体的模型，板分别用红、黄、蓝三种颜色加以区别），为了让大家看得清楚一点，我把它拆开。我设计的是对称的结构，上下两块红板是一样大的，左右两块黄板是一样大的，前后两块蓝板是一样大的。我先把这块红板拆下来，看看剩下的这几块板是如何连接的。再把这块黄板拆下来，最后再把这块蓝板拆下来。能够看出这个方盒子是由几块板连接而成的吗？

生：6 块。

师：大家看立体图分析（投影：盒体的三维立体图，板分别用红、黄、蓝三种颜色加以区别）。灰颜色的地方代表机芯，机芯的长、宽、高分别用 a、b、c 来表示。如果按照这种连接方式来设计盒体，蓝板、黄板和红板的边长最小为多少？这应该用所学的数学知识来解答了，请大家讨论一下。

（学生热烈讨论）

生：蓝板的边长应该就是 a（学生到前面指着投影回答）。

师：板应该有哪两个边？

生：蓝板的这个边是 a，这个边是 c。红板的这条边是 $a+1$，这条边是 $b+1$。

师：1 是什么呢？

生：就是吹塑板的厚度乘以 2。

师：如果用的不是吹塑板呢？可以说两块板的厚度，对吗？

生：黄板这条边也是 c，这条边就是 b 加上两块木板的厚度。

师：他设计得很正确，考虑了板的厚度问题。但是我没有强调是用吹塑板做，如果换成其他板，厚度就不一样了，所以回答的时候，应该说加上几块板的厚度。大家在设计的时候，一定要注意如果连接方式发生改变了，每块板的边长，就有可能发生有规律的变化了。

刚才讨论的是盒体的最小的尺寸，我们给大家的材料是比较充足的。盒体做多大由你自己来决定。当然盒体大小不同，它的声音效果也是不同的。我们用木板制作完成以后再进行比较。

点评：模型设计与制作环节——从一件木工作品设计的基本要

求开始，通过民主的师生对话，教师对实物模型的拆解，三维立体图投影相结合，引导学生形成设计思维，完成“从平面思维到立体思维的转变”。特别是拆解模型这一逆向思维过程，学生易于理解，更有利于难点的突破。思维一定程度上依赖悟性，但更需要巧妙地引导和启发，点拨得当对学生有茅塞顿开之感和触类旁通之用。由于思维是能动的，相当于导演角色的教师必须调动好相当于演员角色的学生，既要激发兴趣吸引学生自主学习，又要留足时间给予学生充分思考，尽可能地让脑细胞活跃起来，促进思维的形成。

片段三

师：绝大多数同学都制作完成了，制作得怎么样呢？根据模型的评价标准，下面请同学展示并介绍自己的作品（学生用实物投影展示作品）。

生1：我的模型板连接合理，大小合适，做得严丝合缝。（指着板上的孔）机芯安装位置也比较合理。

生2：我的这个八音盒，虽然做的不严丝合缝，可是我觉得我做的几个装饰很好看，而且我准备在上面刻上名字。（指着板上的孔）机芯安装在这儿。我觉得这个位置也合适。

生3：我做的这个是三角形的。这条边是15，这条边是15，这条边是斜边。中间做的是正方形的，是6乘6的。上面有一部分镂空，这样的话能让盒子发出来的声音效果更好。底座是长方形的，使八音盒有一个托。因为我这个盒体比较小，所以我的机芯安装在这儿，倾斜的位置。

师：大家看，他安装机芯的这个孔，位置合理吗？机芯是从里边安装上的，机芯的上弦旋钮在什么位置？

生3：没想到这点，看来机芯的位置还要改进。

生4：我的八音盒是一个长方形，上面和下面是心的形状，机芯安装在中间。

生5：我设计的是把上弦旋钮安装在右上方，不过这个部分比较小，而且夹在中间的这个正方形也比较小，所以机芯安装到里面不会左右晃动，上弦的那个旋钮拧上之后也不会往下掉了。

师：刚才同学们设计的绝大多数都是方盒子，有的同学把它变了一下形，就是盒体的两块板把它变成三角形或是心形，还有对盒体进行镂空设计，声音效果怎么样，我们制作完了之后再进行比较。

盒体还可以做成其他形状的（展示其他形状的一些盒体模型拓宽学生设计思路），课后大家对自己的模型再进行修改完善。

> 点评：劳技课评价方式的改变，强调创新意识和实践能力培养的统一。对模型的评价不是以前那种由教师对学生进行打分归类的量化方法，而是通过引导和指导学生对自己在模型设计与制作活动中的种种表现进行自我反思性评价。这些评价是由学生个人、学生与学生之间对各自的实际表现进行评定的。教师的评价注重设计的合理性、设计的过程性体验，提倡设计创新，而不以模型制作的优劣和成败作为评价的唯一标准。

（八）美术：鉴赏实践，提高素养

《美术课程标准》明确指出，我国的美术有着悠久的历史和辉煌的成就，与其他国家和民族的美术共同构成世界美术的多元化。美术是人类文化的重要组成部分，美术课程具有传承文化艺术的功能。普通高中美术课程能使学生较为全面地了解美术与自我、美术与自然、美术与社会等方面的关系，引导学生热爱祖国，理解文化艺术，弘扬人文精神。

中国民间美术是中国人民为了满足自身的社会生活需要而创造的视觉形象艺术。它是中国民族美术中群众性最广泛、历史文化内涵最丰富、民族地域特征最鲜明的文化形态。因此，可以说它是一部民族历史文化的活化石和博物馆。只有加深学生对这方面的深入学习与理解，才能在生活和学习中主动地传承和保护民族文化。如何在美术教学中挖掘民间美术，发展民间美术教育，使美术教育起到传承文化的桥梁的作用，是我们必须要在美术课堂上关注的。

我校的美术教学在把握国家课程的基础上开发了具有我校特色的装饰艺术的学习与运用。我们以中国传统美学和传统文化中对美的形象表现来编排教学内容，主要分为三大部分：传统图案艺术的分类赏析；学习运用传统元素的装饰绘画技能；学习运用传统元素设计海报。

在美术教学中，我们主要把握了以下几个教学原则。第一，鉴赏与实践相结合的理论学习。我们将高中美术鉴赏课与现代设计课程进行了融合，引导学生感悟中国传统艺术是以人的情感赋予物的形式，借物抒情，“以形写意”，是一种善和美的行为和意志。在传统图案的题材和构成形式上，都表露出我国人民那种“善始善终”“至善至美”的处世哲学。在感悟传统图案的基础上，总结、归纳、提升传统图案中的艺术表现形式语言，为在现代设计之中运用作准备，从而继承和发扬中华民族的传统文化。第二，鉴赏与实践相结合的图形提升。当学生能够将传统图案艺术进行分类赏析之后，引导学生学习提升传统元素的装饰绘画技能。教学中我们结合国家课本的知识体系增加了校本内容的学习，分别进行了透视知识、建筑速写、黑白装饰画、彩色装饰画、美术字等的课程。在装饰画的教学中，我们给学生营造了一个广阔的释放创作空间，没有太多限制，让学生尽情地展现自我，同时帮助其选取创作素材，从而解决画什么的问题，并将之进行夸张、取舍和变形，竭力使画有情趣，有节奏，有韵律，具备较强的装饰性。第三，鉴赏与实践相结合的图形运用。学生通过系列的学习不但能够深入地了解中国传统文化和艺术，而且还学会了提炼传统艺术的精髓将其运用在现代的设计之中。这样不仅培养了学生的审美情趣和文化素养，而且还提高了学生的动手设计的能力和创新能力。

总之，学生的兴趣就是我们不断研究探讨的动力。美术课为爱好美术的学生提供了展示自己艺术才华的舞台和空间。在提高艺术修养的同时真正让学生感悟、体会和运用中国传统文化和艺术的表现形式，培养学生树立继承和发扬传统文化的历史责任感，自觉弘扬中华民族精神。

学生们爱用画笔描绘心中的梦想和愿望，每年我校都有近千名学生参加各级别的美术比赛和展览，并取得优异成绩。

课例：美在民间——中国民间艺术

高中美术组　张蕾

教学设计说明

民间美术在历史发展中，形成自己独有的艺术思想体系和丰富的创作经验。本节课帮助学生了解民间美术作品中所包含的丰富的精神内涵、民俗生活内容和植根于民族文化深处的审美理想，归纳总结多种民间美术的艺术特点，引导学生学习和理解传统文化艺术的精华，从而继承、弘扬和创新民族文化。

从现实生活中对传统艺术的重视度入手，带领学生品味和分析传统民间美术，整理民间美术的种类及特征，让学生带着问题学习。启发学生提升传统民间美术的表现形式、造型特点、色彩韵味和文化内涵，借鉴大师和同学的设计作品，引导学生运用传统元素，探讨和继承传统文化，用现实中的事例展示传统民间美术在现代生活中的应用，通过分析作品引导学生如何运用本课知识。

教学精彩片段赏析

片段一：导入部分

1. 中国领导人对传统艺术的重视——胡主席秀剪纸。

2. 网络评论胡主席秀剪纸——胡锦涛主席的剪纸作品在艺术节展出，对我国乃至世界非物质文化遗产工作起到了推动作用。

设计意图：

1. 借助学生感兴趣的实例引起学生的关注，激发学习兴趣。

2. 引导学生合理、正确地使用网络及媒体。

点评：美术与时事相结合，引导学生在对传统文化特色的理解中不仅仅关注知识内容本身，更注意对学科本质的把握。这就符合了时代和谐共生，使学科文化向生活世界回归的要求。中国领导人对传统艺术非常重视，胡锦涛主席的《回娘家》剪纸作品在艺术节展出，对我国乃至世界非物质文化遗产工作起到了很好的推动作用。民间美术不单单是民间艺人的手艺，而是中华民族的历史和文化。

片段二：从造型、表现形式、民间色彩和文化内涵四方面总结归纳民间美术的艺术表现形式教学活动中通过4个探究活动来完成民间美术的艺术表现形式的学习，以下是第二个探究活动。

设计意图：中国的民间美术种类繁多，系统庞大，但有共同点。首先教师设计问题引领学生思考，锻炼学生在探讨中总结民间艺术品的艺术表现形式的能力，然后帮助学生自主完成学案内容。最终为实践活动“海报设计”奠定图像基础。

图5.1　课程课件

师：屏幕展示3张图片：

民间玩具布老虎、红色剪纸老虎、真实的老虎照片。

提问：对比现实照片中的老虎与民间美术作品的老虎有什么不同？

生：现实照片中的老虎威武、凶狠、可怕……让人望而生畏。

民间美术作品的老虎可爱、漂亮、吉祥……让人爱不释手。

小组讨论：回忆以往学过的知识，分析民间美术作品的老虎运用了什么表现手法？

学生分组汇报讨论结果：

组1：剪纸老虎很可爱，它基本保留了老虎的特征，但却把老虎的造型进行了平面化的处理，还在身休上进行了装饰，非常得可爱！

组2：布老虎玩具憨态可掬，它的头部被夸大了，身体缩小了，造型很有婴儿的感觉。

……

教师点拨提升：民间艺人将生活中人们喜爱的事物通过夸张、变形、平面装饰图案丰富画面等艺术手法，将人们的情感投入到艺术作品之中，寄托了美好的愿望。

探究：民间美术的色彩特点

设计意图：练习对比的观察方法，锻炼敏锐的观察力。通过对民间艺术品色彩的总结，为实践活动“海报设计”奠定色彩基础。

师：在屏幕上展示出十几种民间美术作品，剪纸、风筝、兔爷、皮影和虎头挂件等。

提问：作品中都出现了哪些颜色？在颜色的使用上有什么特点？

生1：出现了红色、黄色、蓝色、紫色、绿色、白色……

生2：颜色非常得鲜艳，使用了纯色、对比色、互补色等。

生3：民间儿童玩具布老虎，鲜艳的黄色上装饰了红色、蓝色、绿色、白色等装饰图案，很有民间味道。

教师总结提升：民间美术的色彩多用大红、绿、黄、赭石、黑、白、紫等纯色，讲究对比，色彩鲜艳。民间美术的色彩特点为艳丽、鲜明、淳朴。

> 点评：学生缺乏综合思维能力是本课教学时面对的最大难点，所以在分析民间美术的艺术形式时，采用教师问题引领与学生小组讨论相结合的方式。一方面教师用问题链引导学生分析，启发学生的思维，帮助学生全面地看待问题；另一方面通过小组讨论、相互交流，可开阔思路，互相促进。总结归纳民间美术的形式美、色彩美，将传统民间美术中的精华进行提炼，赋予时代气息，培养了综合思维能力，完成了教学的任务。

片段三：欣赏与借鉴

设计意图：通过欣赏以往学生的优秀作品，明确作业完成的标准，并启发学生巧妙运用本课所学知识，锻炼学生的想象能力和知识的迁移能力。对本课知识总结和提升。

师：展示学生优秀作品，特别介绍并分析《带我飞向月球》这幅学生创作的获奖作品。

学生诵读设计说明：“作品以风筝（沙燕）为原型，反映了中国传统色彩，又以英文‘Fly me to the moon’（带我飞向月球）相结合，既反映了中西合璧与时俱进，又将中国航天事业的美好未来反映了出来，寄托了我们美好的梦。”

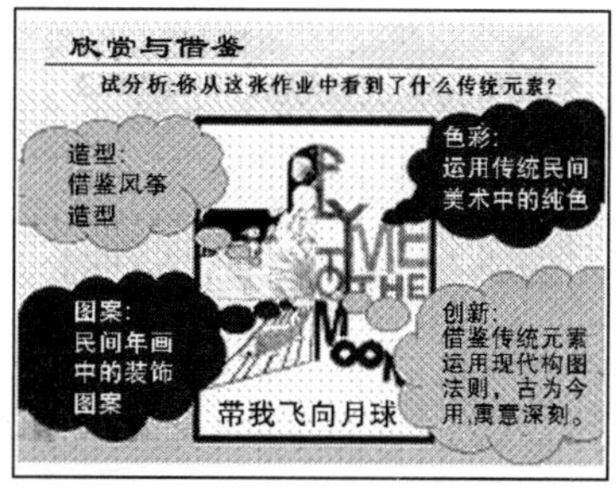

图 5.2　课程课件

师：这件海报作品设计者运用了哪些民间美术元素？他是如何将传统的民间的元素赋予现代气息？

生 1：风筝上画的是民间刺绣图案鸳鸯戏水和红色的大鲤鱼，应该有吉祥的喻义。

生 2：右边的英文字母使用的颜色非常得鲜艳，很有民间美术的色彩特点。

生 3：整个外形是沙燕风筝的造型，左右是对称图形，但是表现方法不同，左边较具体，右边却是由英文字母组成的半个风筝造型，比较抽象。

教师小结：这个作品的特点如下。

造型：借鉴风筝造型。

图案：民间年画中代表吉祥的装饰图案。

色彩：运用传统民间美术中亮丽的纯色。

创新：借鉴传统元素运用现代构图法则，古为今用，寓意深刻。

点评：通过剖析往届学生的作品的设计特点及设计思想，拉近了学生与欣赏作品之间的距离，让学生更容易接受，比只让学生欣赏距离较远的大师的作品效果更好。教师站在设计者的角度介绍如何巧妙地将课堂内所学的民间美术的各类知识运用在他的海报设计

作品中，既有传统气息，又不失现代设计的韵味。

昨天，美在民间创造；今天，美在课堂发现；明天，美在手中创新。中华民族民间传统文化的继承与发扬就在于每一个中华儿女的努力！

课堂在看似平淡的日子中延伸着，变化着，平凡中浸润着智慧，飘逸着灵动，充盈着生命成长的人文韵味。

生命是发展的，课堂更需要发展。

正如华东师范大学教授周斌所说："明天的课堂，总会比今天的课堂多一点或者少一点。正是在这多一点与少一点之间，体现出了教师的教学理念和课堂追求，也因此勾勒出了课堂教学改革的方向。莫以善小而不为，莫以恶小而为之，不期望课堂有革命性的变化，但也不期望课堂在微小的变化中迷失了自己。明天的课堂，重要的是对正确方向的坚持，而不是对不如意的革命。"

无论课堂怎样变化，归根结底都是为了促进生命的发展。对生命课堂的探索，将是我们教育工作者面临的一个永恒的主题。以生命的发展为本，积极探索、追求精彩是我们的职责和使命所在。

庄子的《逍遥游》中有一句话，"水之积也不厚，其负大舟也无力"，教师的思想境界和思想高度，决定着课堂的境界和高度。作为教师，唯有不断学习，在理论的指导下大胆实践，在实践的基础上进行深刻的反思，在反思的基础上逐渐积累经验，才能不断提升教学智慧，创造更加精彩的课堂。

课堂因生命而精彩，生命因学习而美丽。

第六章 策略与目标相契：优化教师队伍建设

近年来学校在教师队伍建设方面不断有创新举措，构建善于合作、勤于研究、勇于追求、乐于创新的教师文化，依托校本培训和校本研究，建设境界崇高、思想先进、风格多元的教师队伍。

学校通过营造追求卓越的校园文化氛围，引导教师对职业有一种发自内心的神圣感与尊严感，把教书育人作为自己的使命，悦纳教师职业，激发教师对事业的热情与激情。学校还开展基于合作的校本培训，构建教育教学干部、教研组长、年级组长培训合作体，学科教研组培训合作体，班主任培训合作体，教师在合作中学习、探索，共同成长。学校组织基于问题与创新的专题研究，以“优化教学设计”为核心的校本研究，提升教师的课堂教学能力；“以学生为本”的校本研究，提升教学的实践能力；课题研究，提升教师的科研能力。注重自主反思与共同反思相结合的研修，将反思作为一种思维方法，一种学习方法，一种研究方法，教师对自身教育理念、教育方法和教育实践进行认真审视、反思、总结、提炼和升华，提升专业水平，形成自己的教育教学风格。

经过多年的努力，教师队伍建设卓有成效，一支教育教学理念先进、专业水平较高、奉献精神强的研究型的教师队伍业已形成，并在实践中不断提升专业水平。优秀的教师队伍为落实学校发展目标与办学理念、全面实施素质教育，促进学生发展提供了有力保障。

一、建设境界崇高、思想先进、风格多元的教师队伍

（一）教师队伍发展历程

建校初期，教师大多是来自各个中学的、有一定经验的中年骨干教师，他们带来了不同学校的优秀经验，在“力争上游，创造一等工作”这一目标的指引下，教师间形成了群策群力、团结奋进的工作氛围。这种开放包容、勇于拼搏、追求卓越的精神成为学校教师文化的重要内涵，秉持这样的精神，教师们在教育改革的浪潮中愿做弄潮儿，敢为创

新者。

20 世纪 80 年代末期到 90 年代末期，学校教学质量快速提升。自 1988 年起，中考成绩就始终保持在海淀区前十名，高考升学率也连续多年保持在 95% 以上。在这期间学校的办学规模迅速扩大，学生人数、班级数量大幅增加。为保证教学质量能够稳步提升，学校采用了大量引进优秀教师、大力培养青年教师的策略。每年新进入学校工作的教师都在 40 人以上。学校的开放包容、团结奋进的氛围使得新调入的教师很快融入到团队中，挑起重担，发挥他们在学科教学、年级班级管理等方面的优势，成为中坚力量。刚刚大学毕业的年轻教师缺少经验，面对复杂的教育实践常常是不知所措，但是他们又要在工作中独当一面。学校采用“师带徒、传帮带”的方式，和谐合作的氛围促进了年轻教师的迅速成长。学校形成老、中、青结合的优秀教师队伍，为学校的长足发展奠定了基础。

进入 21 世纪，当学校决心申办北京市示范性普通高中校的时候，教师队伍的不足就表现出来了，教师队伍建设面临几个突出的问题。第一，专业发展需求与教育发展要求间的矛盾。伴随教育改革发展，专业发展成为贯穿职业生涯始终的过程，而一些老师还固守着“只要有知识就是好教师”“成了好教师就永远是好教师”的观念，没有深刻意识到需要不断提高自己的教育境界，更新教育思想，丰富专业知识和专业技能，使自己实施素质教育的能力和水平能够适应教育发展的要求。第二，经验有余与理性不足间的矛盾。20 世纪 90 年代，社会和家长都非常看重中考和高考成绩，在应试教育的影响下，教学工作核心就是提高中考和高考分数，评价教师的重要标准也是分数。在这种环境下，许多教师只看重成绩的高低，虽然积累了许多有益的经验，但是深入研究、理性思考不足，习惯于依靠经验和常识行事，进行教育教学科研的热情不高。教师中区级学科带头人只有 4 人，承担市区级研究课的教师少，与外校的学术交流也很少，这与北京市示范高中的要求有很大的差距，也不利于教师队伍的成长。第三，群体共同发展与个性差异发展之间的矛盾。一方面教师需要共同学习、实践新的教育理念和教育方法，另一方面不同专业发展阶段、不同学科和不同专长的教师又有着不同的专业发展需求。

教育改革发展需要学校加大教师队伍建设力度，而发展中遇到的突出问题，需要学校重视对教师发展的引领，并为教师搭建成长平台。学校将办学理念确立为“营造宽松和谐的教育氛围，创造适合学生发展的教育，编织学生成长成才的摇篮，搭建教师发展的广阔舞台，实现学生、教师、学校同步发展”。强调学校不仅是学生成长的摇篮，同时也是教师发展的天地。学校将教师队伍建设目标确立为培养一支境界崇高、思想先进、风格多元的教师队伍，以促进教师队伍的可持续发展。

（二）对教师队伍建设目标的思考

1. 有崇高的教育境界

对一些教师而言，教育境界是“平庸的境界”，把教书当成谋生的手段，为生活而工作；对一些教师而言，教育境界是“良心的境界”，默默奉献，有时会感到厌倦，但是心里总是想着要对得起学生，对得起家长，对得起学校，对得起社会，因而努力工作着；对一些教师而言，教育的境界是“崇高的境界”，虽然不能成为教育家，但可以做一名教育者，而不是平庸的教书匠，行走在通往更高教育境界的道路上。

叶澜教授认为：“教育是一个使教育者和受教育者都变得更完善的职业，而且，只有当教育者自觉地完善自己时，才能更有利于学生的完善与发展。”“当教师以虔诚的态度使自己生命的本质全面融入自己所喜爱的教育时，他就会领悟到自己所做的平凡工作对于完满生活的意义。”学校注重营造追求卓越的校园文化氛围，不断丰富师德建设的内容与形式，引导教师提升教育境界，将教书育人作为生命中的重要内容，作为自身精神充实与满足的需要，作为实现自身生命价值的过程；引导教师把教育作为一项事业，在教育实践中不断学习、不断求索、不断发现和不断精进，通过自觉的、持续的自我完善来提升自己的教育境界，促进学生的成长，进而享受美好的教育生活，从中获得生命的充实、和谐和幸福。

2. 有先进的教育思想

合格教师与优秀教师的区别，不仅在于专业知识的多寡，更在于是否有自己的教育思想，可以说教师在教育过程中所做的每件事情都映射着其教育思想。培养有先进教育思想的教师，是学生发展的需要，是现代教育发展的需要，也是教育创新的需要。

学生是蕴藏着无限发展潜能的个体，每一个学生又具有独一无二的特质，有思想的教师对学生的教育有深入的思考与判断，更善于选择适合学生的教育内容与方法，挖掘每位学生的潜能，激发其积极进取的意愿。在教育观念日趋多元的社会中，教育需要教师积极踏实而又不盲目地对教育工作进行探索。探寻和实践适合学生的教育，需要教师对学科教学、师生关系、教育方式等诸多问题有自己的认识与判断。而教育创新更需要教师提出新观点，形成富有个性的新方法。有思想的教师敢于大胆尝试，在不断地发现、追问、探究和创造中享受创新的乐趣。

学校注重引领教师在读书、实践和反思中不断拓宽教育视野，接纳新的教育理念，研究教育的内在规律，挖掘学科教学的价值，探寻实践问题的解决策略，获得思考的乐趣，进而不断丰富、更新自我教育思想。教师通过深入思考一个教育问题，进行与工作相关问题的持续研究，不断探索以改进自己的工作；不断进行自我工作诊断，尝试新的教育方式和教学风格；不断进行嵌入式学习，力求从不同角度对那些习以为常、司空见惯的事情做出新的解释，突破固有的模式。帮助教师形成先进的教育思想，使教师对工作感到有意义、有价值、有尊严。

3. 有自我教育教学个性的教师

智慧需要智慧的启迪，人格需要人格的濡化，精神需要精神的感染。　个有个性魅力、有独特教育教学风格的教师，能够以渊博的知识培养人，以科学的方法引导人，以完善的人格唤醒人，以高雅的品位影响人。

可以说个性是教师创新教育教学工作的重要源泉。教育教学是一门艺术，教师可以用自己的个性去演绎教学内容，更可以用自己的个性进行课堂教学的设计与组织。不同的教师在课堂上会演绎出不同的感染力和教育教学效果。有个性教师的课堂是灵动的，他传授的是生动的知识，会激发学生深层次的学习热情。教师的教学个性有益于创造课堂教学的艺术，有益于形成独特的班级氛围。一名教师在教师团队中、在学生中有没有吸引力和感染力，能不能让同事喜爱、让学生敬佩，在很大程度上取决他的个人魅力。我们希望把学生培养成有个性的人，教师自己就应当是有个性的有独特魅力的教师。

一方面在学校文化氛围的影响下，我校教师教育教学风格有共同的特性，即热情亲和、严谨求实。另一方面，学校依托课堂观察、同课异构和反思交流等形式，帮助教师认识自己的个性并加以发展，形成自我教育教学风格，如智慧、儒雅、沉稳、活泼、幽默、富有激情等。

二、营造追求卓越的文化氛围

在教育发展的新时期，师德建设工作也面临着诸多新问题。第一，随着社会经济的快速发展，价值取向日趋复杂而多元，拜金主义、个人主义、利己主义等一些不健康的思想随之而来，一些教师受到社会上多元思潮的影响，其价值观念也逐渐呈现出复杂的趋势。第二，教育改革不断发展，对教师的要求越来越高，教师的工作负担越来越重。随着在优越条件下成长起来的90后们陆续进入中学，社会、家长对教育的期望值也越来越高。过去的学生和家长对那些工作兢兢业业但能力不强的教师尚且可以接受，现在的学生和家长则既要求教师有奉献精神，又要求教师教育教学能力高，教育教学效果显著。第三，一些传统的师德教育内容也显得过时了，有些内容甚至引起教师的反感。从前人们习惯于将教师喻作春蚕，喻作蜡烛，以此来形容教师职业的伟大与光荣，并将默默奉献、甘做人梯、不求回报当做教师的最高境界。然而，时代发展到今天，仍旧以作春蚕、作蜡烛作为师德教育的重点，则与社会发展要求极不相衬。“春蚕到死丝方尽”，只要求教师奉献，而不考虑教师的职业发展和生命体验，这是不符合“以人为本”的教育发展理念，“人”既包括受教育者——学生，当然也应包括教育者——教师。“蜡炬成灰泪始干”，一味地燃烧自己，远远适应不了培养创新人才的时代需要，课程改革要求教师与时俱进地发展自己，完善自我，教师的发展是学生发展的前提。

师德内涵应始终与时代精神、时代要求紧密相连。我校努力营造追求卓越的教师文化，推动师德建设，倡导“师德”是一种责任感的体现，是一种深厚的知识底蕴和文化品位的体现，是精湛的教育教学水平的体现，以引导教师在工作中不断发展自我、完善自我。

（一）敬重教师职业

宋代哲学家、教育家朱熹曾言：“敬业者，专心致志事其业。”学校通过营造追求卓越的校园文化氛围，引导教师对职业有一种发自内心的神圣感与尊严感，把教书育人作为自己的使命，从而激发教师工作的热情与激情。

挖掘伟人文化内涵，弘扬伟人精神，培养教师的高尚情操。20世纪90年代，校园里落成了毛泽东、周恩来、邓小平三尊伟人雕像及“做一个堂堂正正的有骨气的中国人”的石碑。十余年来开展学习伟人周恩来系列活动，组织教师赴天津参观周恩来、邓颖超纪念馆，赴南京参观南京大屠杀遇难者纪念馆、雨花台烈士陵园、南京中共代表团梅园新村纪念馆；赴延安参观杨家岭、延安革命纪念馆等爱国主义教育基地；赴井冈山、庐山、红旗渠等地参观，激发教师的爱国情怀，增强教师的责任感。在伟人精神的感召下，成长起来一批批优秀教师，学校为师德高尚、教育教学成绩突出的教师授予“周恩来奖章”，作为学校授予教师的最高荣誉，以激励全体教师弘扬伟人精神，积极进取，爱岗敬业，作学生成长的表率。

校园中设置精美的标语牌，以古今中外教育家的至理名言，于潜移默化中陶冶教师心灵。例如，“其身正，不令而行；其身不正，虽令不从——古代思想家、教育家孔子”，“教育的艺术不在于传授本领，而在于激励、唤醒、鼓舞——德国教育家第斯多惠”，“真的教育是心心相印的活动，唯独从心里发出来的，才能打动内心的深处——现代教育家陶行知”，“请你记住，你不仅是自己学科的教员，而且是学生的教育者、生活导师和道德的引路人——苏联教育家苏霍姆林斯基”，“多一把衡量的尺子就多一批好学生”。这些教育名言引导教师不断提升自身的道德修养，用心感悟教育的意义与价值。

以更宽阔的视野在更高的层面认识教育工作的意义与价值。学校邀请中共北京市委教育工委副书记、北京市人民政府教育督导室主任线联平作“坚持科学发展、加快实现首都教育现代化”的报告，了解教育发展的新趋势；邀请国防大学公方彬教授作“践行北京精神，勇担强国使命”的报告；邀请国防大学战略研究所金一南少将作“苦难辉煌——对国家和民族命运的思索”的报告；邀请中央党校宋福范教授作“学习贯彻十七大精神，促进学校更好更快发展”的报告，了解国家发展的历史与未来，增强教师的使命感；邀请《时事报告》杂志社主编曹勃亚作“金融危机下的‘危’与‘机’”的报告；邀请中科院严陆光院士作“能源发展”的科普报告；邀请海军装备部赵登平少将作“国家海洋权益和海军建设”的报告，引领教师关注时事，对社会热点问题有更深入的了解。培训内容不仅仅局限于教育教学工作，多元化的培训内容，拓宽了教师的视野，有助于教师对新时期教育工作的发展、教育工作者的使命有更深刻的认识。

舆论引导、榜样引领，大力宣传优秀教师的先进事迹。学校每两年组织一次师德标兵评选，树立学校内的先进典型。组织市区校级师德标兵演讲，如我校周卫平老师被评为“北京市师德标兵”，她以“以德修身、以德育人、以德治学”为主题的师德演讲让老师们备受感动。学校青年教师郑冲老师自觉锤炼自己的教学基本功，将德育融入课堂教学中；有近30年班主任经验的李惠文老师千方百计挖掘学生身上的闪光点，让每一名学生的自尊心与上进心得到尊重；科技辅导员高爱民老师全身心地投入到学生的科技活动中，培养学生肯于吃苦、求真创新的精神……教育无小事，他们在平凡工作中用心做好点点滴滴的小事，于细节之处流露出他们对教育事业的热忱，折射出他们的教育智慧与教育思想，而高尚的师德便在就点滴与细节中体现出来。因此，这些教师的演讲既让聆听者感动、敬佩，又对大家的工作有所启示。

学校还充分利用校报、宣传栏、网站、多元文化艺术欣赏节目等宣传阵地，开展师德教育，宣传优秀教师的事迹。校报开辟了“党员风采”“优秀教师风采”等专版，向全校师生介绍优秀教师的成长历程、教育理念、优秀事迹。宣传栏内有优秀党员的照片与他们的教育格言，有市区级学科带头人、骨干教师的照片，有获得国家、市、区、校级各项荣誉的教师的照片，展示这些教书育人、辛勤耕耘的优秀老师的风采，激励广大教师的工作热情；“多元文化艺术欣赏”是我校自主制作的、每天下午课前播放的节目，至今已制作播放了一千多期。每年的教师节，制作小组都要编辑专题节目，宣传师德高尚的优秀教师，节目中没有教师的“豪言壮语”，而是撷取日常教育教学工作中的感人瞬间，一个关爱的眼神，一个真诚的微笑，熟悉而又亲切的画面令人感动。

通过弘扬伟人精神、注重校园物质文化建设、舆论引导、榜样引领等方式，营造了良好的教师文化氛围，激励了广大教师不断追求卓越的工作热情与激情，教师对平凡而神圣的教育工作有着强烈的责任感与使命感，自觉提升自我师德修养，提升业务水平。

（二）悦纳教师职业

梁启超在《敬业与乐业》一文中写道：“敬业即是责任心，乐业即是趣味”。当下中学教育工作是繁重而辛劳的，引领教师悦纳教育工作，以积极昂扬的心态投入工作，用心、用情认识、理解教育工作，乐于教学，乐于育人，乐于与学生交往，乐于与同事合作，乐于学习、反思与研究，在工作中获得成就感，感到工作中的自己是快乐的。教师在对教育意义的把握与教育价值的追寻中实现自身的价值，在这一过程中，教师的教育境界也得以不断提升。

静下心来教书，潜下心来育人。胡锦涛总书记于 2007 年教师节在全国优秀教师代表座谈会上提出，教师要“静下心来教书，潜下心来育人”，学校开展学习胡锦涛总书记讲话、撰写读后感的教育活动，在全校倡导这种守住精神家园、执著于教育事业的精神。倡导静下心来，在纷繁忙碌的生活中保持一颗淡泊宁静的心，潜下心调动自己全部的聪明智慧，上好每一节课，探索最适合学生的课堂；走进每一个孩子的心灵；找寻最适合学生的教育方式。学校不断完善规范日常教育教学管理，提升课堂教学质量，丰富教育活动内涵，将“静下心来教书，潜下心来育人”内化为教师的日常行动，融入日常的教育教学实践工作中。学校建立教学视导制度，组织推门课评比活动，完善德育量化评比制度，将教师常态课的质量和日常教育工作的成效作为师德先进评选的重要条件，每学期组织常态课评比，并在全校范围内表彰那些踏踏实实做好日常工作的教师。

引导教师悦纳自己的职业。学校邀请北京师范大学陈孝彬教授，北航附中王玉萍主任等作报告，指导老师如何学会分析，进而有效控制所要面对的诸多压力；如何合理分配工作、生活、学习和休息的时间，如何将压力转化为动力，把平凡转化为精彩，以愉悦的态度面对所要完成的任务。校长于2009年教师节，为全校老师做“提升教师职业幸福”主题报告，与老师们一起分享自己30多年教育工作的体会与感悟，分享自己对什么是教师职业幸福的理解与思考。2010年7月14日校长又为全校教师做“怎样做一名优秀班主任”主题报告，就如何看待教育工作的意义，如何看待班主任工作，如何提高自我修养水平等提出了许多建议。邀请一线教育专家、青少年心理辅导专家陈继英老师做“我健康，我快乐，我成功”心理辅导，邀请广渠门中学高金英老师做“一个有阳光味道的老师”讲座，倡导教师以自己的学识、人品和阳光态度吸引、感染、引领学生。学校还组织教师学习《如何成为一名优秀的中学教师》《不抱怨的世界》《〈论语〉心得》等书籍，进行读书交流活动。积极的心态使老师们对工作充满了热情与激情，努力创设和谐班级、和谐课堂，真正实现教书育人，为人师表。

学校一方面努力营造追求卓越的教师文化，引导教师热情投入工作，另一方面，帮助教师认识自己、发现自己，在适合的岗位上获得更大的发展。学校每一年在进行人事安排时都反复斟酌，充分考虑到每一位教职员工的优势、强项与个性特点，对教师或委以重任，让教师感受到学校的信任与支持，最大限度地发挥自己的聪明才智；或委以新任，或许前一学年这位教师的工作完成得并不理想，但不等于其他工作不能做好。有的教师做班主任吃力，但却是一位出色的备课组长；有的教师性格比较内向，面对初中调皮的学生束手无策，任教高中则如鱼得水；有的教师任教非中高考科目，希望有更大的发展空间来发挥自己的专业特长。学校组织丰富多彩的社团活动，既满足了学生的个性特长发展需要，也让教师有了另一片实现自我价值的天空。学校不同于机关、企业，教师的工作岗位每一年都在调整，人事安排是一门学问，让教师做最适合他的工作，在工作中认识自己的优势，发展自己的潜能，增强信心，以这样的方式来引导教师在工作实践中挑战自我，不断学习，不断求索，不断发现，不断精进，在工作实践中获得自信、成就与幸福。

（三）规划激励发展

学校立足现状，着眼未来，拟订发展规划，明确学校发展愿景，激励全体教职员工在共同实现学校发展规划的过程中，促进自身专业的更大发展。2005 年制定了《中关村中学 2006—2010 年五年发展规划》，2011 年制定了《中关村中学 2012—2016 年五年发展规划》。规划的提出是以改革的精神创新思路，制定和完善促进自主发展的目标与措施，全体教职工对学校发展目标、建设规划达成共识，以共同的发展愿景增强全体教职工的凝聚力，形成敢于追求、不断奋进、昂扬向上的学校文化氛围，教师在为学校的美好明天共同拼搏过程中获得自我价值的实现。

教师专业发展的速度与专业水平达到的高度，与教师对自我专业发展的追求成正比，学校激励教师崇尚一流，追求卓越，通过指导教师拟定个人发展规划，推动教师的专业成长。学校聘请专家进行指导，2005 年底邀请北京师范大学教授到校作报告，全面诠释教师专业化发展的内涵与意义；指导教师如何分析自己，确立发展方向，找到发展的有效途径和制定发展规划的步骤；2011 年邀请北京教育学院李晶教授作报告，“教师如何制订专业发展计划”，指导教师客观审视自我专业发展，提供制定个人发展规划的方法和策略，指导教师在工作中不断发现问题、提出问题，对自己的经验进行科学批判性思考，创造性地开展工作。学校还组织了专题交流会，展示并剖析优秀个人发展规划，为帮助教师制定更加科学、可行的规划提供经验。学校启动“青年教师培养计划”“骨干教师培养计划”等，学科教研组拟定教师培养规划，为教师实施个人规划树立信心，提供条件。

教师制定、实施个人发展规划对于自身成长发挥了积极作用。教师在制定个人专业发展规划的过程中，深入地进行自我研究、自我分析，明确内心需要，正确认识自身特质、综合优势与劣势、现有与潜在的发展可能，并评估个人目标与现实之间的差距，进而树立明确的职业发展目标与人生理想。在实施个人发展规划过程中，教师不断发掘自我潜能，学校、学科教研组也依据教师的发展需要提供资源与发展平台，使潜在的发展可能变为现实的发展成果。制定并实施个人发展规划，教师自我主动发展意识有了明显提高，这种意识成为教师自主发展的内驱力，使教师在专业发展中的能动作用得到了极大发挥。

三、基于合作的校本培训

在日常的工作中，我们努力形成这样一种文化氛围：无论是老教师、中年教师还是青年教师，都是教师队伍发展的重要财富。做好一节学科研究课、一节班会课的指导工作，就是为同伴的成长尽一份力；带好一个徒弟，就是对一个青年人的成长负责；带好一个备课组、一个教研组、一个年级组，就是带好一支教师团队，就是对几百名乃至上千名学生学科学习、健康成长负责，就是对教师团队成长负责。这种观念渗透到日常工作的点点滴滴中，做好日常这些平凡的小事就是一件不简单的事，日积跬步，必达千里。基于这样的理念，学校努力构建教师校本培训合作体，教师在合作中学习，在学习中合作，在合作中探索，在合作中共同成长。在培训合作体内，充分发挥教研组长、年级组长、学科带头人、骨干教师、班主任带头人等不同层次教师的作用，促进不同发展需要的教师的成长。

（一）教育教学干部、教研组长、年级组长培训合作体

教育教学干部、教研组长、年级组长是学校教育教学的骨干力量，是学校日常教育教学活动的管理者和指导者，担负着以先进的教育教学思想、现代教育教学理念、高效的管理策略，引领学校教育和教学发展的重要责任，教育教学干部、教研组长、年级组长的专业水平是学校整体教育教学水平的重要体现。教育教学干部、教研组长、年级组长的专业发展需要不同于一般教师的专业发展需要，构建培训合作体，促进这一团队的专业发展，进而促进学校教师队伍的整体进步。

学校逐步形成了教学干部与教研组长、教育干部与年级组长学习制度，每月定期进行共同学习。学习形式灵活多样，共同学习文章，讨论交流；好书推荐，谈读书心得；专题汇报交流；请专家作报告；请外出考察干部作专题汇报；等等。丰富的学习内容、多样化的学习形式，使大家乐于学习、善于学习，主动与大家分享学习心得，提升了自身素质与专业能力，促进了学校管理水平的不断提高。

我们还围绕大家共同关注的问题开展专题互动式培训。学校定期组织教研组、年级组工作汇报暨优秀教研组、年级组评选活动。教研组长和年级组长全面梳理、总结工作，从教师培养和培训、教育教学研究、团队活动、效果和成绩等方面，向评委和与会代表汇报阶段工作情况。汇报充分展示了各年级组、教研组在教育教学研究、教师培养、特色活动等方面的创新与成效，有利于经验的总结、交流与借鉴，加强各组间的沟通，在促进年级组、教研组团队建设方面，起到良好的推动作用。

青年教师的专业成长对学校发展有着至关重要的作用，是学校实现可持续发展的关键所在。如何做好青年教师培养规划，促进青年教师专业成长，进而带动我校教师队伍整体素质的提升，是干部、教研组长和

年级组长担负的重要责任。学校邀请海淀区名师工作站主任、化学特级教师吴琼老师，就“如何培养青年教师”为全体教育教学干部、教研组长及年级主任作了专题培训，主题是“关注青年教师成长，促进学校持续发展——青年教师发展培训研讨”。吴琼老师首先做了主题为“立足课堂教学，做好工作规划”的讲座，从关注教师成长、打造和谐团队、立足课堂教学以及固化研究成果等方面，讲述了如何培养青年教师与骨干教师。之后，全体参加培训的干部教师分组完成以下任务：梳理设计培训活动时要关注的主要因素有哪些，写出关键词；规划设计一个你将要开展的培训活动，体现针对性、持续性、发展性和实效性。各小组讨论交流后将成果以海报的形式展示出来，小组间互相学习交流。这种专家引领下的合作互动式培训既有理论高度，又有实践意义，在形成更加适合我校青年教师成长的培训模式方面起到了积极的引领作用。

（二）学科教研组培训合作体

教师之间在认知结构、思维方式、经验积累以及个性特长等方面都存在着重大差异，同一学科背景下，教师在专业知识特长、课程实施能力、课堂教学艺术和教育方法等方面也有着重大的差异，这种差异就是一种宝贵的学习资源。近年来，学科各教研组以教师学科专业发展为核心，构建合作、开放的学习和教研机制，拓展合作发展空间，通过教师间的学习、交流和对话，相互启发、相互补充，实现知识和经验的互补、思维和智慧的碰撞，从而产生新的思想，使原有的观念更加科学和完善，有利于教师在平等、合作、互动中得到发展。

1．磨炼基本功，共同修炼专业内功

教师的教育教学基本功是教师能否在专业上取得长足发展的关键。近年来在学校的统一布置下，进行全员参与的基本功培训与竞赛，包括“新理念下教学基本功教学设计”培训与比赛，两次“学科特色教学基本功比赛”，三次教学基本功说课比赛，班主任基本功大赛，还培训教师参加北京市、海淀区教学基本功竞赛活动，均取得了良好效果。

以往的基本功竞赛功能定位往往是“练兵”，参赛的青年教师难免会“羡慕”老教师不必再受“折磨”，老教师则会安慰青年教师“大家都是这么过来的”。当然，赛前准备过程中，青年教师离不开老教师的点拨与指导，但是这种指导大多基于师带徒或教师间的个体行为。在实践中我们逐渐摸索出“专题培训—共同学习—竞赛评比—反馈与再培训”的模式，竞赛价值不仅止于青年教师“练兵”，也为骨干教师和有经验的老教师、中年教师提升自我专业水平搭设了平台，在合作中促进不同层次教师的发展。

在校级基本功竞赛中，老教师、骨干教师往往充当评委的角色，除了为选手打分外，我们还增加了若干“环节”。一是指导，即赛前围绕比赛考察的重点内容以讲座、互动式交流、案例分析等形式进行指导，老教师、骨干教师承担了培训者的任务；二是比赛中加入答辩环节，根据选手的表现现场有针对性地进行提问，完善参赛教师的知识体系；三是反馈，反馈不是蜻蜓点水，只说优点不说问题，只说现象不提建议，而是细致到位的指导和评价。这些环节既让青年教师在培训中获益良多，也体现了骨干教师、老教师的专业功底和理论水平。这是一种“考试”，一项“竞赛”，其准备的过程当然也就成为深入思考、提升水平的过程。2009 年学校组织了教师基本功大赛——说课比赛，赛后进行总结反馈。高中语文组范萍玲老师在反馈时，不仅指出教师在目标设定、环节设计、板书设计等方面的亮点，也对课文在本单元和必修模块中的教学价值做了高屋建瓴的分析，使大家获益匪浅。

2. 学科专项培训

教研组是提高教师学科知识水平、提升课堂教学能力、丰富实践智慧的重要阵地。教研组活动是一种合作学习的形式，每位老师都在学科领域内有自己所擅长的专业知识，都在实践中积累了一定的经验，这是学科培训中的重要资源；每位教师都有自己的想法，这些想法可能是正确的，有所创新的，也可能有不妥和片面之处，在交流、讨论，甚至争论中，教师可以更加全面、深入地认识问题。因此，在教研组培训中，每位教师都是学习者，也都是培训者，构建培训合作体，让不同的参与个体都能找到自己的研修视角和话语角度，都能积极地贡献自己的智慧，都能在培训过程中得到提升，从而使学科培训的效果达到最优化。

各教研组根据本组教师的培训需求和学科特点开展专项培训，高中英语组组织了科普类文体阅读教学专项培训。英语组通过调查与研讨发现，在学生阅读科普文体的文章时，由于单词量大、文章读起来比较生涩，学生对这类文章的阅读没有兴趣，教师也感到这类文章教学难度大。为此，英语组开展了关于科普文体的课文阅读教学的专题研究与培训。以系列研究课为载体，通过三个阶段的专题研究培训，形成了科普性文章阅读教学的新教学模式，并将研究成果应用到高三复习教学中。实施新的教学模式后，关于科普类文体的教学方式，教师有了更多样化的选择，提升了教学能力，85%以上学生反映读科普文章比以前更有兴趣了，解题方法也更清楚了。

高中数学组教师个人教学能力强，教学个性比较鲜明，对问题多有自己的见解。高中数学组就“新课程背景下如何听课评课”这一主题，组织教研活动。活动首先由区数学教研员作了专题报告，重点内容是：教学评价应该解决的问题，教学中如何解决问题的几条意见，在新的评价模式下备课的基本原则；从形式、数学角度、思维角度上看，一节好课的标准等。之后，教研组组织了专题的研讨活动，教师们谈听报告后的感受，结合教学实践谈对相关内容的思考，对许多问题都有了更深刻的见解。

物理组坚持开展每位教师都要参加的小专题讲座与展示活动，每周一讲，内容可以是教学扩展性知识、教学反思、教学案例、教学技巧和学习心得等，只要自己认为能够展示自己的才华、对大家有价值的都可以。老师们陆续作了“载人航天的发展及展望”“嫦娥1号嫦娥2号的比较及其与高中物理的联系”“20世纪物理学十大发现”“读《课堂密码》后关于艺术与科学的感悟分享”“教学难题之推导等量同种电荷中垂线上场强极值点的解决”“霍尔效应教学感受及建议”“天体间距离、大小、质量的测定”“计时工具的发展史”“试卷组题心得体会”等几十个小讲座与展示，这样的活动既促进了教师对教学相关问题的深入全面思考，又从其他教师处学到了很多知识。虽然准备上台展示要付出许多时间与精力，但是老师们乐于付出，既丰富了教研组会的形式和内容，也让每位教师都有展示自我的平台，这样的学习活动非常受教师们的欢迎。

高中语文组教师老中青相结合，既有经验丰富的特级教师，也有刚刚硕士毕业走上讲坛的青年教师。教师年龄跨度大，教学经验积累程度差异大，组内设计和组织了为期一个月的以“作文讲评”为主要内容的系列培训活动。第一次活动先由在作文教学方面有着独到经验的特级教师进行一次题为“如何进行作文讲评”的讲座。第二次活动主要学习“如何评课”，先由主管教学的副校长从宏观角度介绍评课的步骤、环节、角度，再由本组有经验的教师从语文学科的微观角度谈谈评课的具体方法。接下来的第三次活动由一位年轻教师将讲座内容实施到课堂教学上，上了一节“作文讲评”研究课，其他教师则进行听评课比赛。为了锻炼青年教师并保证比赛的公平性，课堂教学的设计由这位年轻教师独立完成，教研组还设计了评课表，教师听课后立即在规定时间内独立完成表格的填写。第四次活动主要是对教师的听评课进行总结，全体教师针对本次活动写出反思；再结合录像，对青年教师的课堂教学进行点评，并由该教师写出反思。

语文组的系列培训活动，首先是充分利用了本组优秀教师的资源，弥补了组内很多教师在作文教学方面的不足；其次是通过听评课比赛的方式，改变了以往只注重听课的现象，让大家对教学有了更深入的思考，而共同分享每位老师思考成果，更是一个共同提高的机会；再次是锻炼了青年教师，让他们独立登上讲台，离开了老教师的扶助，对他们来说既是一次考验，也是一次展示自己的大好时机，实践证明，这位教师虽然教学经验不足，但是教学设计和课堂教学均是可圈可点。基于合作的教研活动让所有教师都深度参与，大家的角色在不断地转换，一会儿是接受培训的学员，一会儿是参加听评课比赛的考生，一会儿又是指导青年教师的导师，在不同的角色中，大家共同完成了不同的任务，产生了不同的体会，得到了不同程度的进步。

（三）班主任培训合作体

年级主任和班主任是学校育人工作第一线的核心力量，班主任的教育水平、教育理念直接影响学生们未来的发展与成长，学校教育处构建了班主任培训合作体，通过学习、交流、研讨等方式，不断提高班主任队伍的工作水平。

近年来大批青年教师进入班主任队伍，为了使他们尽快了解学校的教育教学理念，更好地适应教育工作要求，学校每年都聘请富有经验、充满爱心的老师担任青年班主任指导教师。徒弟们向师傅学习常规管理、班会组织、班干部选拔、与家长沟通、对问题学生的处理等各方面班级管理的方法，师傅们毫无保留地从细处着手指导徒弟，拜师结对帮助青年班主任快速成长，老班主任们也能不断更新理念，师徒相学共进。

学校定期组织特色的班主任专题培训会。2011 年 10 月组织了“学习提高技能，交流促进发展，转变实现飞跃”系列班主任培训会。朱军老师作为优秀班主任代表参加海淀教委组织的赴美交流学习，朱老师在培训会上和班主任们一起分享了自己的心得感受。她把美国教育总结归纳为“望远镜、显微镜、放大镜、多棱镜、变色镜”五大特点，用自己流畅的语言娓娓道来，同时展示了大量的精美照片。班主任们通过学习国外先进教育理念，借鉴经验，反思我们的教育，开拓了教育思路。教育副校长就“现代班级管理的七大价值追求”这一专题进行培训。给班主任们指出了“由约束规范到自主发展、由价值多元到主流引领、由个体教育到集体教育、由解决问题到超前教育、由集权管理到分权管理、由人治管理到制度管理”六条现代班级管理的方法。并向班主任们提出了高层次的班主任工作要求，解读了学校常规管理细则，使班主任工作既有理论指导，又知道具体要做什么。

2011 年 12 月教育处组织了“梳理流程，提高效能”班主任系列培训。教育处在师生中开展班主任工作“痛点”（最棘手、最迫切的问题）“我最喜爱的教育活动”“给我感触最深的校园一角”的问卷调研活动，培训会上进行了调研反馈，使班主任们了解到学生们喜爱的学校教育活动是运动会、春秋游、校园参观、入学教育、体育文化节、多元文化等，同学们关注和喜爱的校园一角是雕塑、操场、动物标本馆、走廊与文化墙等。结合班主任问卷中最为集中的“减少无效、低效劳动”的“痛点”。教育处统筹安排校长助理金恩华老师进行“梳理流程 提高效能”的培训，金老师通过梳理学校德育处以及班主任原创的、富有实效的优秀流程，如“意外伤害处置流程图”“主题班会的设计”等生动案例，系统地讲解了“流程的概念”“流程的作用与价值”“流程的分类与设计”三个大问题，为大家研究、掌握流程的设计和使用提供了参考。

（四）依托“课堂观察”项目，构建教师专业发展合作体

“课堂观察”是一种日常的专业研究活动，教师从课堂上收集资料，并依据资料做相应研究，旨在经历一种合作、对话、探究的专业体验，形成合作的教师专业发展模式。课堂观察采取多点观察的模式，分工明确，目标具体，采用定量和定性相结合的方法，每一次课堂观察包括三部分，课前会议，一般安排在听课前一天，时间 15—30 分钟，被观察教师向观察教师介绍自己的教学内容和环节设计等，形成观察计划；课中观察，依照事先的计划及所选择的记录方法，记录被观察教师的行为；课后会议，被观察教师进行自我反思，观察教师进行资料的分析，并制订行动方案。

在内容上，我们围绕课堂提问的有效性开展研究。语文组以阅读课为切入点，重点研究教师提问的数量和质量，确定了四个观察视角：课堂提问与教学目标、问题设计的梯度、教师的回答、课堂教学整体把握。化学组教师确定了课堂提问有效性的七个维度：教师提问的目的、教师呈现问题的方式、教师所提问题的思维容量、与学生实际情况的匹配度、回答者的选择、提问后等待的时间、教师的提问语言。通过每学期 20 节左右的课堂观察，教师对教材的研究更深入细致，合作交流更

广泛全面。课堂教学过程中，教师对学情预想更加充分；课堂预设提问更加有效，能够创设出一个充满张力、激起学生学习兴趣的情境；追问与引导更简洁明快了；课堂结构设计安排更合理了。

在研究过程中，采取多种研究方法，以满足不同层次教师的发展需要。如采用“同一课题、同一教师、不同班级”和“同一教师、同一班级、不同课题”的方法，定期进行课堂观察，作为培养青年教师的重要方式；采用“同一课题、不同教师”的方法，观察者和被观察者的角色互换，推进研究的深度和广度。

课堂观察因扎根于教师的日常实践，关注师生行为，促进师生的发展，直接指向教学实践问题的解决，提高了教学效率，这是一种非常有生命活力的教研培训活动方式。在新课程背景下，课堂观察项目的开展有利于更好地关注学生的课堂学习和教师的专业成长。每一位教师都是被观察者，借助其他教师的力量，从研究的视角帮助自己对课堂教学进行分析，量化了的课堂记录，准确科学地分析教师的课堂表现，对转变教学理念、改进教学行为、进而促进个人教学风格的形成等方面，都发挥着极大的促进作用。每一位教师又都是观察者，分析、研究其他教师的教学表现，丰富彼此的教学经验，提升教师专业自主发展的内驱力，以科学的力量、团队的力量推动教学反思，从而加快在课堂教学方面的成长。依托课堂观察项目构建教师合作体，体现了一种思考的文化和民主的文化、创新的文化、关爱的文化，促进了具有合作意识和能力的教师队伍的建设。

高中语文组青年教师王巍参加课堂观察项目后写下了自己的感想，通过“课堂观察”，尤其是在做“被观察者”的过程中，我真切地感受到自己上一堂课的意义与幸福。课前会议中的群策群力，课堂上的胆大心细，课后会议时的赞叹唏嘘，大家常常因为对学生的一处精彩点评而回味良久，或因为提问失当而不断思考，教学方面的进步也就在这一次次回味与一次次思考中一点点地实现。和我的同事们走在一起，我觉得内心十分踏实，我们在交换思想时互惠双赢，可以说，课堂观察使我们整个观察小组沉浸在每天都有新收获的职业幸福之中。

四、基于问题与创新的专题研究

苏霍姆林斯基曾说：“如果你想让教师的劳动能给教师带来乐趣，使天天上课不至于变成一种单调乏味的义务，那你就应该引导每一位教师走上从事研究的这条幸福的道路上来。”学校开展以校为本，有特定研究目的、研究情境的行动研究，研究内容来源于教育教学实践，服务于教育教学实践。校本研究一方面对教师的教育教学实践起到引领作用，教师研究过程中的点滴收获被立即运用到实践中，有利于解决教育教学中的实际问题，改善教育教学效果；另一方面，校本研究提升了教师的研究能力，提高了教育教学实践能力。为了将校本研究引向深入，更好地发挥校本研究在教师专业发展过程中的重要作用，我校逐渐形成了以主题研究为主要内容的校本研究模式。

（一）“以学生为本”的校本研究，提升教学的实践能力

“以学生为本”，体现的是一种教育理念。“本”有“根本”之意，教育的根本是培养人、发展人，“以学生为本”体现了以学生最大化、最优化发展为根本的教育理念。随着教育改革的发展，“以学生发展为本”的教育理念深入人心，学校组织了“以学生为本”的系列教学研究，引导教师关注学情、研究学情，进而研究教学策略，改善教学实践，将这一教育理念转变为实实在在的教育行为。

阶段一，以“调研—分析—思考”为重点，引导教师更加关注学情、研究学情。围绕学生学习状况、学习需求等问题，教科研中心、教学处设计了两份问卷，对高一和高二全体学生与教师进行调查，并进行数据的汇总分析；组织以“交流零距离，师生共成长”为主题的师生恳谈会。在调研分析的基础上组织了专题培训研讨活动，学生团队进行了汇报发言，从学生“学”的角度着重汇报了恳谈会上同学们表达的对高中学习的感受，问卷调查数据统计结果及相关情况分析。教师团队

从“关注学情”的角度对调查结果进行了分析，建议教师们关注学科兴趣的培养，思考如何通过问题的设计引发学生主动、深入探究、教师可对作业进行精心筛选或分层布置作业……为学生提供更多的指导和帮助。在培训研究会上我们还邀请海淀区教师进修学校校长、特级教师罗滨为我们作了主题报告——学生需求是教学的出发点和落脚点，从学习是为了发展、关注学生的需求、教学理念决定教学质量、促进学生能力发展的教学策略四方面，阐述了以学生为本教师应该怎样做，为教师提供了既有理论高度，又有实践意义的教学策略。

通过培训研讨活动，教师们深刻感受到，只有不断更新教育观念，与学生进行深入交流，才能选择更适合学生学习需求的教学策略，满足学生个性化发展需要，从而推动教师自身的专业发展。

阶段二，以“学科跟进—专家引领—专题研究”为重点，组织了多种专题研究活动，例如“关注课堂教与学，重视学习者分析，提升常态课水平”常态课研究；“关注学生原有基础、注重课堂教学设计”起始课研究、展示；“科学调研学情、优化教学环节、提升课堂质量”复习课研究、展示。各教研组从学科角度深入了解学生，关注学生已有知识、能力水平、认知特点、思维特点、兴趣特长、生活体验等，在了解的基础上关注学生的需求，从学情分析、教学设计、作业布置、课后辅导、师生交流等方面关注学生，在专家引领下，依托专题研究与实践，形成更加适合学生需要的教育方式，教师的教学能力得到了提升。

（二）以课题为载体，提升教师的科研能力

联合国教科文组织在《学会生存——教育世界的今天和明天》一书中提出：“教师的职责现在已经越来越少地传递知识，而越来越多地激励思考；除了他正式职能以外，他越来越成为一位顾问，一位交换意见的参加者，一位帮助发现矛盾论点而不是拿出现成真理的人。他必须集中更多的时间和精力去从事那些有效果的和有创造性的活动：互相影响、讨论、激励、了解、鼓舞。”

课程改革实验给了教师更为广阔的发展空间，教师的个人专业发展

了，才能推动学校可持续发展，因此只有变革和创新学校教育教学科研的管理机制，才能顺应课程发展和教师发展的要求。

1. 立足实践确立课题，采用核心课题策略推进研究

以校为本的研究是一种特定的教育教学研究，这种研究依赖于教师的教育教学实践，着眼于解决实际问题，侧重对学校实际情况的改善，研究直接指向学校进步和教师的专业化发展。

立足教学实践，根植于教学土壤的教科研才有蓬勃的发展力。我们主要从 4 个方面入手寻找科研方向。一是从教学问题中寻找。课题多来自教学中的实际问题，针对问题结合科研理论制订解决方案，通过实践来验证、分析和总结。例如初中语文组针对作文教学是教学的重点和难点，提出“探索改进作文教学，提高教学效果”课题。二是从教师成功经验中寻找。研究教师的真知灼见，成功经验，形成特色，成为提高教师素质的生长点，例如刘秀兰老师“几何图形问题的呈现方式研究”等，这些个人课题的确立都是在教师互相听课、评课、研讨交流和自我分析的基础上找出教师的教学特色和优势，并以此为依据确立的研究方向。三是从学生需求中寻找。解决学生的需要就是课改的目的。例如，邵学义老师的“提高合作学习有效性的研究”。四是从先进的教育教学理论中寻找科研发展的趋势，学习掌握先进的教育教学理论，提高实践水平。

在学校的发展中，校本培训、课堂教学改革、学习方式、学习习惯培养等都具有很高研究价值，都可以成为学校科研的重点课题。但是，因为研究精力和时间有限，需要我们对课题的研究价值作准确的定位，为此我们提出实施核心课题带动策略。我们所指的核心课题是，在充分调研的基础上，结合市、区规划课题和学校阶段发展特点，从制约学校发展、影响课程改革和教育教学质量提高的关键问题中选择的、适合一线教师参与研究的优质课题。核心课题确定坚持以校为本的原则，坚持为教育教学服务的理念。例如，2006 年，我们面临对海淀区“十一五”科研规划群体课题子课题的选择和确立工作，同年 3 月开始了调研工

作。在访谈的基础上，还针对“影响教学效果的2—3个关键问题”对全校初中教师进行了开放式的问卷调查。60多份有效问卷的调查结果显示，教师们认为，从学生学习的角度分析，影响教学效果的关键因素主要集中在学生差异、学习主动性、自觉性和学生兴趣方面；从教师的教学角度分析，影响教学效果的关键因素主要集中在教学活动的设计。在对大量调查研究的准确分析的基础上，我们确立了“初中学校实施个别化教育的策略研究”和“体现主体教育思想的课堂教学进程设计”子课题，并把此课题列为初中部的核心课题。2007年9月，北京市全面进入高中课程改革，因为学生评价是推进高中课程改革的关键问题，经学校课程改革小组共同决定，选定“高中课程改革学生评价研究”为北京市高中课程改革样本校项目，并把此课题列为高中部的核心课题，以核心课题为龙头，推动科研兴校的进程。

2. 实施专题活动推进策略，抓实课题研究过程

教科研的质量产生于课题研究的过程之中。抓课题质量必须抓过程管理。只有强调扎扎实实的研究过程，才能充分发挥教科研的先导作用。在促进课题研究过程问题上，我们实施专题活动推进策略，取得了较好的效果。专题活动推进策略是指通过开展专题研讨、专题研究课、专题汇报评价会和专题征文等形式推动学校核心课题的深入。专题研讨和专题研究课活动由课题主持人负责设计、组织与实施，活动的主题、研究课主讲人、内容和时间等提前一周在校内公示，以利领导和教师的参与和观摩。这种组织管理方式充分发挥了课题组的自主性和创造性，他们可以根据课题组的进展情况合理安排内容，充分展示课题的研究成果，或解决课题研究中的问题。例如，“初中学校实施个别化教育的策略研究”课题研究初期，因为教师对课题内涵的理解不深，加之并非是小班教学，课题研究初期就进入了“高原状态”，如何在课堂教学中实施个别化教育？多数教师没有研究思路。针对此种现象，“初中学校实施个别化教育的策略研究”课题于2006年10月向全校推出了专题研究课活动，通过剖析一节地理课，展示、研究和交流实施个别化教学的策略和教学切入点。专题活动拓开了教师研究思路，推动了课题深入和发展。专题汇报活动由学校教科室牵头，根据课题开展情况进行设计组织，专题汇报每学期至少安排一次，学校科研骨干参加，由课题主持人汇报课题进展情况，展示课题研究的阶段成果，与会教师根据《中关村中学课题实施过程评价表》作出评价，集汇报、交流、学习、检查、评价、反思于一体，可谓“一招多赢”。专题征文活动的主题由各核心课题主持人和教科室根据课题研究需要共同设计的（可以包括多个不同的题），由学校教科室负责组织征集与评选，基本上是每学期一次。这种征文活动主题明确，重点突出，成果集中，有利于课题原始资料的收集，有利于课题研究的痕迹管理，有利于课题成果的形成，还能促进教师对研究过程的梳理，促进课题研究的深化。

学校教学科研，真正落实在教师的教学行为中，需要把科研目标细化并渗透到教师的教学行为中去，使科研行为与教学行为密切结合在一起，才能破除教师对科研的神秘感，使教师学会搞科研，提高教师的科研能力。我们主要是通过开展课题组的教学研讨活动实现这一目标。

首先，诊断教学问题。大体分为“教学设计—课堂观察—分析研讨”三个步骤，即教师运用有关科研理论独立进行教学设计，做研究公开课，课题组成员听课，在观察、记录师生课堂行为的基础上进行分析研讨，对教师的教学过程进行反思，找出教学中存在的主要问题。其次，解决教学问题。仍分为“教学设计—课堂观察—分析研讨”三个基本步骤，所不同的是，先由教师围绕要研究、解决的主要问题提出设计思路，然后是课题组教师发表意见，提出改进建议，上第二次研究课，课题组全体成员听课，在观察、记录师生课堂行为的基础上，进行评课分析，对教师第二次公开课的教学过程进行反思，寻找现实与设计的差距。最后，明确解决问题的有效方法。教师通过对这一研究过程进行总结分析，明确解决问题的有效方法，为进一步的深入研究奠定基础。这样，通过具体的教学研究过程，教师掌握了教学研究的方法，提高了科研能力，教学能力也相应得到提高。课题研究是促进教师专业发展和深化课堂教学改革的助力。学校确立以课题研究为抓手，以科研带动教学的策略，增强教师研究问题和解决问题的能力。整合教育处、教学处、教科室、教研组和备课组等各种力量，建立立体、开放的教研网络，同时通过案例分析、叙事研究、行动研究等多种途径，促进教师的专业发展。

五、自主反思与共同反思相结合的研修

美国心理学家波斯纳提出，教师成长＝经验＋反思，反思是激励教师自身发展的动力和源泉，是促进教师专业化水平自觉提高的重要途径。通过自主反思与共同反思，教师对自身教育理念、教育方法、教育活动、教育事实和教育现象进行认真审视和反思，科学而理性地设计、实施教育，从而不断地总结、提炼、升华教育实践经验，逐渐走向成熟，最终成为一名充满智慧的自我反思型教师。

（一）教师的自我反思和自我对话

1．撰写反思日记。为提高教师的反思能力，学校专为教师设计反思日记本，每位教师将教育教学中的关键事件、教师的思想行为变化和学习感受等记录其中。学校每学期针对教师的反思活动进行总结并组织交流，促进反思活动制度化和科学化。

2．撰写听后记、教后记。教师听课或上课后，及时地把教学过程中的亮点、难点和盲点等信息记录下来，并进一步思考，明确课堂教学改进的方向和措施，有效地增强教学效果。

3．撰写案例、论文等。教师将自己对教育教学工作的思考与探索写出论文，或用撰写教学案例的形式来反思自己的教育教学行为，学校每年进行规范化的论文评比。学校鼓励教师课后修改教学设计，教学处将评选出的优秀教学设计汇编为一书。

主体性反思使教师保持一种积极探究的心态，教师们深刻地感受到，自我反思不是一般意义的回顾，是一个探究的过程，是一个解决旧问题发现新问题的过程，是实现自我发展的过程。

（二）教师间的共同反思与交流

对经历和经验的反思并不仅仅是教师个人行为，反思同样是备课组、教研组和学校的共同行为，大家从不同的角度，就共同的主题进行反思，通过切磋找出最有价值的东西，共同分享同伴间的经验，集中了大家的智慧，这是挖掘发展潜能、提升经验的重要途径。

每学年学校围绕课堂教学研究、班主任工作等，确立若干教育教学研究主题，逐步形成了“学习培训—展示交流—反思提升”的研究模式。例如，为更好地把握中考、高考脉搏，每年3月组织中考、高考考试说明专题研究。第一阶段，教师自学考试说明，从对考试说明的理解、新旧考试说明的比较、考试说明对复习的指导等方面写出自己的体会，各教研组围绕“考试说明进课堂”进行专题研究；第二阶段，各教研组邀请初三、高三教研员对考试说明进行解读，并对初一、初二、高一、高二的教学进行指导，组织以“研究考试说明，加强复习针对性，提高课堂实效性”为主题的初三和高三复习课展示；第三阶段，授课教师、初三和高三各备课组及教研组分别完成总结反思，并在组内进行研讨交流，教学处进行反馈总结。这样的研究模式将教师自修、专家指导、同伴研修、课堂观摩、研究反思等结合起来，取得了良好的效果。

学校组织不同主题的教育教学研讨会以激励、引领为主旋律，促进教师的反思与交流。围绕高中课程改革、毕业年级教学研究、德育研究、教师专业成长等工作，每学年都组织多次教学研究交流活动，研讨交流活动也让教师们在经验交流、智慧碰撞中获得新的思考。学校组织了“研究中探索，行进中发展”高中新课程改革阶段总结会、“交流凝聚智慧，合作提升实力”高中新课程改革研讨会、“关注细节和过程，重视研究与分析，课堂高效有质量，合作协调保提高”高三工作研讨会、“交流促进发展，反思促进提高”初三工作研讨会、“聚焦课堂，推进课改，开创教学新局面”初中教学研讨会暨初中建设工程阶段总结会、“开阔教育视野，激发教育智慧，提升学校内力”教育教学研讨会暨青年教师发展论坛等。每一次研讨会都会有若干主题发言，学校、教研组、备课组、年级组和教师都要参照先进的教育教学理念，从不同的角度对工作进行梳理与反思，以研究者的眼光审视、分析工作，总结、提升经验。这种教师之间的共同反思不是一般意义上的回顾，而是一种思维方法，一种学习方法，一种研究方法。

近年来我们还组织复合式教育教学研究活动，在专家引领、同伴交流中促进教师的反思。每次教学研讨会力求围绕某方面内容从多个角度、采用多种形式进行研修，以促进教师的自主反思与同伴互助下的共同反思。在为期两天的以“学习、交流、反思、提升”为主题的高中教学研讨会上，内容被分为三个部分：专家引领，请北京师范大学何克抗教授作了“信息技术环境下的教学设计”的主题报告；高三教学研究，包括以“耕耘和丰收相伴，研究与合作同行”为主题的08届高考质量分析，高三教师代表发言，新高三教师代表介绍工作计划，以教研组为单位进行专题研讨；高中新课程改革教学研究，包括教学副校长作专题报告，高中新课程七个学习领域各有一位教师代表介绍课改经验，分别从备课组研究、教材内容的开发与整合、学生学习指导、选修课教学、学生评价、跑班上课管理等方面作了主题发言。三个部分既有外请专家报告，从理论上对教师进行引领，又有主管教学的领导作切合学校教学实际的主题报告，还有典型经验介绍。教师在专家引领与同伴交流中，对自我教学理念、教学实践等进行反思，完成研修日志，促进了教师的深层次思考。

学校高度重视教师的专业成长，通过创新校本教研模式，加强教育教学科研，转变教师的教学观念与教学行为，教师的教育教学能力、科学研究能力等都得到了较快的提高。虽然建校仅30年，但已经有4位教师在学校在片沃土上成长为特级教师，9名教师成为北京市学科带头人和骨干教师，73名教师成为海淀区学科带头人和骨干教师。一支教育教学理念先进、专业水平较高、奉献精神强的研究型的教师队伍业已形成，为落实学校发展目标与办学理念、促进学生发展提供了保障。

第七章

清渠与活水：创新学校的管理制度

有人说，三流学校做制度，二流学校做品牌，一流学校做文化。就是说制度化管理是学校管理的一般要求，而人性化管理，则是学校管理的最高境界。中关村中学在30年办学实践中，不断学习国家的教育法律法规，吸收和借鉴他校制度建设经验，积累和总结独特的思想文化和价值取向，出台了一套管理制度——《中关村中学管理制度》，形成了以强化岗位责任制，实施校务行政议事规则和“目标管理”“层级管理”制度，以人为本和科学决策相结合，校长负责和民主监督相结合，集体领导和责任追究相结合的办学依法，管理民主，用人灵活，教育高效的管理机制，这种结构合理，组织有序，信息畅通，协调高效、科学规范的管理机制，营造了和谐奋进的工作氛围，为实现学校转型和升级两大跨越，以及学校的可持续发展提供了有力保障。

一、学校制度创新的历史背景

中关村中学的制度建设历经三个过程，1982年办学初期，主要是按照国家的教育法规和借鉴其他学校的制度办学，没有形成太多条文性的规定。1998年，建校15周年，学校为充分发挥学校各组织的职能作用，提高学校科学管理水平和工作效率，收集整理和归纳总结了规范教职工行为制度和条例，并编辑成了《学校管理制度汇编》，使学校制度建设逐步走向规范。2003年北京市高中示范校申办成功以后，步入高速发展之路的中关村中学，对制度建设和创新有了更深刻的认识，认识到制度是文化的外化，它对形成个人的自律习惯和共同的价值观念，建设良好的校园文化，提高学校管理效率有着重要的作用。学校管理应从制度化进入追求人性化的更高境界，学校的管理制度应从制度约束师生行为走向文化引领师生自觉遵守之路。

思想理念的创新，必然带来行为上的变革。已经跨入市级示范高中校行列的中关村中学，社会的知名度不断提升，学校领导班子专业化程度和管理水平较高，团结协作精神和奉献精神强，有较高的凝聚力和群众信任度。部门设置比较符合学校实际情况，各部门之间关系和谐。教师队伍专业化水平较高，教育理念新，干劲足，中青年骨干教师成长迅速。全员聘用合同制、按需择优、满工作量聘任等灵活多样的用人做法也为学校管理制度的创新提供了良好的环境。2004 年学校全体员工参与进行了“现代学校文化建设与素质教育”课题的研究，挖掘、概括和提炼了本校的传统文化，系统地设计了学校文化建设的基本思路，形成了《中关村中学文化建设纲要》，明确了教师文化、学生文化的目标、内容和实施方案；形成了学校文化，办学理念；基本形成了民主与科学管理文化，为日后学校管理制度的重新修订奠定了文化基础。

进入示范校发展期，学校沿用的仍是 1998 年制定的《学校管理制度汇编》，制度管理成为发展的羁绊。当时学校干部年龄偏大，年龄梯度不够合理，优秀年轻干部不足，对后备干部的选拔和培养的力度不够，而在《学校管理制度汇编》没有干部队伍建设的计划和干部选拔培养制度条例，影响优秀干部的脱颖而出；其次学校办学规模过大，教师管理、学生管理和学校行政管理难度很大，年轻教师多，他们思想活跃，对学校当时管理方式和制度的理解容易产生片面认识，发生过激行为；再者学校所在地区办学水平高，名校云集，人才资源竞争更为激烈，过去的用人制度制约人才引进、培养、使用和留住，教育改革发展迅速，教育行政部门不断推出关于学校管理的法规和制度，学校总是处于追赶教育行政部门的管理改革和形势变化的被动局面。学校制度创新势在必行，建立一套与发展相配套的规章制度迫在眉睫。

制度创新呼之欲出，2005 年学校适时提出完善和修订中关村中学管理制度，用时 1 年，全员参与总结提炼了学校制度文化，于 2006 年出台了《中关村中学管理制度》。同时，为使学校在“十一五”发展期间有法可依，有章可循，保证学校、教师和学生三方利益，学校制定了第一部学校内部基本法——《中关村中学章程》。通过体制改革和机制完善，激发了学校全体师生的创新活力，为自主创新成果的生长发育创造了良好的文化、制度和政策环境，提高了学校的管理水平。

二、学校制度创新的理念与原则

（一）体现以人为本的民主管理理念

1. 学校管理制度创新过程始终体现民主参与原则

民主原则是制度建设最基本、最普遍的价值目标，因为任何一项制度的设计和出台，都应维护全体师生员工的根本利益，学校制定规章制度需要师生遵守和执行。规章制度具有规范和激励两重作用，规范是浅层次的，而激励是深层次的。要使制度发挥出激励作用，制度建设过程中，就要充分发挥民主，让制度从群众中来才能到群众中去。师生对制度的内容和精神了解得比较透彻，有助于他们自觉得遵守和执行规章制度。制度也就切合实际，避免主观片面。2005—2006 年中关村中学发动包括年级主任和教研组长在内的所有管理干部参与学校管理制度的重修工作。他们在师生中广泛调查，了解实情，吸纳意见，集思广益，总结凝练，形成条文后经教代会多次讨论修改，最后确定实施。每位教职工都把学校利益与个人利益紧密联系起来，以高度的责任心和事业心积极参与学校管理，珍惜自己的民主权利，在制度的实施过程中对制度的科学性和可行性及时提出自己的意见和建议，使其中的合理部分成为学校的“法律”——《中关村中学管理制度》的组成部分，为学校的制度建设、民主建设作出自己应有的贡献。学校出台的所有制度都以肯定个人价值和发挥个人潜能为前提，集思广益，群策群力，共同制定，真正做到制度建设民主化。

2. 学校管理制度创新体现“以人为本”管理理念

个人的发展是学校发展的前提和基础，两者是相辅相成的依存关系。只有学校为教师提供了良好的政策环境和发展空间，才能激发和凝聚教师的才能和智慧，使之主动、积极、富有创造性地为实现学校长远规划而努力，达成学校发展目标。“以人为本”管理的基本思想就是要以人的全面发展为核心，要求在管理过程中重视人的需求，以激励员工为主，围绕调动人的主观能动性展开，致力于师生与学校的共同发展，因此“以人为本”这个理念成为学校现代管理的先进理念。我校在学校制度创新建设时，力求充分体现“以人为本”的管理思想。学校新修订的规章制度较以往的制度在理念上有了重大的转变，尤其突出民主、人文的现代教育管理理念。1998 年出台的《学校管理制度汇编》强调的是“令行禁止，赏罚分明”“严格化、科学化、制度化、规范化”的刚性管理原则，认为“管理制度的制定是基于学校教育、教学及其管理工作的需要”，目的是“提高教师队伍的政治和业务素质，优化教师队伍，建立和完善调动教职工积极性的激励机制，提高教育教学质量，积极稳妥地调整教职工岗位工作量，加大师生比例标准，提高办学效益”。结果是更强调学校效益优先，一切手段是最大限度地挖掘教师潜能，提高学校办学效益。而在 2006 年出台的《中关村中学管理制度》中则认为“学校管理制度是师生员工自觉遵守的行为准则”。它是学校实行民主管理、人文管理的基础，对形成个人的自律习惯和共同的价值观念，建设良好的校园文化，提高学校管理效率有着重要的作用。其目的是通过规范化、科学化和民主化的学校管理制度的建立和实施，推动素质教育的落实和创新人才的培养，促进学校健康发展。由此可知修改后的管理制度突出尊重人性和文化性。它把师生和学校看成是一个“三位一体”的共同体，三者利益紧密相关，制度的执行不仅是为了“管”，更是一个自律的过程，一个自我管理，自我服务的过程。其目的是服务于三者，促进学生、教师、学校共同发展进步。

3. 学校管理制度创新内容凸显人文精神

人文精神是一种普遍的人类自我关怀，是对人生价值和意义的关照，表现为对人的尊严、价值、命运的维护、追求和关切，对人类遗留下来的各种精神文化现象的高度珍视，对一种全面发展的理想人格的肯定和塑造。我校在各个历史发展时期，制度建设内容反映不同的价值观和不同的精神追求。1998年《学校管理制度汇编》的内容分为五个部分，一是学校主要干部职责，二是学校体制改革初步方案，三是工作常规要求，四是各处室工作人员职责及常规制度，五是附录国家教育法规。从内容上看强调的是学校简单的工作、师生关系，师生能做什么，不能做什么；强调教师们要完成什么任务，才会有怎样的报酬，内容少有涉及学校其实是师生的生活场所，以及师生的生活感受，忽视了教师个体发展，忽视教师的职业幸福感。该汇编中的学校内部管理体制改革方案是通过提高教师待遇来提高学校效益。因此手段上采取"工作不计报酬，经常加班加点，经常给学生补课辅导，成绩突出者"结构工资可升级。这样的条文符合当时教师经济地位低的现实。而在2006年修改后的管理制度，首先是结合学校布局进行角色定位，其次岗位职责，再次权益保障。例如，第一章"党政工常规管理制度"共26条，除了涉及干部、教师行为规范条例外，还包括对他们的使用、培养和权利义务条例，其中的第八条教职工病事假工资发放办法、第十四条教职工子女入学的规定、第二十五条教职工表彰奖励制度，则更是体现了学校关注教师工作以外的精神世界。近些年学校所作的一些规划或计划中也充分凸显关注教职员工专业化发展和职业幸福感。例如，2009年学校工作计划标题就是"团结协作建设精神家园，敬业奉献追求幸福人生"。让每个学生健康成长，让每位教师快乐工作，让学生、教师、学校同步发展，把学校打造成师生的精神家园成为学校的办学理想和奋斗目标。中关村中学管理制度内容的变革，反映了关心人，尤其是关心人的精神生活，尊重人的价值，尤其是尊重人的精神层面的价值，它是对教师全面发展的理想人格予以肯定和塑造，并引领教师追求自己独特的精神文化。

（二）寻找现实性与前瞻性的平衡原则

适度性是学校制度制定的基本原则，是指学校的各种规章制度的制定，应从本校师生员工以及学校所处的社区环境、办学条件和工作任务等具体实际出发，实事求是，合理制定。制度建设虽然是一个不断更新和完善的过程，制度的制定要维护其严肃性，一项制度条例不能朝发夕改，否则就失去公信力。因此制度建设不仅要解燃眉之急，更应防患于未然；不应是堵漏型的，应该是预防型的；不仅是回顾性的，更应该有前瞻性和预见性的，要解放思想，要打破陈规，打破已有的思维定势和管理模式，要用创新的思维审时度势客观预见可能出现的新情况、新问题，要用创新的办法破解建设过程中各种难题或困惑。我校在学校制度建设和完善过程中，充分考虑政策的前瞻性和教育的发展规律，兼顾学校实际情况和全校师生利益，努力寻求制度的现实性和前瞻性的平衡点。比如学校工作发展计划和发展目标应做到长短结合，既制定了规范学校现在和将来的《中关村中学章程》，又作出了《中关村中学 2012—2016 年五年发展规划》，同时根据教育发展的形势要求和学校改革发展的实际情况，制订出每年的学校工作计划，推动学校科学、有序、又快又好的发展。学校在分配制度上的改革坚持“效益优先，兼顾公平”原则，政策上向一线骨干教师倾斜，大幅度提高他们的工资水平，为了使改革稳步推进，保障所有教职工享有改革成果，学校对二线职员设立年终补贴、小部门负责人津贴等，这项分配制度考虑到了促进学校教师队伍建设的长远目标，也兼顾到了二线职员的现实利益，从而保证了学校人事制度改革的平稳推进。分配制度的变革反映出制度有严格的约束力，但凡事皆有度，制度亦然，不能把它当成紧箍咒，否则就会过犹不及。这也说明完善学校制度要注重制度的实用性和可操作性，符合学校实际，顺应时代潮流，为大多数人所接受和执行，从而推动工作，促进事业发展。

（三）坚持继承与发展原则

学校制度历经 30 年的变化，体现了师生共同的价值追求。它带有时代的烙印，具有深厚的传统文化内涵和学校显著特点。教育形势的变化、师生队伍的升级换代、新课程改革的猛烈冲击、学校制度的变革势不可当，但是，学校制度的创新不是要全盘否定和全面重建，而是摒弃那些不符合时代发展要求、不符合现阶段办学理念、不符合现在师生实际情况的制度，坚持那些符合教育发展规律亘古不变的真理。我校2006年新修订的《中关村中学管理制度》站在前人的肩膀上，进行了完善与发展。它较多地保留了1998年《学校管理制度汇编》中的条文，但又对条文中不符合现代教育理念的内容上作了删减和修订。特别是对保护师生利益，体现人文关怀的内容有大幅度的增加。例如，原汇编中对教师参与学校民主管理保障性法规“学校教职工代表大会条例”的编写较笼统、简练，虽然提到教代会代表有权提建议或意见以及民主评议干部，但是条文中并没有具体的操作方法以及保障措施。而在修订后的制度中，就学校教职工代表大会制定了细则，章节和条文上作了大幅度增加。为保证代表民主参与权，第八条教代会提案中明确规定教代会提案是教代会代表在广泛征集教职工意见、调查研究的基础上，就学校的改革、发展及教职工普遍关心的问题，按照规定程序，提请教代会讨论、处理，提出建设性意见和建议。新修订的《中关村中学管理制度》充分地展现了学校制度改革创新是一个继承与发展的过程，是对原有制度完善细化的过程。

（四）追求思想文化的引领作用

制度管理主要是外在的、硬性的调节；文化管理主要是内在的文化自律与软性的文化引导。文化管理强调心理认同，强调人的自主意识和主动性，也就是通过启发人的自觉意识达到自控和自律。教师是一个创造性强、要求自由度较高、对较低层次的条条框框反感的特殊群体，他们需要较多的文化管理。2004年学校制定了《学校文化建设纲要》，形成了全校师生员工共同遵守的价值观、办学理念和行为规范，为学校制度建设走向制度文化建设指明了方向。学校把制度建设视为学校文化建设的一个重要方面，制度文化中包括学校长期形成的传统、仪式和规章制度以及师生员工对制度的认同，对遇事循章找据的定势和对各项制度的熟悉与认可。制度文化还包括在学校发展中，领导不断完善制度的管理方式，对高效管理与有效运作的积极影响。它对推动素质教育的实施和创新人才的培养起到了极其重要的作用。《学校文化建设纲要》中明确指出学校制度文化建设的目标就是在现代先进管理理念指导下，通过制度创新，构建一种科学和人文相统一的制度文化，实现学校管理高效、有序。

例如，学校近年重视以教师为本的教师文化制度建设，在高中新课程改革中，不仅关注学生的发展，也重视教师的发展，教师队伍建设是学校“十一五”发展规划的一项重要目标，制定了实现这一目标的主要措施和各管理部门的主要任务。通过完善教师管理制度，实施青年教师工程、名师工程，建设学习型组织，改善管理模式，创新教师培训方式。为教师的发展创设了民主和谐、研究探索、合作分享、团结进取的文化氛围，调动了教师参与专业发展的积极性，发挥了教师主体性和创造性，加速了教师成长成才，推动了教师队伍整体水平的提升。

三、中关村中学制度创新案例

（一）大有作为的教代会制度

2004 年的夏天，学校召开第八届第二次教代会，议题是审议通过新的岗位聘用合同制工资改革方案，本以为这个方案的出台会引来轩然大波，因为之前试行岗位聘用就已经让一些教师感受到了改革的阵痛，而这一次必然会触及一些教师的经济利益。然而，担心是多余的，会上代表讨论虽然激烈，也不乏争执，但教师们的声音却是一致的，方案一次性全票表决通过。更让校长感动的是在讨论中有的代表还认为校长的工资可以更高一些（方案中校长工资低于部分教师）。因为他们认为，校长是一个高责任、高风险的岗位。这是群众对校长的理解和信任。

在学校快速发展的历程中，学校教代会制度建设也历经了从踯躅探索到提速前进，带动着学校民主管理建设进入新的里程。如今，上下互动的民主潮流成为我校教职工政治生活中的一道亮丽风景线。教代会始终推进着学校民主政治建设进程，为学校建设北京市示范性高中凝聚了人心，鼓舞了士气，在实现办人民满意的学校，打造“中关村”基础教育品牌宏伟目标中发挥了重大作用。

随着教育改革的不断深入和校长负责制、教职工全员聘任合同制、岗位工资制的全面实施，学校管理工作中的新问题、新情况层出不穷，要实现深化教育教学和管理体制的改革，促进学校全面发展的目标，需要实行学校决策的民主化、科学化，需要充分调动广大教职工的积极性和创造性。2000年以来，学校进行了以教代会为载体，全面推进学校民主管理的尝试。学校工会团结和引领广大教职工，紧密围绕学校改革发展中心，不断完善和规范教代会制度，认真履行教代会职能，走进帮助广大教职工办实事，搭建起了干群交流的平台，保障了教职工的合法权益，使学校领导的办学意愿与教职工的广泛参与紧密结合，形成合力，推进了学校的民主管理进程，促进了学校跨越式的发展。

1. 建立规范的教代会制度

教代会作为教职工参与民主管理和民主监督的主要形式和基本制度，应该有一套包括计划组织、会议召开、提案处理、决议落实等方面在内的规范有序的运行机制。2001年以来，学校着力完善教代会制度建设，建立了《中关村中学教职工代表大会实施细则》《中关村中学教代会提案暂行规定》《教代会档案资料管理办法》等制度，同时强化制度落实和规范运行机制。按照教代会工作细则做到每年年初至少召开一次教代会，如遇重大决策临时增加会和教代会届满都按期报请区教育工会批准。每次教代会前，工会要召开预备会，并将会议通知、会议议程、提案表等提前以书面形式下发给每位代表，保证代表充分了解会议内容，做好参会准备。每次会议的中心议题都是围绕学校工作任务和长远规划，以及目前教职工最为关注的热点问题，保证了会议集中解决主要问题，提高了会议的效率性。尤其是重视代表提案的处理和落实，每次会前提案组都会将代表的所有提案分类整理，送交有关主管领导。每份提案校长要一一过目，并逐条提出回复意见，学校行政班子也要专题研究这些提案，会上向代表详细答复，事后工会和校长一起督促提案落实情况。在规范有序的教代会实践中，我校深深地感受到重大决策交由教代会审议通过，既保障了教职工的知校情、参校政、督校事的政治民主权益，同时也降低了校长工作岗位风险，保护了校长。因为这种集体决策分散和缓解了矛盾。例如实行《岗位聘用合同制工资方案》，工会在教代会上讲人事改革政策和方向，说明该方案的制订是依据“多劳多得，效率优先，优劳优酬”的原则，又在第七届和第八届教代会上多次征求代表意见，取得大家的认同、理解和支持，使2004年的人事制度改革风平浪静，稳步进行。同样，教职工子女入学问题是长期以来困扰学校的焦点和难点问题，学校退休和在职教职员工600多人，要想解决所有教师子女的入学问题学校没有这个能力，就是解决了入学还有上什么样班的问题，怎么做也不能尽善尽美。矛盾都集中指向校长，怎么办？2004年我们把这个问题作为教代会议题提交代表讨论，最后集中全体代表意见形成了《教职工子女入学的有关规定》，从此以后照章办事，教职工子女入学问题迎刃而解。

2. 培养和提高教职工的参政议政能力

教职工代表的素质直接制约教代会作用的发挥，教代会赋有提高教职工参政议政能力和增强主人翁责任感的职能。针对少数教代会代表过于关心个人利益，对学校改革发展大计热情不高，缺乏参政议政的意识和必要的政策法律水平，学校明确提出要大力加强校园民主政治建设，唤起教职工主人翁意识，培养他们参政议政能力，提高教代会代表素质，把广大教职工的智慧和积极性凝聚到学校发展大目标上来。在选举第八届教代会代表时，重新修订了代表资格和选举条件，一批主人翁意识强、参与民主管理热情高、政策法规水平高的年轻教师被吸纳到新代表队伍中。之后，又召开代表培训会，开展“我为学校做贡献”等活动，积极引导教职工把自身发展与学校兴衰联系起来。2006年第九届教代会以来，为使教代会会议本身精彩有新意，我们将以往由校领导致开幕词改为新当选的工会委员发表当选感言，增加青年团代表祝词，让新当选的工会委员一开始就有了责任感和为教职工服务的责任心；还采用大屏幕播放图文音并茂的干部述职报告和考察汇报来丰富会议内容，提高代表参会兴趣。通过精心的培养，我们的代表提高了素质，明确了责任，他们从仗义执言到提交提案；从只表达个人意见到代表团体意愿；从只关心个人经济利益的小事到关注个人专业发展和学校改革发展的大事，他们真正成了学校的主人，承担起了学校发展的重任。

3. 推行校务公开，强化民主管理，确保“学校大事教职工说了算”

民主管理职能是教代会的核心职能，要发挥教职工参政议政作用，就要组织和团结教职工参与学校管理。要做到“学校大事教职工说了算”不仅需要勇气，更需要公开透明的校务管理方式来保障，所有关乎学校发展和教职工切身利益的重大改革事项，都应该让教职工参与决策，以提高他们对学校改革发展的认识，增强他们的理解与认同。学校以教代会为载体，实施校务公开，向代表们公布学校基本建设工程项目方案，大宗物资、大型设备采购计划，工程招投标等经费的支出使用情况，让教职工知家底，明大事，行使监督权力；与代表们共同商讨学校的发展规划，研究与教职工权益相关的各项规章制度，让教职工充分了解学校在干什么，要干什么，准备怎么干，从知情到参与，集思广益；向代表们宣讲学校制订全员聘任合同制及岗位工资制方案的指导思想和基本原则，让代表们充分了解学校重大改革的背景和方案的制订、修改和出台全过程，清楚地了解涉及教职工切身利益的每一项政策。示范校建设阶段是学校发展最快的时期，学校进行大规模的校园建设，成立了工程（设备）项目评标小组，成员包括工会主席及二分之一的教代会普通代表。在项目招标工作中，所有成员有权充分了解项目情况，参与投标单位的资质审定和实地考察，招标会上发表并签署自己的意见，并监督项目施工的全过程、最终的竣工验收和工程款项支付、决算。例如2007年我校演播厅声学装修工程招标过程中，有两家投标单位得分非常接近，评标小组内产生争议，难以取舍，我们就聘请北京电影学院有关教授作评判，并给出书面审定意见，依照专家意见裁决，杜绝校长或有关干部个人说了算，这样增强了工程项目的透明度，保证了公开公正的选择。学生营养餐食堂采取公开透明的事务管理办法，成立了教师、学生和家长参加的食堂管理委员会，委员会成员定期参加食品采购洽谈会，考察供货商。食堂还向师生公开进货渠道、饭菜的制作过程和成本核算方式，吸收师生参与管理，接受师生监督，这种公开透明的管理方法被海淀区教委称赞为有领先和示范作用，并在全区推广。

4．创新教代会工作内容，关注弱势群体

随着学校人事管理制度的改革，学校大量使用合同工，近年我校这类人员高达近200人，他们从事着代课、食堂、卫生保洁、安全保卫等诸多重要工作，但相对正式教职工，他们的地位和经济都处于弱势。为保障他们的合法权益，学校接受来自教代会的建议，通过培训提高他们的工作水平、文化素养以及经济政治地位。以食堂工人为例，食堂职工大都是外来务工青年，文化水平不高，我们注重提升他们的思想文化素质，每周组织文化学习；节假日组织游长城、颐和园，观看升旗，参观天津航空母舰等活动；为他们购买医疗、意外伤害保险，为结婚生子赠送礼品；为他们统一制装参加学校教职工的运动会和新年联欢等集会活动；务工人员还参与学校教师的“三八红旗手”“五四青年”评选；开展“一人有难，大家帮助”的关心身边人活动，提升了他们的思想境界。特别是2006年以来，每年春节期间派干部驱车几千里前往陕西、山西、江苏、山东等地慰问务工人员家庭，让务工人员深受感动，从而使他们安心工作，保证了队伍的稳定。我们更关心务工人员的成长成才，每年选送10多名员工到友谊宾馆等大饭店学习烹饪技术，到禾谷园配送中心学习面点制作。聘请北京市饮食服务学校教师举办了三期专业厨师培训班，一期营养配餐培训班，所有员工参加了培训，100多名务工青年取得职业等级证书，为务工青年今后的生存与发展奠定了基础。来自陕西农村的务工青年张联康在我校培养下，步入海淀区十大杰出外来务工人员和北京市百名外来建设“文明之星”的行列。关心和培养非在编人员，促进了学校教育教学服务管理工作的良性运转。

学校在制度建设进程中，推进民主政治建设，并取得辉煌成就，荣获了2004年“北京市模范教职工之家”、2005年“海淀区三八红旗集体”、2006 年“海淀区教育系统先进基层工会”、2007 年“北京市教育工会优秀教职工之家”等称号，学校成为了依法办学、民主管理的典范和教职工的精神家园。回顾学校发展的历程，每一个成绩都是学校依照《中华人民共和国工会法》《中华人民共和国教育法》等法规，建立教代会制度，维护教职工合法权益，实行民主管理和民主监督，充分激励和调动教职工的聪明才智，全心全意依靠教职工办学的最好证明。

（二）卓有成效的干部培养制度

干部队伍是学校执政为民的中坚力量。优化的干部队伍结构、优良的干部作风、团结奋进和高素质高水平的干部队伍才能为学校和谐、民主、科学、稳定发展提供坚强有力的组织保证和人才支持。我校建校以来，特别是创建示范高中校以来，全面加强学校干部队伍建设，重视加强领导班子作风建设和提高干部队伍业务能力，坚持任人唯贤，德才兼备，大力培养选拔干部，积极实践勇于探索干部选拔培养的新途径，着力打造一支群众满意的干部队伍。2006 年以来群众对干部的满意度评价均在 89.5% 以上。学校在选好、用好、管好、培养好干部作了有益的探索，形成了自己独特的模式。

1. 打破陈规公开选聘

学校干部队伍建设是实现学校科学发展的必由之路。一支政治强、作风正、懂教育、善管理的高素质干部队伍，就能带领出一批优秀的教师，从而培养出一批合格人才、优秀人才，从而办好我们的学校。然而，长期以来我们一直习惯于“一把手”选干部，管干部。学校干部由校长任用，难免造成有的干部只对上负责，不对下负责，工作被动，牢骚满腹，影响工作，使群众产生不信任。2004 年，正值教育系统深化人事制度改革，学校也处在干部队伍结构老化、人才断层阶段，加之当年合并双榆树中学，又有该校原干部安置问题。如何协调解决这些问题，使学校平稳过渡和向前发展，校长认为干部管理要运用“以人为本”理念和坚持“任人唯贤”的正确用人导向，要打破传统惯例，扩大选人视野，拓宽选人渠道，创新选人方式，逐步形成民主、公开、公正、择优的富有活力的干部选拔任用机制，创造优秀干部脱颖而出的条件。2004 年 6 月，我校首次面向全校教职员工公开招聘，择优聘任干部。干部聘任职位、条件、竞聘程序和要求全部张贴在校门口显著位置。在公开选聘干部过程中，学校严格按照以下程序操作：将除校长以外的干部职位和职责及任职条件向全体教师公示，所有教师均可竞聘；竞聘人员向校长递交竞聘申请书；聘请 6 位海淀区兄弟学校的校长或书记、5 位教代会代表组成竞聘小组；召开竞聘会，竞聘者在会上发表竞聘演说；校长依据竞聘小组测评意见选聘干部；对拟选干部个别谈话，提出要求和希望；校内公示后确定人选。规范的程序操作，提高了选人用人的透明度和公信度，也给所有有志于学校管理的同志提供了一个宽阔的舞台，提供了一个展示自己的机会。这次干部公开竞聘在学校干部选任历史上有划时代意义，一些自觉能力不及或年龄偏大的“老干部”放弃竞聘，而多名一线年轻教师主动参与，学校非常巧妙地解决了当时面临干部多不好安排、年龄结构不尽合理、机构设置不尽完善等问题。多名 30 多岁的年轻人充实到干部队伍中，使整个干部队伍平均年龄从 47 岁降到 42 岁，学历层次和专业化水平进一步提高，4 名区级以上学科带头人进入校级领导班子。适合优秀管理人才脱颖而出，富有生机与活力的干部选用机制，这极大地激发了广大干部教师的积极性、主动性和创造性，政治坚定、能力突出、作风过硬、群众公认、有奉献精神的优秀干部选进领导班子，形成了朝气蓬勃、奋发有为的学校干部领导集体，从组织上和机制上实现干部队伍建设科学发展，调动了干部的工作积极性，激发了干部的创造力，也让一些有真才实学、年富力强的青年人充实到学校队伍中。这次公开选聘干部，群众基础更坚实了，战斗力和凝聚力更强了。

2. “助理”必经之路

虽然在干部培养上要打破常规，营造脱颖而出的氛围，但干部成长有其一定的规律和周期，使用干部不能拔苗助长，操之过急，而是要精心培养，历练成熟。我校通过设置主任助理，创新干部培养方式，形成了一整套行之有效的中层干部培养新机制，有效激活了教职工从事管理工作的积极性，为建立了一支高素质的干部队伍奠定了扎实的基础。学校干部的使用程序是主任助理岗位—副主任岗位—主任岗位。助理岗位，树立干部意识；副主任岗位，增长领导阅历；主任岗位，丰富管理经验。每个岗位，依次升职，不可跨越，以保证培养全面了解、全面熟悉、全面素质成熟的学校领导干部。

主任助理是学校各部门干部后备力量，设置助理岗位很好地体现了干部能上能下的动态管理原则。学校在自主申请、公开选聘的基础上，选用的干部从主任助理做起。主任助理有明确的责任分工，享受干部岗位津贴，同时要承担责任风险。主要任务为协助所在部门领导工作，参加学校行政会议，了解干部工作程序和方式，熟悉学校各部门管理工作。这个岗位最少一年。主任助理大都从一线优秀教师中选拔出来的年轻人，从教师到管理者，需要学习管理的理论和方法，也需要掌握领导的艺术和技巧，才能进行角色转换，在助理岗位上受到本部门干部的帮助和引领，逐步树立干部意识，提高自身素质，增强组织领导能力，经过助理岗位的历练，考核合格的主任助理会定期提升到副主任岗位，完成干部素质的培养过程。主任助理的干部培养方式提高了本部门领导的管理效能，促进了学校人力资源的合理开发和储备，以及高层次、复合型干部队伍的形成与发展。

3. “现场亮分”民主评议

民主评议干部是加强党的执政能力的需要，也是保证教职工行使民主监督权力的具体体现，做好这项工作有利于密切干群关系，调动群众的积极性，也利于促进干部队伍建设，提高干部勤政廉政的能力。学校在推进教代会制度的同时积极探索真正有效的民主评议干部方式，取得了明显成效，我校“现场亮分”民主评议干部的方法在北京市普教系统起到领先和示范作用。

教育是阳光下的事业，要敢于让群众评头论足，2001 年初教代会上，刚刚上任半年的校长勇敢地把自己摆在了干部评议名单的首位，参与评议，并向代表承诺，如果干部满意率低于 70%，就不再任职，而如果校长满意率低于 70%，整个领导班子就自动下台。为了不让民主评议流于形式，避免挫伤代表的积极性，不打击干部的工作热情，2006 年，我们从学生考试客观题填涂机读卡方法受到启发，对干部评议的方式开始了新的探索。我们将评议指标分为工作责任心和勤政廉洁模范作用、学习和运用新知识能力、原则性和管理能力、组织能力和工作计划性、创新力和业绩、亲和力和团结协作力、工作经验和指导能力、书面和口头表达力及教科研能力、服务意识和服务质量 9 大项，每项分为 4 个等级，并赋予其一定分值，形成智能测评系统，制作机读卡。代表评议时，只需依指标对被评议者作出评判后，在机读卡对应的信息点上填涂即可，之后采用光标阅读机读票和计算机数据统计处理，每名干部各项指标所得分值就自动生成了。这种用机读卡填写评议干部的形式简单易用、准确高效、真实安全，它一方面最大限度地减少了人为因素造成的数据输入和统计差错，增强评价结果的真实性，提高工效，另一方面它不署名，不留字迹，让代表毫无顾虑地表达自己对评议对象的真实看法，代表对学校不断改进工作方法的态度非常称赞。改进民主评议干部方式，加强了党员干部的监督与管理，促进了干部的廉洁自律，建立了和谐的干群关系。2006—2008 年对干部评议的结果都是前所未有的理想，平均满意率均在 91% 以上，最低满意率也达 85%。2009 年为了使评议工作愈加规范、公正，我们将读卡器搬到了评议现场，在全体代表们的监督下，秘书组将评议数据输机、统计，评议结果直接传输到大屏幕上，大会秘书处当场宣读每位干部的评议结果。值得高兴的是这次评议干部平均满意率为 89%，校长以 96% 的满意率高居榜首，可见学校干部班子勤政务实，成效显著，赢得了教师们的认可。

4．学习型组织提高执行力

面对教育体制改革带来学校管理理念、知识和方式的重大变革，我校积极应对新形势的挑战，大力创建学习型组织，确立组织或团队长远的价值观和发展观，倡导持续学习和终身学习理念，发挥组织的学习力和创造力，凝聚集体智慧，更新了学校干部的知识结构，提高了干部的执政效率和执政能力，形成了学习型领导干部队伍。

2003 年学校开展创建学习型学校活动，成立了创建学习型干部领导小组，建立了中心理论组学习制度。一是让全体干部树立责任意识、创新观念，充分认识学习是对党的事业、对人民的高度负责。二是通过学习，要求全体干部逐步把理论知识、专业知识、科技知识转化成创造性解决问题的能力，在教学工作中创新发展。三是不断地强化干部的自身学习，用科学的理论武装头脑，不断加强党风廉政建设。四是让全体党员树立不断创新、终身学习的观念。

2005 年开展党员先进性教育活动，学校针对群众意见和建议，向年级组长、教研组长以上干部提出了包括政治、作风、道德、知识和心理的“五种素质”，以及要准确定位、要有工作激情、要有强烈事业心、要公正民主、要善于沟通协调、要敬业勤奋、要有高水平的专业技能、要有执行力、要勤政廉洁、要努力学习、开拓创新的“十条要求”。

学校建立了四条理论学习渠道：党支部—党小组—党员；工会—工会小组—会员；教学处—教研组—备课组—教师，德育处—年级—班主任，三处室—职员；德育处、团队—学生、家长。这种相互交叉的思想教育网络，各有专人负责，保证了政治思想的学习活动有效进行。建立了党员干部政治学习制度长效机制。干部学习每周一次 2 课时。学习会由干部轮流主持，主持人要在之前找好学习推荐材料，学习会上要阐述推荐理由，并带领全体干部一起学习，所有干部要做好学习笔记，学年末，进行好文推荐评比，开展干部学习展示交流，以此促进干部认真学习，提高学习效果。通过学习干部理论水平，干部们书面和口头表达能力显著提高，人文素养全面提升。干部们勤勉尽职，无私奉献，团结协作，赢得群众的称赞。

（三）充满活力的用人机制

人才是学校创新的动力源。加强教师队伍建设，提高教师整体素质成为学校工作的重中之重。提高教师素质的难点在于传统陈旧的传统观念，论资排辈，能上不能下。要“激活教师队伍这潭水”，就要大刀阔斧地进行内部管理体制改革，形成有利于教师脱颖而出的成长环境。如果说2000年学校实行多劳多得的分配制度改革只是触动了旧的用人体制的冰山一角，那么2002年国家人事部下发《关于在事业单位实行人员聘用制度的意见》，则掀起了学校人事制度改革的巨大波澜。这一年学校制定的《中关村中学教职工岗位聘任制方案》，从原来计划经济体制下的单位人事身份管理向岗位管理转变；从行政任用关系向平等协商的聘用关系转变；从大一统的级别工资向以岗位工资为主的分配形式转变。在教师管理中引入竞争激励机制，打破了选人用人论资排辈的观念和做法极大地调动了广大教职工的积极性和创造性，也为发挥他们的聪明才智，实现个人价值提供了更为广阔的空间。随后学校制定了“稳定、培养、引进、提高”的教师队伍建设方针，即稳定现有的骨干教师，加强青年教师和名师培养，积极引进优秀人才，努力提高教师整体水平。以制度改革为动力，引入人才竞争机制，大力吸引优秀人才；实行全员聘用合同，建立按需择优上岗，多劳多得，优劳优酬的激励竞争制度。逐步建立了能上能下、能进能出、有效激励、严格监督、竞争择优和双向选择充满活力的用人机制。

1.“以人为本，人尽其才”的用人原则

人才是学校发展的第一资源。良好的用人机制就是要善于发现人才、用好人才、培养人才、留住人才。发现人才是一种领导能力。我校领导在实施人才兴校战略和人事制度改革中，善于慧眼识才，科学配置人力资源，采取“低职高聘”“年轻人挑重担”等方法，把人才用活，使人才找到自己最合适的位置，让人才发挥最大的效益。例如，学校食堂农民工丁学武自学成才，取得了电子网络工程师等多个文凭，并在电

子维修和网络管理方面有丰富的实践技能，学校领导打破身份界限，把他调整到电教科技中心负责维修学校电子教学设备，让农民工走上管理岗位。这个岗位给了丁老师一片驰骋的疆场，他的技术得以充分展示，赢得师生们的高度评价。

善用人才是本领。学校在使用人才也力争做到用当其时，用在最好的时机；用当其位，放在最好的位置上；用当其长，发挥最大的优势。例如，刘艳老师从 1998 年清华园中学合并过来，一直在初中教语文，成绩平平。学校领导在分析教师队伍状况时，了解到刘老师是北京大学毕业的研究生，外形柔弱，但研究能力较强，学识水平较高，专业功底较深，初中语文老师岗位不能充分发挥她的才能，就把她调整到教科室，并兼任高中的语文课。这次调整果真用到了她的长处，给了刘艳一片成长的蓝天，她干得游刃有余，主持了全国性的高中课改研究项目——“课堂观察”，每年都有论文发表或获奖。经过几年的锻炼，刘艳走上了教学领导岗位。

留住人才更重要，拥有人才就拥有未来。教育的人事制度改革，促进了人才的快速流动，怎样吸引和留住学校精心培养的优秀教师，是各个学校面临的挑战。学校除了为教师搭建发展平台，保障教师权益，实现教师自我价值，以事业留人外，还实行特级教师、学科带头人，骨干教师津贴，学历补贴等多项激励政策，学校破除常规，多次提高外聘优秀教师的工资水平，用待遇留人。但是用情感的力量培养教师的忠诚度，依靠感情维系则是最牢固的留人方式。古人云“士为知己者死”，就是一种感情留人的体现。累并快乐着，这是中关村中学教师们的共同感受。教师们在辛勤工作中，享受着相亲相爱一家人的和谐校园氛围，感动着备受尊重和关爱，体验着校园生活的幸福和快乐。

2. “效益优先，兼顾公平”的分配制度

分配制度改革，实际上是对物质利益的调整，它涉及每个人的切身利益，是学校内部管理体制改革的重点和难点，也是诸项改革的关键。2002 年学校制订了《中关村中学教职工岗位聘任制方案》，开始学校分

配制度的改革，为了保证《中关村中学教职工岗位聘任制方案》合乎民意，改革稳妥，多次把《中关村中学教职工岗位聘任制方案》交给教代会代表讨论审议，广泛征求和吸收代表们的意见和建议，不断完善，保证学校利益和教职工利益的统一。历经两年，《中关村中学教职工岗位聘任制方案》在学校第八届教代会第二次会议上以94%的代表赞成审议通过，并在2004年得以实施。

这次分配制度改革的着眼点是打破分配上的大锅饭，建立效绩优先、兼顾公平的分配机制，调动广大教职工的积极性。坚持多劳多得、优质优酬的原则，充分发挥分配的激励作用，实现了分配制度上的三个突破：一是进行工资结构调整，实行基础工资+岗位工资+津贴+学校奖金的工资构成，将国拨基础工资的40%拿出，在岗位工资中进行重新分配，打破了教师们长期以来认为基本工资是国家给的、不能动的观念，分配档次大大拉开。二是大幅度提高或增加岗位津贴，保证多劳多得，优劳优酬，鼓励勇挑重担。三是岗位工作设置多个档次，管理岗位工资封顶，分配政策向一线骨干教师和做出突出成绩的教师倾斜。四是设立优秀学科带头人、骨干教师、特级教师津贴，以及学历津贴等，对促进教师提高自身素质，追求专业发展具有很好的导向性。改革的最大特点，就是体现激励性，体现教师的劳动价值，满足职业幸福感。

分配制度的改革对广大教职员工产生了深远影响，他们在享受改革带来的实惠、感受改革带来的阵痛的同时，观念发生转变，认识趋于合理，行动更加自觉。它鼓励教师全身心投入教书育人工作，引导教师不断提高自身素质和教育教学能力，对于加强学校师资队伍建设，对人才脱颖而出起到明显的激励作用。

3. 发展、激励、民主、多元的教师评价制度

教师评价制度是教师管理体制中的重要环节，它对教师工作主动性和积极性发挥起着至关重要的作用，正确的评价可以调动教师的主观能动性，也能增强教师的危机感和责任心，激励教师提高教育教学水平。学校改变单一的以教学成绩评判教师工作优劣的方式，更加关注教职工

获得良好的职业感受，关注教师个人的幸福人生和专业发展。学校采取精神感召和物质利益相结合的激励办法，建立了教师发展性评价体系，从多方面认定，从多角度衡量教师的业绩。例如评价对象多元，有家长评价、学生评价和教师互评，尤其重视学生的意见和建议；评价内容多方面，涵括评价教师的道德修养人格魅力、教师对学生的热爱和了解程度、教师的教学成绩、教师的科研能力、教师的创新能力以及教师的工作责任心等。

学校建立了学年奖金、科研成果奖和评优表彰奖励的制度，每两年评选表彰一次，设立“优秀教师”“师德标兵”“教学能手”“勇挑重担先进个人”“公益活动先进个人”等 20 多项综合和单项奖，使每位有特长的教师都获得幸福感和成就感。2009 年学校在教师的评优表彰项目上又增加了学生评选项目，如最具魅力奖、最具亲和力奖、难忘恩师奖、多才多艺奖、最具幽默奖等 8 个奖项。这次评选在师生中引起了不小的轰动，教师们前所未有地重视学生的评价，对丰富学校教师评价体系，增进师生和谐关系有着积极的意义。

第八章 激情与魄力：校长领导力的核心

56年的人生里，有我遭遇严重自然灾害而衣食堪忧的童年时期，有我经历十年文化浩劫而求学艰难的少年时期，也有我欣逢改革开放而渴望学习进取的青年时期。1979年，23岁的我，开始了对科学文化知识和教育理论的学习。至今，我用30多年的教育实践和探索，努力追求着自己的教育理想。一路上，有艳阳高照，有风雨交加，有绚丽彩虹，也有乌云密布。无论怎样，只要用真心去接受去对待，最后总能收获一个艳阳天。

生命是沉甸甸的，但人的能量更是无限的，经历了风风雨雨，我始终相信一句话：性格决定命运。我感谢我的母亲，她让我学会了坚强和担当，我更庆幸我选择了教育事业，它给了我美好的人生和丰盈的生命。纪伯伦说过："从工作里爱了生命，就是贯彻了生命最深的秘密。"一路走来，有付心的心血和汗水，也有收获的喜悦和芬芳。但无论什么，我都无怨无悔。

一、做命运的舵手，在苦难中起航

1956年的春天，我出生在北京周口店龙骨山脚下的一个普通人家。出生后的第二个月我随父母来到北京城里。童年的生活虽然由于家里孩子多、父母都是普通工人家里经济比较拮据，但是由于我是家里唯一的女孩，备受父母宠爱。1971年仅41岁的父亲因患肝硬化过早地离开人世，36岁的母亲既要工作又要照顾我们4个未成年的孩子，作为3个弟弟的大姐，年仅15岁的我，还只是一个北大附中初二年级的学生，我和母亲一起挑起了家庭生活的重担。买菜、做饭、洗衣服、打扫卫生、照顾弟弟，我把每一样家务都做得井井有条。记得1973年初春的一个深夜，母亲腹部疼痛难忍，我要带她去医院，可是家里没有自行车，也没有比我力气大的人，我只好去敲邻居家的门，请一位叔叔用他家的自行车把母亲送到医院，母亲得了急性腹膜炎需要动手术，医生说需要亲属签字，他看我还是个孩子，一定要我找一位成年亲戚来签字，我当时非常坚决地说，"我可以承担全部责任，请你们抓紧时间全力抢救我的母亲。”我果断地签了字。母亲进了手术室，我立即返回家中叫醒 3 个弟弟，给他们做了早饭，等他们准时上学后我又返回医院照顾手术后的母亲。在母亲生病期间，我没有依靠任何亲戚，我凭着自己坚强的性格和在艰苦生活中锻炼出的超出同龄人的生活能力挑起了照顾病人、料理家务、教育弟弟的重担。当时我成了邻居叔叔阿姨们教育自己孩子的榜样。性格坚强，不甘落后的我，在学校是一名班干部，不论是文化课学习还是做社会工作我都努力做到最好。我带头参加各种社会活动，热心集体工作，初二时就加入了共青团组织。

孩时家境的困苦让我早早懂得了什么叫责任，造就了我执著坚韧、不甘人后的性格。我信奉只有自己才能救自己，崇尚百折不挠、顽强拼搏的人生态度。这种性格特点，奠定了我 30 多年教育生涯中敢想、敢干、勇于创新、不怕困难、甘于奉献、一步步走向成功的基础。

1972 年我初中毕业时，大部分同学到北京郊区插队落户接受贫下中农的再教育，我有幸被选入北京第三师范学校继续学习。1975 年 1 月中师毕业的我被分配到北京市颐和园小学工作。从此，我踏上了漫长、艰难的教育工作征程。黄帅反潮流、张铁生交白卷伴我开始了教师生涯，粉碎“四人帮”改革开放伴我不断进步成长。

在小学工作的四年中，我做过班主任、少先队大队辅导员。我恢复了少先队组织，组建了学校的鼓号队，带着孩子们参加国庆游园演出，组织学生为地震灾区捐献学习用品。我同少先队员们一起经历了周恩来、朱德、毛泽东三位伟人离开我们时的巨大悲伤，也和少先队员们一起为我们党一举粉碎了“四人帮”兴奋不已，在丰富多彩的活动中我同孩子们建立了深厚的感情。在他们中间我就是一位爱他们、关心他们的大姐姐。

1979 年 1 月我离开了颐和园小学，来到北京市十一学校工作。在这里我工作了将近 18 年。我把自己最美好的青春奉献给了我喜爱的学校和学生。我也在这里不断学习、进步、成长。我在做语文教师的同时，还担任过少先队大队辅导员，当过班主任、年级组长、校团委书记和政教处副主任。1991 年我加入了中国共产党。1986 年我经过成人高考，进入北京教育学院中文系进行了为期两年的脱产学习，取得了大专学历。1991 年再一次参加成人高考，以优异的成绩进入北京教育行政学院教育管理专业进行了三年的半脱产续本科学习。1994 年获得大学本科学历。1994 年我在十一学校参加北京市中学破格高级教师的评选，经过政治学科文化课和德育系列主题班会双重考核，经历了北京市高评委的答辩，参加了恢复职评工作后的第一次外语考试。我被破格评为中学高级教师。

在十一学校工作的日日夜夜是令人难忘的。1984 年我带领少先队员参加庆祝新中国成立 35 周年群众游行活动，我和孩子们一起顶着烈日练习正步走，国庆节那一天，我穿着白衬衫，戴着鲜艳的红领巾，手举着绿色花环在孩子们的队伍中走过天安门广场；1990 年为迎接亚运会在北京召开，我带领全校共青团员参加长安街沿线的绿地养护工作，维护交通秩序，宣传亚运会精神；我多次组织学生到北戴河、承德、丰宁等地夏令营，到昌平、怀柔、门头沟的军营去军训，我组建了学生电视台和少先队鼓号队，成功地组织过近千名学生参加的庆祝“五四”青年节篝火晚会，还组织了多次深受学生欢迎的科技、艺术和文学讲座和报告会，我虽然没有教过体育，但是我可以用非常标准的口令指挥调动全校 3000 多学生的队伍，指挥近千名共青团员操练。

在十一学校的工作可以说是十分辛苦的，因为学校领导对我的工作要求是十分高的，对我所承担的工作也寄予了厚望。我凭着自己不服输的性格和工作不惜力的精神努力做好每一项我应该做的工作。正是这样的环境给我提供了良好的锻炼机会，使我在一次次同困难做斗争的过程中，增长了才干，我负责的工作多次在市区获得表扬和奖励。在十一学校我多次被评为校级工作能手、区优秀少先队辅导员，被团市委评为北京市优秀共青团干部、北京市青年突击手，被北京市总工会评为爱国立功标兵。在享受成功带给我的喜悦的同时，更锻炼了我的能力，增强了我的自信，为后来担当校长重任，实现办好师生喜欢、家长信赖、社会认可的学校的教育梦想奠定了坚实的基础。

二、撑起教育之舟，扬起理想风帆

（一）用心做教育，感悟教育真谛

1996—2000 年我在中国科技大学附属中学（现中关村中学）担任德育副校长。我从建立健全德育管理制度入手，狠抓日常管理和学生良好习惯的养成教育，亲自主编了《中国科大附中学生德育管理制度》，规范了学校的德育管理工作。在全校开展了班集体建设单项达标综合创优活动，并提出实践性很强的“十要十不要”的具体要求。以演讲比赛、漫画展览和主题班会等形式进行宣传教育，在全校表彰各类学生标兵，以先进典型带动全体，促进了学生文明素质的提高和校风建设水平的提高。

“教育学生爱国，教会学生做人”是我做德育工作的指导思想，我组织学生开展了“我是中国人”“天下兴亡，我的责任”“为中华之崛起而读书”等系列主题教育活动。1999 年在我校建立了北京市第一个中学“周恩来班”，并与全国第一个建立周恩来班的南京梅园中学结为姊妹学校，坚持每年组织在争创“周恩来班”中表现突出的班级赴南京梅园新村、雨花台烈士陵园和南京大屠杀纪念馆参观学习，与南京梅园中学“周恩来班”师生交流学习伟人的经验体会。我创办了青年业余党校，培养优秀的高中生入党，促进学生政治素质的提高，推动学校德育工作迈上新台阶。

我重视校园环境建设，狠抓了以学校校风、校园文化和学校优良传统为主要内容的文化环境建设，抓好学生思想品德和行为习惯的养成教育，组织学生开展了丰富多彩的教育活动，营造健康向上的校园文化氛围并注重师德教育，为学生树立良好的师表形象，建设优良校风。通过校园环境建设，达到促进学校整体教育质量提高的目的。1999 年 4 月我校成为北京市首批校园环境示范校。

我打破了学校班主任津贴发放吃大锅饭的常规，明确了岗位职责，对班主任的工作绩效和到岗到位情况进行了严格考核，按班主任工作的不同年限和工作绩效的情况，按不同等级发放班主任津贴，调动了班主任的工作积极性。

1996 年我主持开办了家长学校，坚持 16 年亲自给家长讲课，用生动的语言和真实的故事以及自己教育孩子的实例，向一届届学生家长传授家庭教育的科学知识和教育孩子的正确方法，使我校成为北京市优秀家长学校。

我热爱教育工作，深知教育作为塑造灵魂的工作，它需要教育者本人有崇高的人生理想和高尚健全的人格，有深厚扎实的业务功底和较强工作能力，更应该有爱岗敬业和无私奉献的精神。因此，我十分重视自身素质的提高，抓紧一切机会学习新知识，不断给自己充电加油。我利用双休日参加心理辅导员培训班的学习，参加教育管理研究生课程班的学习，注意收集报纸杂志上的教育信息和资料，与教育专家交朋友，请他们来学校讲课。关鸿羽、王若叶、赵如云、李春山都给了我极大的帮助。我积极参加高水平的教育实践，曾接受中央电视台的专题采访，也被邀请做学生教育专题节目的嘉宾。我五次应邀到中央人民广播电台做家教热线直播节目。向全国听众介绍教育孩子的经验，回答听众提出的各种问题，受到电台编辑的好评。

我爱学生，喜欢与他们交流思想。我找要求入党的学生谈心，鼓励他们争取早日成为中国共产党队伍中的一员；我找犯了错误的学生谈话，严厉批评他们所犯的错误，耐心帮助他们分析犯错误的原因，给他们改正错误的信心；我与有各种思想困惑的学生交朋友，一次次朋友般的交流，使他们向我倾诉了从未向家长讲过的心里话，解决了他们在交异性朋友、与家长关系紧张、心理情绪烦躁压抑等方面的困惑。为了让学生有一个反映问题、说心里话的地方，我在自己办公室的门口设立了“心桥信箱”，并向全校学生公布了自己办公室和住宅电话。每年通过初一、高一家长学校向新生家长公布自己的电子邮箱。我尽最大的努力为孩子们排忧解难。我尊重家长，理解家长对孩子充满希望又恨铁不成钢的心情，我从不以训斥的口吻同家长谈话，总是以共同教育好孩子，商量教育办法的态度同家长探讨教育方法。一次，一个从某市重点中学初中毕业在我校上高中犯了错误的学生的家长，流着眼泪握着我的手对我说："我是带着挨批的心情走进学校大门的，没想到您态度这么好地与我共同探讨教育孩子的问题。孩子淘气，经常犯错误，初中时我没少挨老师的讽刺、挖苦，我真是害怕接老师的电话，害怕走进学校的大门，今天您让我重新认识了学校和老师，也重新认识自己的孩子，我一定配合学校教育好自己的孩子，不辜负您对孩子的一片诚心。"

做学生教育工作要敢于管理，不怕得罪人；要肯于奉献，不怕吃苦、受累；要能以身作则，样样工作做在前头。我每天早来晚走，巡视校园，检查卫生，见到学生乱扔的废弃物，我总是弯腰捡起，以自己的行动影响和教育学生。1997 年我住院做手术期间也没有停止工作。在病床上我统计家长问卷，批阅了 60 多本班日志，制订出新学期的工作计划。病假未满就投入到了新学期紧张的工作之中，并成功地组织了"纪念周总理百年诞辰纪念活动""音乐会""北京市第六届学生合唱节开幕式"三项重大活动。由于大病初愈，我有时累得上楼都感到吃力，但每次活动成功的喜悦就使我忘记了疲劳和辛苦。1999 年 12 月 26 日，我协助段兴起校长组织全校师生及家长和来宾近 6000 人，在北京人民大会堂成功地组织了学校的"迎接新世纪大会"。作为整个活动的总指挥，从策划整个活动方案、组织艺术团排练演出、联系落实会场、邀请嘉宾及师生的组织动员和接待服务等每一项工作我都亲自组织和督办，特别值得骄傲和自豪的是，我站在人民大会堂的主席台上成功地主持了大会。我感谢段校长有这样的气魄在人民大会堂组织这么隆重的活动，感谢段校长给了我这样难得的锻炼机会。

我多次被评为校级优秀共产党员，两次被评为区教育系统优秀党员，2000 年被评为区优秀德育管理干部，1998 年我作为海淀区普教系统唯一的代表参加了北京市第十届妇女代表大会。

（二）立下军令状"示范校拿不下来，我先辞职"

2000 年 7 月 14 日在全校教职工大会上，我从教委领导手中接过了中关村中学党总支书记、中关村中学校长的聘书。从此中关村中学党政一把手的两副重担同时落在了我的肩上。面对一所正处在办学规模迅速扩大（76 个教学班，3200 多学生，近 300 教职员工）办学质量不断提高、社会声誉良好、知名度已经较高的学校，如何保持过去的成绩和荣誉，如何使这所学校保持良好的发展势头，让学校有所创新和发展，如何带领广大师生再上新的台阶…… 我感到了巨大的压力。从正式任命的那一天起，我整整 5 个夜晚没有睡着觉。一周之内体重减了 5 斤。经过了刚刚上任时的紧张、迷茫，我开始冷静地分析学校的现状，认真思考学校的整体发展。

与老校长交接工作时，我接过的是一份老校长用红笔写着“由新任校长办理”的关于申办北京市示范性普通高中校的教委文件。我的校长工作，就是从带领全校师生努力实现把中关村中学办成北京市高中示范校的目标开始的。这可谓机遇与挑战并存。论机遇，中关村中学 1982 年建校，未赶上 20 世纪 80 年代初改革开放初期教育大发展市区命名重点中学的机会。在 21 世纪，我们绝不能错过通过争创市级示范性高中、跨入市级重点中学的机会。但是，在教育氛围浓厚，名校林立的中关村地区，一所建校时间不长，名气也不大的普通中学，如何在激烈的教育竞争中站稳脚跟，不断发展，展现出自己的优势，打造出自己的特色，名副其实地成为社会和教育行政部门认可的示范性学校，不能不说是个巨大的挑战。因此，上任之初，就做了两个重要决定。其一，恢复使用“中关村中学”的校名；其二，争办北京市示范高中，并且在学校教职工会上立下军令状“示范校拿不下来，我先辞职”。其实，我也知道与名校竞争起来会很困难，但是为了学校更好地发展，就必须从名校的包围中“杀”出一条路，我没给自己留退路，因为我们没有退路。

我带领大家对学校的现状和存在的问题进行了深入的剖析。第一，学校教育观念相对陈旧，过于注重分数和升学率，对学生综合能力的培养不够；第二，教师教学方法比较死板，作业量大，学生课业负担比较重，参加其他教育活动的精力不足；第三，教育科研基础薄弱，大部分教师凭经验工作，不善于通过学习研究，总结教育规律探索科学的教育方法；第四，教师队伍整体水平亟待提高，区级以上学科带头人、骨干教师数量不足。

准确地找出了学校存在的主要问题之后，我带领学校领导班子，确立了以德治校、依法办学，以学生发展为本，以育人为学校一切工作的核心，全面实施以培养学生创新精神和实践能力为重点的素质教育。为学生的发展创造良好的条件，为学生成为高素质、有特长、创造性人才打下坚实的基础这样的办学指导思想；把加强教师队伍建设，加强教科研工作，转变教育观念，作为学校工作的重点；把充分挖掘和利用科技园区的科技教育资源，发挥学校先进的科技活动设施的作用，广泛开展多种形式的科技教育和实践活动，在活动中培养学生的科学态度，探索精神和实践能力，努力形成学校的办学特色，作为中关村中学的特色优势和促进学校进一步发展的切入点。决心带领全体教职员工抓住争创示范校的机遇，经过5—8年的不懈努力，把中关村中学建设成为培养全面、健康、和谐发展的高素质、有特长的优秀中学生的重要基地；领导班子、教师队伍、学校管理、教学设施、校园环境、教育质量达到国内较高水平，在北京市有较大影响，在全国有一定知名度的现代化示范性学校。由于思想重视，认识到位，问题找得准，学校定位符合实际，实施方案可行性强。2001年4月中关村中学申报北京市示范性普通高中校的方案以最佳方案顺利通过了北京市教委专家组的评审。

问题清晰，方向明确，争创示范校方案实事求是、深入人心，全校上下思想统一。我带领全校师生以争取尽快全面达到示范校标准、把中关村中学建设成为北京市示范性高中校为奋斗目标，同心同德，深化改革，扎实工作，全面实施申报方案的每一项内容，以更新教育理念为切入点，开展教师培训，落实“三个工程”（名师工程、青年教师工程、提高教师整体素质的继续教育工程），加强师德建设，努力建设一支师德高尚、业务精湛的教师队伍。提高干部队伍素质和水平，对干部实行了目标管理，建立了比较完善的校务行政会议事规则和比较完整的“目标管理”“层级管理”制度。使教育、教学、总务的各级管理，基本上形成了结构合理、组织有序、信息畅通、协调高效的整体。领导班子团结一致，扎实工作，凝聚力强，真正成了学校改革发展的领导核心。努力贯彻落实全心全意依靠教职工办学的方针，积极推行教职工代表大会制度，强化民主管理和民主监督，鼓励教职工参与学校的改革与发展。由教职工代表大会讨论、审议学校发展的重大问题，形成重要决议。畅通民主渠道，建立了对干部勤政、廉政的监督评价制度。

深化人事制度改革，努力形成激励竞争机制。2001 年教代会讨论通过了“中关村中学教职工岗位聘任制方案”。2001 年 9 月实行了定岗定编，择优上岗，满工作量工作，根据教师的政治、业务水平和教育教学工作实绩，实行了“低职高聘”或“高职低聘”，体现了多劳多得，优劳优酬，通过深化内部管理体制改革，增强了竞争意识，促使每一位教师不断确立自己的新目标，基本形成了激励竞争机制，促进了教育教学质量的提高。2002 年又修订和完善教育教学评价制度和学校各项管理制度，教代会通过了“中关村中学奖励方案”，进一步规范了教师考核评价制度，推进了全员聘任合同制。

努力建立适合本校特点的德育工作体系，注重校园文化建设，培养校园精神，营造健康向上的校园文化氛围，形成了有自己特色的校园文化环境。坚持教学为中心，努力实现教育环境最优化，教育方法多样化，教育手段现代化，构筑以学生发展为本的育人模式积极创造条件，以学生为主体、德育为核心，全面实施素质教育。

经过 3 年的努力，教育教学的自然环境得到了极大的改善，教室安装了多媒体教学设备，改造了闭路电视系统，建成了营养餐食堂、综合报告厅，在楼道建了科技走廊、爱国主义教育走廊、校史教育走廊，基本实现了建设美观实用，整齐清洁的自然环境的目标。全校教职工转变教育观念，改进教育方法，建立新型的师生关系，努力提高教学水平，为学生成长营造了宽松、和谐、健康向上的氛围。以教学为中心，加大了教育内容、方法、手段等方面改革力度，取得了显著的成果。在教育教学活动中注意考虑到学生的个体差异，因材施教，促进不同层次，不同类型和有不同潜力的学生得到最大限度的发展，开设了几十门内容涉及学科以及艺术、体育、人文、社会、技能等各方面的选修课。努力创造适合每个学生个性发展的教育教学环境。到 2003 年，学校从教育教学的硬件条件、教师的思想观念到课程设置和教育方式都发生了很大的变化，成为海淀区教育先进集体，2003 年 11 月通过了北京市示范校评估专家组对学校全方位的评估验收，2004 年 6 月中关村中学正式跨入北京市示范性普通高中的行列。

（三）深化改革、民主管理、搭建平台、打造“梦之队”

1．深化改革，解决并校面临的难题

2003 年对于中关村中学来说是不平凡的一年，7 月学校合并了与我们同时建校的双榆树中学。由于并校，学校面临干部岗位的调整和工资分配调整两大问题。尽管双榆树中学教职工只有五十人，但是中层以上管理干部就有六人，论工资，按照中关村中学现有的工资方案计算，大部分双榆树中学的教师工资会有下降（尽管双榆树中学社会认可度没有中关村中学高，但是由于学校可出租房产较多，学校教职工人数少，学校教师待遇比中关村中学高）。

分析了当时的具体情况，我认为在保持全局稳定的基础上，必须依靠干部聘任和工资分配双重改革，来解决学校发展中遇到的难题。

两校合并后我及时作出了两校干部全部原职务聘任、两校教师全部聘任和双榆树中学教职工在一年之内全部按原学校工资方案发放工资的决定。同时启动了干部聘任和分配方案两项重要的改革工作。经过一年的深入调研和反复的研究、论证、测算和修改，一个符合校情，操作性强，具有激励功能，被广大教职工认可的新的“结构工资方案”在教代会上通过。2004 年 9 月，在合并校一年之后，全体教职工统一实施新的结构工资方案。

在干部聘任上，经过反复思考我采用了全体中层以上干部竞聘上岗的方式，拿出了一套竞聘上岗方案，在全校公示，并广泛宣传动员，允许所有教职员工参加竞聘，组织了中层以上干部竞聘会，邀请学校教代会代表和区内多所学校的书记校长担任评委，为每个参与竞聘上岗演讲

的同志打分。每个竞聘者都进行了充分的准备，在竞聘会上认真介绍自己的工作经历，宣讲自己竞聘的优势和工作设想，干部竞聘上岗，由原来的校长直接聘任上岗变为自己主动要求上岗，由原来被动地让我干，变为主动地我要干，使干部们转变了校长让我干什么我就干什么的观念，形成了积极主动做好自己要做的工作的局面。同时也比较好地解决了从干部岗位转到教师岗位的问题。有几位干部经过慎重考虑，没有竞聘干部岗位，主动转到教师和一般管理岗位，使他们心态平和地、体面地度过了转岗这一关。

两项改革措施，得到了全校教职工的拥护，320 多名教职工没有一人因为并校后的工作待遇问题和聘任问题上访告状，维持了学校的稳定，全校上下齐努力，夺取了争创示范校的胜利。

2. 民主治校，关怀师生，建设政通人和的教育氛围

民主，是现代教育的鲜明特征，是学校在当前基础教育改革和创新中赢得胜利的一大法宝。民主，是一所学校文化的底蕴，是学校教育一个真正可靠的支点，必将为学校的发展注入新的活力，为学校开拓出高层次的文化境界和管理境界。民主不仅是一种政治制度，更主要的是一种以尊重为核心的生活态度和生活方式，而民主的种种要义，如平等、自由、法治、宽容和谦让等需要在日常教育生活中培养和体现。从多年的教育教学实践中，我领悟到了民主的价值和真谛。在校长的岗位上我更加深刻地感觉到，教育改革每前进一步，都必须依靠全体教师的理解、支持和参与，需要教师对改革的认同，需要把学校的决策以民主的方式内化为每一个教师的自觉行动。

从 2001 年开始，我就积极推行了“校务公开”“民主评议干部”，每年在教代会上向代表公布学校经费的来源、支出和使用情况，工程建设项目方案、招投标等情况；公示干部、教职工岗位聘任、考核、评先评优、职称晋升等有关规定、程序和结果，让教职工知家底、明大事，行使监督权力。对于事关学校大事的章程、议案，都是我亲自拿出方案，在干部充分讨论之后，再拿到教代会讨论，举手表决。我感觉，学

校的一切大事都让教师们知道，大家认可，才能让大家真心接受。在2010年实施绩效工资过程中，我们采用校务委员会拿出初步方案，下发给教代会代表，征求教职工意见，根据意见进行修改后发给全体教职工再次征求意见，经过再次修改确定表决方案，在教代会表决前，召开全校教职工大会，对方案修改情况作出全面说明，对所有意见是否采纳逐一做出解释，让全体教职工对涉及自身利益的绩效工资方案有了清晰的了解，使绩效工资方案得以顺利实施。

民主评议干部也是我加强干部队伍建设，促进民主管理的重要措施。在2001年的教代会上，我第一个走上讲台向全体代表述职，接受大家的评议。从此中关村中学正式建立了民主评议干部制度。经过多年的实践和改进，我们已经逐渐完善了评价内容和过程，使之更加科学、公正。2006年我们专门设计了评议干部的机读卡，全体代表当场填卡，当场出结果，当场将结果公开。敢于这样百分之百的透明、公开地评议干部，很少有学校能够做到。这样做的结果是，干部在工作上不仅是对上负责，更重视对群众负责，对学校发展负责。实行干部公开竞聘上岗，坚持民主评议干部，激励了干部转变作风，提高了执政能力，干部在群众中的满意率逐年提高。2011年全校教职工对干部评价平均满意率达到91.4%。在干部团队团结奋进风气影响下，学校形成了和谐奋进的校园工作氛围，各个年级组、教研组、行政服务管理部门形成了像家一样温暖的人际关系和良好的干群关系，科学民主的管理，使得学校进入更加顺畅的运行轨道。

民主的精神是凝聚学校教职员工的力量源泉。为学校教职员工构筑一个温馨的精神家园是教师队伍建设的重要环节。随着教师工作压力的逐年增大，我更加关注教师的健康状况和生存状态，关注教师的职业幸福感。我从尊重他们的权利出发，给予他们更多的人文关怀。学校发挥工会的职能，以开展丰富多彩的活动为载体，加强教师的心理调适和心理保健，增强学校凝聚力和教师职业幸福感。组织教师运动会、春游、秋游和新年联欢，让教职工参与学校重大庆典活动的表演等。同时，利用教师生日、结婚、生子及教师节等时机，采取务实的奖金、精美的礼品、浪漫的鲜花、特别的机会、意外的惊喜、诚恳的座谈、难忘的祝福等方式，表达对教师的感谢，让他们感受工作的幸福和喜悦、付出的回报与快乐。

3. 搭建教师发展舞台，促进教师专业化发展

对于校长来说，要办好学校 ，一定要把教师的发展放在第一位。教师是学校的第一资源，有了教师的发展，才会有学生的发展和学校的发展。

随着教育越来越受到国家和社会的重视，学校之间的竞争也逐渐进入白热化状态，打造学校品牌已经成为校长必须关注的战略性问题，而教师的专业化发展无疑是学校品牌战略领域中的制高点。校长只有抓住了教师的专业化发展才是真正抓住了学校品牌建设的牛鼻子。

还记得在我刚刚担任校长时，在教师队伍建设问题上，最让我感到困难的有两件事，一是，大多数教师教育观念陈旧，重知识传授和考试分数，轻能力培养和综合素质提高，习惯于依靠经验和习惯行事，大多采用简单重复和机械模仿的教学模式，不重视教科研工作，参与教科研的教师极少，学校没有市级以上科研课题，更少有教师获奖；二是，学校区级以上学科带头人、骨干教师的人数在同类学校中处于末位。我曾经看着全区刚刚评出的骨干教师、学科带头人的名单发愁，甚至整夜难以入睡，我认真分析造成问题的原因，思考解决问题的办法。

合理的制度和正确的导向是解决制约中关村中学教师队伍整体水平提升的两大问题的关键，是保证教师团队健康持续发展的关键所在。于是，我将教学水平高、教科研能力强，有思想，敢管理的年轻干部提拔到教学副校长、教科研主任的岗位，设置了教科研中心，制定了教科研奖励制度，自己带头参加课题研究，撰写论文并在报纸杂志发表；带领学校领导班子制定了学校学科带头人、骨干教师评选条件和津贴奖励制度，鼓励教师积极承担教学研究工作，积极参与区教师进修学校兼职教研员活动，鼓励教师多做学校及市区级研究课，并给各教研组长提出了必须为本组教师参加市区级教学研究争取机会的要求，并抓住课程改革

的契机，围绕新课程理念，关注教育发展对教师提出的新要求，关注教师自身发展需要，通过开展多层次、多样化和特色化的校本培训，打造学习型和研究型教师队伍。建立了科学规范的校本培训制度和有效激励机制，在实践中逐渐摸索出适合我校的校本培训模式。

以校为本的培训，推进了学习型学校的建设，为教师走专业化发展之路创造条件，教师的教育教学和科研水平不断提高，我领衔的《以学生为本，促进学生的自主发展》等6项成果荣获海淀区教育科研创新成果奖。58篇论文在海淀区第8—10届教育科研优秀论文评选中获奖，12篇论文在北京市第3—6届基础教育课程教材改革实验论文征文评选活动中获奖。近两年教师在正式刊物上发表的论文有100多篇。

深度有效的校本培训、立足教学实践的教育科研使教师的教育教学理念发生了深刻变化，课堂教学模式和教育方式都更加符合现代教育观点。课堂教学逐步形成“学法优先，书本与实践并举，师生互动，深刻体验知识发生过程，创新精神与基本能力同步发展”的新模式，开放、民主、和谐的课堂教学氛围已经形成。

校本培训为教师的成长搭建了平台，促进教师专业化水平的不断提高，涌现出许多优秀教师。刘新宇老师获全国化学教师课堂教学比赛特等奖，谭天静、徐军两位教师先后被评为北京市特级教师，2007年有8位教师被评为北京市学科带头人和骨干教师，教师队伍建设效果显著，形成了一支理念先进、专业水平高、奉献精神强的研究型的教师队伍。

三、厘清核心价值追求，文化引领内涵发展

学校是文化场所，但文化场所不一定有文化，把学校办成有文化的学校是校长的重要使命。文化建设是学校发展的核心，学校文化的同质化是制约学校持续发展的瓶颈，因为没有哪一所学校的校情是完全相同的。一所学校能否基业常青，关键在于学校积淀的优秀文化能否传承与创新。

中关村中学立足于“培养什么人，怎么培养人”的核心价值观，

根据学校的地理位置、办学历程、愿景需求和价值取向等因素，创新特色鲜明的学校文化，构建独具风格的学校精神。

（一）研究学校文化，凝炼办学理念、构建学校精神

优秀的学校文化是学校的核心竞争力，是学校的灵魂与气质，更多地体现为一种对价值观念的认同与理解。共同的价值观是学校凝聚人心、激发活力的源泉，是一所学校提升管理水平，促进高水平发展的最核心的动力，是形成卓越办学成果的基础。要实现把中关村中学建设成为“在北京市有较大影响力，在全国有较高知名度的现代化、示范性的一流学校”的目标，必须依靠全体员工共同的精神追求，并在此基础上形成共同的价值观。共同的价值观需要在学校文化建设中凝炼。用文化的手段，用文化的因素来进行培育，体现学校意志，塑造学校精神，升华学校价值观。

基于这种认识，2002 年我就带领部分教职工参与了北京市哲学社会科学重点课题“现代学校文化建设和素质教育”的研究，总结提炼出了中关村中学学校文化特征、价值取向，明确了办学理念、培养目标及教师文化和学生文化建设目标，制定了《中关村中学学校文化建设纲要》。进一步明确了学校行政、教育教学、学生教育等各项管理的规则。

以《中关村中学学校文化建设纲要》为依据，通过学习、研讨、反思、实践和提升等方式和渠道培植学校优秀文化，努力建设具有“学习、创新、协作、竞争、民主”文化特征的学校。

爱拼才会赢，是中关村中学人的信念和精神，它伴随着中关村中学每一步的成功、发展和跨越，它是积极的人生态度，体现了中关村中学人对教育理想追求的执著，它是坚定的自我信心，鼓舞着中关村中学人满怀激情迎接挑战和机遇。我带领全校师生回顾学校发展进程中“爱拼才会赢”精神创造出的辉煌，总结凝练精神内涵，构建以拼搏奋进赢得师生成长、成才、成功和学校发展的中关村中学精神。

（二）人本与科学相融，建设人本民主与科学规范相统一的管理文化

学校管理者既要拥有先进的管理理念，学校还需要民主科学的制度作保障。完善学校内部管理体制，重视人文管理方式的确立，以科学管理手段为途径，建设制度文化体系，强调以人为本的思想与科学管理手段的结合，努力形成科学、民主、高效的管理机制。

在制度建设上，我下大力气研究制度文化，把修改、完善《中关村中学管理制度》，制定《中关村中学章程》和《中关村中学五年发展规划》作为学校文化建设的重要组成部分。希望通过建设人本民主与科学规范相统一的管理文化，激活人的内驱力，实现人的行为自我控制。2006 年和 2011 年我两次调动全校师生参与修改《中关村中学管理制度》，制定《中关村中学五年发展规划》，努力建设人本、民主、科学、规范相统一的制度文化。形成了师生共同遵守的行为规范，代代相传的价值取向和共同愿景。为了让学校发展的目标、要求，学校的管理结构及学校文化的核心精神能够更加深入人心，我反复研读《中关村中学五年发展规划》和《中关村中学章程》，提炼出《中关村中学总体发展及管理思维图》和《中关村中学行政管理结构图》，以精练的语言和清晰的结构将学校发展中最核心的内容展示给每一个中关村中学人。

制定科学规范的学校管理制度，并在学校管理工作中全面贯彻落实各项规章制度：落实教育教学管理制度、坚持民主评议干部制度、贯彻教师评价和聘任制度、执行教代会民主管理制度等，在执行和完善各项制度的同时，也把教师的自我检查、自我评价放在突出位置，增强广大教师自我约束、自觉执行制度的能力。重视人的观念和情感在管理中的作用，尊重教师的地位，发扬教师主人翁精神，讲究管理文化，充分发挥人在管理过程中的主观能动性。强调学校领导以身作则给教师们树立榜样，形成人文和谐的环境和民主氛围。

制定《中关村中学学校文化建设纲要》，明确学校文化的目标、内容和实施方案，明确学校基本的办学理念和价值追求。制定《班级文化

建设基本要求》，根据学生年龄特点，确定符合学生实际的教育内容，重视学生良好行为习惯的养成教育，抓好班级常规管理，开展班级建设单项达标和综合创优活动。成立了家长委员会，设立了“心桥信箱”，与周边社区建立了良好关系，形成了家庭、学校和社会三位一体的教育网络。保持家庭、学校和社会沟通渠道的畅通并形成制度，逐步做到学校管理科学化、规范化和制度化。

（三）师德与教风并行，建设严谨务实、创新进取的教师文化

教师文化是教师在教育教学活动中形成与发展起来的价值观念和行为方式，主要包括教师的职业意识、角色认同、教育理念、教学作风等。教师文化渗透在教师的言谈举止中，对学生的发展起着潜移默化的影响。

在教师文化建设中，我积极倡导弘扬人文、合作、科学和创新精神，强调教师要对事业忠诚，尊重理解学生，希望教师们以大气成大器，明大事成大师。引导广大教师树立拒绝平庸追求卓越的拼搏精神，以广大教师的发展，促进学校的发展，逐步形成“严谨务实、创新进取”的教师文化。

教师文化建设要着眼于教师教育观念的更新和专业化水平的提高，我组织全校教师开展以“讲师德、讲责任、比水平、比贡献、看成效”为核心内容的教育活动，加强以提高师德修养为中心的思想建设，通过培训、讲座、考察、学习及聘请专家教授指导等方式开阔教师的视野，形成现代教育新理念。落实“敬业、爱生、育人”的各项要求，规范教师的行为，提高教师队伍的师德修养。树立科学的教育观、教学观、人才观和质量观，积极探索适应学校发展的教育新模式，树立榜样，评选师德标兵，召开先进事迹报告会，弘扬高尚师德。变革用人制度和工资分配制度，起用了教育理念新的年轻教师担任年级组长、教研组长；按工作绩效实行评聘分开，对部分优秀教师低职高聘，对个别在教育教学工作中问题明显的教师高职低聘，打破了分配上的熬年头和平均主义大锅饭，多次修改完善结构工资方案，建立起多劳多得，优劳优酬，竞

争择优，有效激励，充满活力的用人机制。

组织教师制订个人发展计划，引领教师在制定和实施个人职业发展规划的过程中学会认识自我，研究自我，在学校发展的过程中主动寻求自我发展，创造条件帮助教师实现个人发展规划。抓好骨干教师队伍建设，从学校实际出发，按照合格教师、骨干教师、学科带头人、名特教师四个不同层次，开展教师培训工作。开展“我最喜欢的教师”评选活动，加大对优秀教师的奖励力度，鼓励广大教师建功立业。

我带领领导班子研究对教师的奖励策略，建立了教师发展性评价体系，从多方面、多角度衡量认定教师的工作成绩。学校设立了“优秀教师”“师德标兵”“教学能手”“勇于创新”等综合和单项奖共30多项。让学生投票选出自己心目中“最智慧的教师”“最具爱心的教师”“最幽默风趣的教师”“最具魅力的教师”“最多才多艺的教师”等，还设立了中关村中学教师最高荣誉奖“周恩来奖章”。

有效的激励，使教师看到了自己所从事的工作的价值，增强了光荣感、成就感和职业幸福感，使他们对自己的工作有了更大的兴趣、热情和干劲，促进教师走向成功成才，满足教师的成就感，激发教职工参与公平竞争的积极性。

我努力为教师搭建展示才华的舞台，为教师创造展示个性特长的机会，学校有计划地安排在学校教育教学工作中有突出贡献的优秀教师赴国内外进行专题学习考察。近十年，学校累计有400多人次赴国内外参加各种教育考察、学习培训活动，考察内容涉及研究性学习、3+X考试、自主学习、高中课程改革、道德教育、课程设置、教学改革、教育管理等十几个专题，建立考察汇报共享制度。严谨务实、创新进取的教师文化的建设，凝聚了人心，促进了教师专业化水平的明显提升。

（四）科学与人文整合，建设具有校本特色的开放创新的课程文化

课程文化，是学校文化的核心，是按照时代发展的要求和学生发展的特点，对现代社会文化进行选择、提炼而形成的一种课程观念和课程

活动形态。校本课程是课程体系的重要组成部分。学校要为学生提供门类多样、充满吸引力的课程，使潜质不同、兴趣各异的学生能够在原有基础上实现个性化发展。

在推进基础教育课程改革的进程中，课程建设已经成为学校发展的核心内容和决定性因素之一。课程越来越成为学校特色发展的重要内容，也是学校持续发展的核心竞争力之一。没有课程特色就没有办学特色，建设具有学校特色的课程，成为中关村中学建设的战略性任务。

21 世纪是一个赢在创新的时代，以培养创新精神和实践能力为重点的素质教育是当今教育改革的主旋律。我校在以课程开发为切入点的教育创新中赢得了先机。从 2001 年我就开始进行开设校本选修课、活动课和研究性学习的尝试，致力于推行多元化的课程结构，以课程的多样性、计划的灵活性、活动的广泛性来创设课程形式和内容，为不同兴趣爱好、不同发展层次和不同发展方向的同学提供更多适合自己的学习机会。通过多年的实践、反思和选择，形成了一种对话、合作与探究的课程文化，构建了一种开放的、民主的、科学的课程体系。

经过 10 多年的努力我们开发的校本课程已有 200 多种，校本教材有 30 多种，目前每学期开设的校本课程有 30 多门。校本课程的开发建设，促进了教师的专业发展。在校本课程教学实践中，固化特色课程，开发新的课程，进行课例研究，尝试新的教学模式等，使校本课程更加充满活力，更加吸引学生，教师之间的合作与交流也更加深入，促进了教师专业水平的提升。

校本课程的实施，提升了学生的综合素质。校本课程以丰富的学习内容、多样的学习方式，培养学生的动手实践能力、知识应用能力以及创新能力，满足学生兴趣爱好和个性特长发展的需要，也为学生的终身发展奠定了基础。

（五）自主与合作统一，建设昂扬向上、个性完善的学生文化

学生文化是学生学习和生活的特定的文化环境和氛围，包含学生特有的价值观念、思维方式、行为规范等，是学生个体间不断传递着的文

化信息和共同拥有的文化时空，是一种群体意识圈。我校学生文化建设坚持以“文化”为切入口，以德育为核心，注重人文精神与科学素养的统一，注重德智体全面发展与人的个性发展的统一，以形式多样活动为载体，为学生搭建展示才华的舞台，让每个学生在积极参与中体验成功的快乐，在快乐的活动中发展自己的个性特长，实现学生全面和谐而有个性的发展，形成昂扬向上、个性完善的学生文化。

我坚持倡导作为社会主义和共产党的学校，要坚持善用中华民族的优秀文化和社会主义主流文化价值观培养教育学生。

1. 为中华之崛起而读书，建立爱国爱党勇于担当的主流价值观

学生文化，首先是一种精神文化，它通过生动的教育活动，点点滴滴渗透到学生的内心。在学生文化建设中，我们秉承传统，大胆创新，挖掘伟人文化的育人潜力，在师生中开展了学习周恩来精神风范，为中华之崛起而读书的教育活动，从 1999 年在北京人民大会堂命名中关村中学第一个“周恩来班”，坚持 13 年在师生中开展学习周恩来精神的教育活动，在连续开展争创评选“周恩来班”活动的基础上不断创新活动形式。开展了“恩来诗话”讲堂，创作“周恩来班之歌”等一系列教育活动。成立了诗社，组织了“诗言少年志、情系周恩来”纪念周恩来总理诞辰 110 周年大型主题教育活动；在师生中设立“周恩来奖章”，评选、表彰学生和教师中的优秀典型，树立学习榜样，促进学生和教师的成长；坚持 11 年，组织部分班级师生到南京、延安进行社会实践活动，让学生亲身感受被历史记住的周恩来……

我亲自主持策划和组织了两次隆重的颁奖典礼，获奖师生手举鲜花从红地毯走上领奖台，佩戴“周恩来奖章”，发表获奖感言，感动鼓舞和激励了全校师生。

我们坚持举办“优秀学生综合培训夏令营”“青年业余党校”“成人仪式”“毕业典礼”，组织“志愿者服务队”关注贫困地区留守儿童，开展“爱心赠刊文化助残”“同龄人帮助同龄人完成学业”，培养学生的社会责任感；开展“掀开历史画卷，感受爱国情怀”“枫叶海棠红”

主题班会，参观“周恩来、邓颖超”纪念馆，赴南京爱国主义教育基地进行社会实践，开展法制教育，心理健康教育等多项特色教育活动。帮助学生解决成长中面临的问题，引导他们正确对待困难和挫折，促进学生的健康成长，形成积极向上的人生态度。

我们注重弘扬“人道、博爱、奉献”的红十字精神，发挥红十字会活动的育人作用，培养社会责任感，提高生存技能，塑造完整人格。教育他们关心他人疾苦，乐于伸出援手；引导他们热心公益服务，肯于奉献微薄之力。红十字倡导的是赠人玫瑰，手有余香。它是一种“爱”的教育，学生在关爱和帮助他人的过程中，让自己获得助人的快乐与幸福，增强了同情心和社会责任感，积极融入到爱心传递的活动之中。哪里有灾害，哪里有困难，师生们都会主动献出自己的爱心，捐款捐物，尽自己最大努力给人以帮助。学校还经常开展“红十字精神汇聚爱心”表彰活动，鼓励更多的学生投身于红十字活动。

生动的活动使学生更加懂得热爱生活，感恩大自然；热爱祖国，感恩亲人；热爱中国共产党，懂得责任和担当。坚持为社会主义培养建设者和接班人，促进学生形成正确的人生观、价值观。

十多年来，我坚持亲自为业余党校讲党课，培养和发展了20多位优秀高中学生入党。学校至今已命名了29个“周恩来班”，表彰了近百名获得“周恩来奖章”的师生。有十多位同学荣获北京市优秀红十字会员称号，逐步形成了以周恩来为榜样，爱国爱民、追求真理，为中华之崛起而读书的中关村中学主流价值观和学生文化，进一步增强了对高中学生的立志成才教育和理想信念教育的实效性，促进了我校优良校风和浓厚学风的形成，增强了德育工作的实效性，形成了我校德育工作特色。

2. 开展丰富多彩的活动，搭建学生自主发展的舞台

致力于培养每一名学生，让每一个孩子都能发现自己的潜能，努力为他们搭建充分展现自己才能的舞台，让每一个孩子都能根据自己的兴趣得到自主发展，是我的教育理想和追求，也是中关村中学学生文化建

设的原则。

学校建立了学生电视台、广播站、心语小屋、“腾飞”校刊、“枫”团刊等宣传阵地，让学生自主参与策划节目内容，参与校园新闻等电视专题片的采访、拍摄、编辑和制作，师生共同精心制作了多元文化欣赏系列电视片，每天播放五分钟，这些已经成为了深受学生喜爱的校园文化活动。

学生们自主筹备学代会、团代会，自主参与竞选；校园歌舞会、新年联欢会、“周恩来班”命名大会等大型活动完全由学生准备和主持；红十字会活动、值周班工作和班干部轮换制等为学生创造了展示才干和锻炼能力的机会；一年一度的学习节、艺术节、体育文化节和科技节，为学生搭建了展现个性特长的舞台。同学们在积极主动的参与和反复实践的过程中，增强了责任意识，提高了自我管理、自我服务和自我约束的能力。美好的道德情操、高雅的审美情趣和良好的行为习惯在健康向上的校园文化活动中逐渐形成。

学生科技、艺术、体育社团既是学校向外界展示办学成果的窗口，更是学生展示才能、发展特长和培养能力的舞台。社团不仅培养了学生正确的审美观念和高尚的审美情趣，磨炼了意志品质，培养了合作精神，还提高了人文素养、科学素养和社会责任感。带动全体学生全面素质的提高，这种普及与提高相结合的提高学生综合素质教育的形式构成了鲜明的学生文化特色。

学校还建立了摄影、篮球、击剑 、跆拳道、健美操、舞龙、舞狮、武术、急救、无线电测向、智能机器人、头脑创新思维等 33 个学生特色社团。社团活动多姿多彩，从首都北京到黑龙江漠河，从内蒙古草原到西沙群岛，从泰国曼谷到美国华盛顿都留下了同学们深深的足迹。

发挥地域优势，营造崇尚科学的校园文化氛围。积极参与国家级特色高中学校建设课题研究，基于我校实际，充分发挥我校地源优势，申报了“整合教育资源，提升科学素养”高中特色发展试验项目，确立了以在学生科学素养培养方面为特色的学校发展之路。

把学生的研究性学习与科技活动相结合，聘请科学家讲师团作科技报告；组织学生参加中科院科技开放日，引领学生走进国家开放实验室参与科学研究。在“我为奥运做贡献”活动中，学生进行“建筑用的聚合物对植物生长的影响”的课题研究，向北京市政府提出了“绿色奥运”要在迎接奥运的过程中体现到位的建议；开展了“校园绿化设计方案大赛”通过生活环境状况调研，学生思考并提出了环境改善措施。他们做了“神奇的板擦设计方案”“绿地浇灌的节水方案”“居家通气管道的改造”等几十个贴近生活的研究项目。多名学生获北京市青少年科技创新大赛一等奖和二等奖。学生们在丰富多彩的科技活动中，获得最前沿的科技资讯，感受科学家献身科学的精神，培养了探寻科学奥秘的兴趣，提高了科学素养，获得了自主发展。

重视学生的身心健康，倡导“健康第一”的教育理念。在全校普及篮球运动，保证班班有球队，年年有联赛。以各种规模和形式的篮球比赛为载体，发展每个学生的篮球运动基本技能，达到健体目的。丰富体育活动内容，将抖空竹、板球、藤球、踢毽子、跳皮筋、舞龙、舞狮、武术、太极等学生喜爱的民族体育项目引进到课外体育活动中，在活动中，传承中华民族优秀的体育文化。体育运动队硕果累累，高中男子篮球队获得全国亚军，北京市冠军；田径队在市区比赛中成绩突出；武术队十六次蝉联“北京市中小学武术比赛”团体冠军。两名同学获得全国中学生跳高冠军，成为健将级运动员。多名同学作为体育特长生进入北大、清华学习。2004 年成为北京市健康促进学校，2009 年成为第一个“全国青少年健康教育基地校”。

（六）秉持渗透爱国科学思想，建设设施先进、环境优美的校园物质文化

校园是广大师生学习、工作、生活的主要场所，良好的校园环境不仅是完善教育过程必不可少的条件，也是影响学生精神世界的手段，它对于促进学生全面发展，实现素质教育的目标有着独特的作用。

学校物质文化是学校文化的物质形态，是现代学校文化的重要组成部分。我校建筑文化的建设、学校绿化与美化、学校标志的设计与制作

均体现了“爱国与科学相渗透”这一独特的风格和文化内涵，潜移默化地影响学生的观念与行为，促进学生良好的思想道德修养的形成。

在学校环境建设中，重视学校思想教育基地建设，营造学习伟人精神，传承中华民族优秀文化的物质文化环境，突出爱国、爱校教育及树立正确人生观、世界观和价值观教育。1995 年在校园内矗立起毛泽东、周恩来、邓小平三位伟人的雕像，2000 年建成“做一个堂堂正正的有骨气的中国人”的石雕，2007 年重建了以党和国家领导人及著名学者、名人为中关村中学题词的育人厅。在学校连续 13 年开展学习周恩来精神，为中华之崛起而读书，争创“周恩来班”“周恩来奖章”教育活动的基础上，为了让广大师生更加深入地了解周恩来青少年时期为中华之崛起而读书，为中华民族的复兴建立的不可磨灭的历史功绩，促进学习周恩来的特色教育活动向深入发展，我校争取到海淀教委三百万元的投资，建设一座“周恩来励志馆”，为进一步开展爱国主义教育，革命理想教育，开辟了新的课堂。

建立和完善科普教育场所，突出科学教育的物质文化建设。在原有天象厅、天文台、地学室、史学室、星空走廊和野生动物标本馆的基础上，我校又建立起气象站，科技走廊、艺术走廊、体育走廊，并将征集到的 150 多位院士为我校的题词，展示在图书馆、电子阅览室及大厅的墙壁和柱子上，还建立了院士题词展厅，在校报上连载由我校教师和学生采访和撰写的院士的故事，出版了《院士的故事》一书，用科学家的爱国情操和献身科学的精神教育和激励师生。学校现已成为科普教育基地校。

寓意追逐梦想，展翅高飞的校园雕塑“飞翔的梦”；表现爱国、爱校、科技等不同教育主题的文化走廊；体现班级特色，展示班级风貌的互动式班牌；设备一流的天象厅、天文台和气象站；独具特色的星空走廊、地学室、史学室和现代化高水平的演播厅；风格各异的管乐、民乐、舞蹈、合唱排练厅及篮球、武术、健身、美术、书法、乒乓球和击剑等专业活动场馆；国际一流，馆藏野生动物标本 45 目 376 种 910 件的野生动物标本馆等有特色的人文环境及四季常绿、鸟语花香的自然环境，营造出了浓浓的独具特色的育人氛围。为学生开展各种教育活动提供了有利条件。

学校的众多建筑建设年代不同，风格不统一，在 2002 年开始实施的示范校硬件建设中，我校对新建与改造进行了统一设计，外立面统一贴灰色墙砖，每座楼都设计了橘黄色铝塑板装饰，经过 4 年精心的设计和施工，2006 年学校完成了所有建筑的建设和改造，一所凸显现代风格和青春活力的中关村中学展现在师生面前。

多年的精心建设，我校已初步形成了具有中关村中学文化特征的校园物质环境，营造出一种爱国、爱校、爱集体、爱科学、尊师守纪、奋力拼搏的育人氛围，为提高学生素质、发展学生特长奠定了物质基础，形成了独具特色的环境文化。

四、主宰自己命运，享受幸福人生

成功的事业、美满的家庭、健康的身体是幸福人生的三大要素，我追求和创造着自己幸福的人生。在艰难的跋涉和奋力的拼搏中我享受着工作学习的快乐、家庭生活的幸福和教育人生带给我的光荣和自豪！

（一）无畏苦难命运，铸造不屈性格

从初中毕业选择了教师职业至今，我在教育第一线奋斗了 37 年，从一名中师毕业生，一个普通教师成长为一名共产党员，一名中学高级教师，一名可以领导一所近 4000 名师生的完全中学的校长。我走过了一条艰辛的道路，我有很多的感受。我感谢党和人民对我的培养，感谢广大教职员工对我的支持和帮助，感谢家人和朋友们给我的关心、鼓励和帮助，但我更要感谢从小艰苦的生活给我的磨难和锻炼。是这种特殊的生活经历，造就了我独立、坚强、开朗、敢于同困难进行斗争，永不服输的性格。我从小没有大人可以依靠，我用稚嫩的肩膀帮助母亲挑起

了生活的重担。我信奉只有自己才能救自己，我崇尚百折不挠、顽强拼搏的人生态度。

我的大专和续本的学习都是在极为艰苦的拼搏中坚持下来的。由于没有学过高中数学，第一次参加高考时，数学几乎得了零分，总分受到了很大影响，我以几分之差落榜。为此，我也感到沮丧，也曾经情绪低落，但是，我很快地调整了情绪，振作精神开始为参加第二年的考试做准备。我觉得怨天尤人是没有用的，还是要依靠自己的努力。我除了认真准备文科的内容外，还参加了数学补习班，用了一年的业余时间，补习了初中和高中的数学。天有不测风云，正在我全力以赴迎接考试的关键时刻，4 岁的孩子突然患肺炎住院。我在医院陪床两个多星期，不能参加补习班的学习，我曾经动摇了，但是强烈的学习愿望使我克服了困难，坚持一边陪床一边学习，这一次数学我得了 50 多分，以总分高出录取分数线 100 多分的优异成绩被北京教育学院中文系录取。在专续本的考试中，我也经历了严峻的考验，当时参加考试复习辅导的有 200 多人，当听说学院的录取名额只有 20 人的时候，许多人都打了退堂鼓。我当时只有一个信念，我必须考到前 20 名，我必须坚持，最后我以第十名的成绩被教育行政学院录取。

我认为困苦与逆境并非完全不利，逆境有时正隐含着更大的成功因素，只要你在困苦的环境中没有被击倒，你用自己的毅力和精神征服了困难，不利的因素就能转化为成功的种子。贫穷和困苦能够磨炼出你的百折不挠的韧性和坚持到底的毅力。关键是自己必须要做自己命运的舵手。

（二）读书启迪思考，学习促进成长

我觉得当今社会最重要的就是学习，只有不断地学习，才能在这个知识更新极快，新事物不断涌现，竞争十分激烈的社会生存，才能真正实现做一位优秀的教育工作者的愿望。所以在历次学习中，我都取得了优秀的成绩，多次被评为优秀学员和三好学生。我努力争取每一次进修

学习的机会。2001 年 7 月我刚刚结束了北师大教育管理研究生课程班的学习，2001 年 9 月又参加了海淀教委和人民大学合办的 MPA 研究生课程班的学习。我当副校长的时候，为了争取研究生课程班学习的机会，曾经在学校的行政会上明确表示，评先进我可以让，涨工资我也可以让，但是学习的机会我绝对不让。

2000 年担任了书记兼校长的职务后，我觉得自己好像是一个大家长，家里什么事情都需要自己操心做主，我感到肩上的担子特别重，压力也特别大。这时候我想做的第一件事，就是要学习，学习教育理论，学习国内外先进的教育管理经验，学习新的教育技术，树立新的教育理念，做一个符合时代发展要求的新型校长。2003 年我作为海淀区第一批赴国外参加培训的校长团的成员，在加拿大学习了两个月，学习期间，我写了四万多字的日记，代表学习考察团执笔写了一万多字的考察报告并制作了 Powerpoint 投影片。

每一个寒暑假我都会集中时间读书学习。我喜欢读肖川教授很有个性的教育专著，喜欢看各类教育报刊杂志上最新的教育研究文章，也时常关心国外教育发展的历史和最新动态，我会把我认为好的文章推荐印发给学校领导班子成员，也会把学习体会介绍给全校教职工。我认为建设学习型社会，活到老，学到老是社会发展进步的需要，建设学习型学校，校长应该做表率。每当我遇到困难，一时找不到答案时，我首先想到的就是学习。我越来越感到不学习就不会有学校发展的新思路、新办法，就不会有学校发展的新突破。

我珍惜每一次学习机会，2006 年 11 月，我有机会参加在上海华东师大举行的高中新课程改革校长培训班，一个月的学习中，我克服了母亲和姑母双双重病住院的困难，坚持认真学习，按规定学习期间只要完成八篇作业就可结业，我把双休日的时间也全部用于学习和思考，一共写了 15 篇文章，完成了《中关村中学实施高中新课程改革行动计划》并将其做成图文并茂的 PPT 文件，在全体学员会上交流，比其他学员多了一次接受专家点评和指导的机会。

读书学习、思考实践，使我成长进步，近年来，共有20多篇文章获奖，多篇文章在国家核心期刊《中小学管理》《中小学校长》《基础教育参考》《北京教育》《初中教育研究》发表。多次应国家教育行政学院、青海省教育厅、中国教师报、基础教育参考等处邀请赴全国各地讲学，还应中央电视台邀请，做“健康之路”“心理访谈”节目的嘉宾。2005年赴台湾参加第八届海峡两岸家庭建设及亲子教育学术研讨会，并作了《独生子女的特点及教育》的专题发言。2009年受中国教师研修网之邀，我与龚正行、曲艳霞、张继东校长一起做了《校长职业生涯设计》专题节目。2011年由光明日报出版社出版了个人专著《生命因教育而精彩》。

（三）张扬生命激情，感受教育幸福

我是一个性格直爽，办事痛快，为人正直，充满激情的人。我心直口快，对我不满意的人和事敢于直截了当地批评，但有时不太注意场合地点，态度不好，让人感到难堪。但是了解我的人能够理解我，接受我的批评帮助。工作中我既有女性的细致、周密的特点，又有男同志干脆、痛快、麻利的风格。我曾经成功地组织了1999年12月26日在北京人民大会堂召开的有4000多师生和2000多家长和来宾参加的“中国科大附中迎接新世纪大会”。从设计活动整体方案，联系活动场地，落实大会的每一项内容，到组织各个部门的具体分工，准备大会程序，亲自执笔写大会主持人的串词，我样样工作都做得非常细致，严谨，力求完美，不出漏洞。我凭着自己在多年工作中锻炼出来的组织协调能力和在重大场合从容应变、不慌不乱的经验，成功地完成了大会总指挥兼大会主持人的艰巨任务。整个大会和文艺演出在规定的时间准时开始，提前3分钟结束。整个活动紧凑有序，没有出现任何漏洞和问题。受到领导来宾和人会堂工作人员的高度评价。这次活动准备了将近2个月，在组织活动的过程中，我经常忙的上厕所都是一路小跑，为了做好大会活动方案，我经常是夜里12点以后才能休息，有时我累得下班回家爬三

楼都要休息一下。但是我得到了一般人得不到的锻炼机会。此次活动的圆满成功更增强了我的自信。

我善于通过形式多样的大型主题活动进行教育，我认为活动是实施教育的有效载体，素质教育不是一句空话，它需要通过课堂教学、社团活动、社会实践和主题教育活动等多渠道来实施。各种活动会在学生的成长中发挥重要的教育作用，给每个孩子的学生时代留下深刻的印记和美好的记忆。由于多年从事共青团和德育工作，我经常会酝酿和策划学校重大教育的活动。2004 年 6 月当我刚刚接到从美国打来的我校获得第 24 届国际头脑奥林匹克金奖的报喜电话后立即就策划了一个庆祝大会，并于获奖学生凯旋归来时及时召开了有区委书记参加并讲话的庆功大会，以鼓舞士气，扩大影响。2006 年的中关村中学五年建设成就庆祝大会、2007 年的首届周恩来奖章颁奖典礼、2007 年建校 25 周年大型庆祝活动、2008 年“诗言少年志，情系周恩来”纪念周恩来诞辰 110 周年大型诗歌朗诵演唱会、2009 年“我与祖国共奋进”庆祝新中国六十华诞暨第二届周恩来奖章颁奖活动等一系列大型主题教育活动都为学生搭建了展示才华的舞台，每一个受到表彰的师生，每一个参与表演、担任主持、参与接待服务的学生都得到了锻炼的机会和成功的体验，增强了自信，每一次活动的成功举行，都增加了师生热爱中关村中学的情感，给每一位学生留下难忘的印象。

我热爱教师这个职业，热爱每一个学生，珍惜作为中关村中学校长对学生进行教育每一次机会。我满怀激情地参加每一次高中学生的成人仪式和毕业典礼，参加初二学生的青春誓言、初三学生的百日冲刺等主题教育活动。每一次，我都会根据活动的内容，结合平时所了解的情况作充满激情的即兴发言，我赞美老师的奉献、夸奖学生的进步。我给每一个跨入成人门的学生发成人纪念册，给每一位高三毕业生颁发毕业证书，我与他们握手、拥抱，我夸男生帅气、睿智，一看就像成功人士；夸女生漂亮、美丽、有气质。我把最美好的语言献给老师和学生。每到中考和高考冲刺阶段，我都会更加关注老师和学生，我走进每个教室，满怀激情地给他们鼓劲，加油！

我对学生的关心、热爱，赢得了学生的理解和爱戴，学生们会老远地隔着窗户主动地和我打招呼，他们会真情地对我说“校长，我真的很想您”，就是我曾经很严厉地批评教育过的学生也会说“校长，我知道您是真心为我好”，他们在新年联欢会上亲切地叫我“邢妈妈”。这一切使我感到了教育人生的幸福。

我希望把我的热爱、理想和激情融入到学校各项工作中，并希望能够形成文化，让师生们在这种文化熏陶中收获一种激情、希望、幸福和感动。

（四）事业家庭兼顾，享受幸福生活

我热爱生活，我认为幸福人生一定是既有成功的事业，又要有幸福的家庭和健康的身体，三者缺一不可。

我是一个工作、家庭兼顾的人。我有事业心，也有很强的家庭观念。我能够很好地料理家务，处理家里大大小小的生活琐事，我爱家庭每一个成员。我有一个温馨和睦的家庭。

我爱人和我既是同学也是同行，我们经常探讨教育问题，我们曾经联手组织两个学校的学生和老师赴延庆深山区他曾经插队锻炼的地方开展夏令营活动。

我有一个令我骄傲和自豪的儿子。我注意从孩子小的时候就培养他养成良好的生活、学习和文明礼貌习惯，教育他学习做人的道理，培养他的责任感。我教育孩子要与人为善，要尽自己最大的努力帮助有困难的人，不要怕自己吃亏。所以我的孩子不论走到哪里，不论做什么事情总是认认真真，老师对他的评价就是一句话“有责任感”。他在清华大学工程物理系本科毕业后被推荐继续读研，2006 年进入中国科学院空间科学与技术研究中心工作，2007 年被破格晋刀为中级职称，并连续 3 年评为先进工作者。

“家和万事兴”。我结婚近 30 年，婆婆在世时，我一直与婆婆住在

一起，我们婆媳之间互相体贴，如同母女。

工作30多年，单位换了3个，岗位也换了多次，不论走到哪里，不论和谁配合工作，我都能与人愉快合作。2006年被海淀区教委评为“事业家庭兼顾先进个人”。

陀思妥耶夫斯基说过：“人活在树木和水塘之间，活在劳动和精神自由之间，活在诗歌和艺术边缘，活在有尊严和挚爱的生活之中，必定会活得舒服些。”我努力使自己成为懂生活、享受生活、享受生命、享受工作乐趣的人。我追求时尚，追求有品位的现代人的生活。

我44岁时学会了开车，领到驾照的当天晚上就迫不及待地开车在四环路上跑了整整一圈，我喜欢做具有一定挑战性的事儿，我敢于开车去我从来没有去过的地方，即使去过的地方，我也经常改变行车路线，希望在自己的探索中闯出一条捷径的新路。

我虚心向儿子学习计算机操作，一次性通过了计算机四个模块的考试。2001年我带着刚刚买来的当时还算是新鲜玩意儿的数码相机，带领学生赴澳大利亚交流访问。我愣是凭着说明书和敢于动手操作的一股愣劲儿，搞清楚了数码相机使用的操作方法，为这次活动留下了珍贵的资料。无论是给高中学生做讲座，还是向全校教师汇报我外出学习的体会以及自己外出作报告，我都喜欢做投影片，从搜集资料、写成文字稿到处理照片制作出图文并茂的片子，都是我自己独立完成，我不少的双休日都用在了这样的工作上。

我特别喜欢听蒙古族歌曲，喜欢德德玛、齐峰和藏族女中音歌手降央卓玛。我喜欢蒙古长调那讴歌母爱、赞美生命、诉说爱情，歌颂草原、表达人们对命运的思索的直抒胸臆的歌词，我常常在那高亢悠远、舒缓自由的曲调中体会着草原那苍凉雄浑、辽阔壮美的气势和天籁心籁完美统一的意境。

我一直都在努力改变刻板、沉闷、传统的校长形象，希望自己成为真正意义上的现代教师，现代校长。

（五）担当社会责任，履行神圣职责

我热爱教育工作，更热爱养育我的祖国和人民。我有强烈的社会责任感。2003 年我第一次当选为海淀区第十三届人大代表，2006 年和 2011 年我又持续当选为海淀区第十四届第十五届人大代表。2008 年我成为北京市妇女界的市政协委员，2009 年被聘为北京市兼职督学。

我衷心地感谢广大选民对我的信任，我也深感代表肩上的责任重大。人民代表是人民群众的“代言人”，肩负着代表人民行使国家权力的重要责任。我把自己当做反映人民群众意愿的使者，当做政府连接人民群众的纽带和桥梁。在人代会上我提交了“关于亟待根治科馨、科煦社区城中村问题”“关于在中关村南二街南口设立交通红绿灯管制的建议”“关于政府应鼓励和扶植有条件的中小学自办学校食堂的建议”“关于以改革创新的精神，推进海淀基础教育优质均衡发展”等提案。在参加大会期间，我向政府有关部门反映了中关村地区老旧小区，公共设施破旧，安全隐患多，管理混乱的问题，呼吁加强老旧社区的改造和管理，为居民创造良好的生活环境。我还在北京市第十三届政协大会上，积极联系市政协委员反映广大社区工作者工作负担重、待遇低等问题，联名向市政协提交了“关于进一步提高社区工作者待遇”的提案，尽自己的努力向政府呼吁重视社区工作，关心社区工作者的工作和生活。还向市政协提交了“关于统一幼儿教育标准，提高幼儿教育整体水平，解决入园难，收费高问题”“关于加大对中小学科技、艺术、体育教育专项投入，保持北京市的素质教育在全国领先水平”“关注高中课程改革，发展优质高中教育”“关注学校和教师的安全，维护教育尊严，保障教师权益”“整合医疗资源，快速实施对突发急症中小学生的救治”等多个提案。

2009 年 6 月我还组织了“人大代表进校园，共话教育新发展”的活动。15 位中关村地区的人大代表参观考察了中关村中学，听取了学校文化建设汇报；参观学校教育教学设施设备；观摩科技、艺术、体育

等学生社团的活动，代表们近距离了解教育的发展变化，为教育发展献计献策。

2007年、2008年和2009年连续三年，我认真参加选民接待日活动。大爷大妈们排着队向我反映情况。我耐心地听取每一位居民的意见，认真记录，每次都能接待十几位选民。为了更客观地反映情况，我还深入到居民区实地考察，拍下了许多照片。我及时认真地整理居民的意见，将问题和意见分为"城市管理""社会保障""社会治安"三大类。最后将问题交到主管单位，向他们反映了群众的呼声。

作为海淀区人大代表，我积极参加街道组织的爱心拍卖活动，个人购买3500元的拍品，为地区贫困居民献上自己的爱心。

认真学习，提高自身素质，明确职责，为人民办实事；努力工作，不负选民重托。这就是我对自己做好人民代表的要求。

经历了那么多苦难的日子，我没有抱怨，也没有忧伤，我相信"天将降大任于斯人也，必先苦其心志，劳其筋骨，饿其体肤，空乏其身"。经历的苦难已成为我生命中的一种成长，一种历练，一种无形的财富。"宝剑锋从磨砺出，梅花香自苦寒来"，我常常想如果上天没有赐予我苦难，我是否能有今天的收获？不会！我感谢苦难，感谢命运。

这一生，我选择了教育，选择了与孩子们在一起的工作。我热爱自己的事业。今天作为一名有了一点点成绩的中学校长，我想说的就是，无论是做教师还是做校长，最重要的是，你必须尊重你的学生和家长，尊重你的部下和老师，要相信他们能行，要努力创造适合他们的教育环境和工作环境。要为他们的成长、为他们施展才华，搭建平台。让他们在你这里心情愉快地工作学习。特别是作为一个校长必须用自己的学识和能力征服人，用你的宽容和真诚感染人，用你的勤奋和人格魅力教育人。

我希望我的教育是阳光的，我希望我的校园永远洋溢着欢乐、激情、幸福和梦想的气息，孩子们的生命是灵动、丰盈和深刻的，我愿和他们在这里留下刻骨铭心的回忆、留下欢快的激情和幸福的感动，当他们离开学校的时候，要带着梦想离开，带着对生活的无限热爱和对生命的无限追求在留恋中幸福地离开。

记得美国作家洛根在哈佛大学演讲时曾说，人的一生有两大目标：第一，得到你想要的东西；第二，享有你得到的东西。只有最聪明的人才能实现第二目标，当工作成为快乐的要素时，我们的生活就会被滋养得美好起来，把感悟教育的幸福作为自己的“另一种使命”，把教育事业当做一种“幸福的体验”，把对孩子的欣赏和赞扬作为师生沟通、互动的桥梁……

中关村中学成就了我的教育梦想，在这片沃土上，我耕耘，我收获，我快乐，我幸福！没有大家诚挚的关心和帮助，真心的理解和支持，善意的批评和宽容就没有我的今天，没有中关村中学的今天。我衷心地感谢大家，感谢中关村中学！

第九章 面向未来，持续发展

2012年对于我校来说，是特别值得庆祝的一年。年轻的中关村中学迎来了建校30周年的喜庆。《论语·为政》中有“三十而立”之说。30岁，对于一个人来说，在此前阶段的学习实践和充实自己修养的基础上，能依靠自己的本领独立承担应承受的责任，更加明确自己的人生目标与发展方向。30岁的中关村中学，在三任校长的领导与近千名教育工作者的前赴后继，努力拼搏下，已经成为一所北京市年轻的示范高中校，拥有了良好的办学声誉，先进的办学理念，优势的内外环境，优良的文化传统，优秀的师资力量，优质的办学设施，以及越来越高的知名度和社会影响力。可以说，30年一页，我校已经描绘了一幅壮阔斑斓的学校教育发展图景。在30年这个特殊的历史时期开启之际，在回顾30年历程的同时，我们应该更加关注世界发展，着眼教育未来。

在世界经济飞速发展，教育面临变革的今天，中关村中学迎来了难得的发展机遇和新的、更大的挑战，办好中关村中学是社会赋予我们的重大责任和光荣使命。我们在思考如何围绕贯彻落实《国家中长期教育改革和发展纲要（2010—2020年）》，实现学校新一轮的大发展、大跨越，将中关村中学办成人民满意的学校，成为北京市基础教育的引领乃全国的知名品牌，如何确立并围绕学校的远景目标，厘清工作思路，脚踏实地、步步为营地推动学校各项工作。在立足社会与经济发展的背景，立足教育发展背景，立足学校的现实基础，立足学校的育人目标的基础上，我校进一步明确任务，着眼当下，定位长远。

一、用开放的视角看待学校教育

当今社会，全球化作为一种社会现象已经成为21世纪世界发展的一个客观进程和必然趋势，每个国家和民族都不可避免地被卷入到这一进程中。全球化不仅深刻地改变着世界的生产方式、利益格局和经济秩序，而且深刻地影响着人们的思想观念、生活方式和价值体系，同时也不可避免地影响着世界各国的教育改革。

全球化是人类的一种新的交往方式，这种交往方式建立在新的科学技术特别是信息、交通和通信技术的最新发展基础之上，是科学技术和生产力发展的客观要求和必然结果。全球化作为我们时代的主要特征，表明人类的交往形式发展到了一个新的历史阶段。人类由狭义的地域联系走向社会化普遍交往的程度和范畴，它深刻地改变着人类社会传统的以民族国家为基本单位的教育体系，它对世界教育发展走向的巨大促进作用是历史的必然。教育国际化新高潮，必将在21世纪教育改革发展中到来。而教育国际化，势必带来教育信息化、跨地域化，当前中国教育中存在的不足将逐步通过改革来弥补，原来传统教育的狭隘性、封闭性与隔离性将被避免。扬长避短，站在全球社会整体发展的高度，吸收世界各地教育的积极因素，培养世界性通用人才和创新人才，成为教育发展的新目标。

在国际化的冲击中，教育对民族精神、民族传统和民族文化等属于本民族特质的东西将投入积极、更自主的关注，对学生进行更自觉、更清醒的民族感情、民族精神、民族品格和国家价值观等的培育置于首要的位置。珍视中国文化和传统的态度，发扬中华民族精神，做担当未来中国发展使命的中国人是学校教育必须坚守的灵魂。

发展中的社会主义中国，正在由制造业大国向创新型国家，由人力资源大国向人力资源强国转型。社会转型决定了教育未来发展的主题——“以人为本”的科学发展观，实现人的全面而自由的发展。着眼关注发展性、差异性、个体性和文化性。在《国家中长期教育改革和发展规划纲要（2010—2020年）》明确提出未来十年教育工作方针“优先发展，育人为本，改革创新，促进公平，提高质量”。把“基本实现教育现代化，基本形成学习型社会，进入人力资源强国行列”作为战略目标。“坚持以人为本、推进素质教育是教育改革发展的战略主题，核心是解决好培养什么人怎样培养人的重大问题。”

作为基础教育改革先进学校的中关村中学，办学进程中经历了创办高中校拓宽教育领域，合并清华园、双榆树中学完成教育资源整合，中办北京市示范高中校等，每一次变革与创新都离不开对国际、国内形势的深刻思考，离不开教育肩负的培养社会公民、强国富民的使命。面对未来教育将面临的全球化发展，面对转型中的中国社会，中关村中学当仁不让地承担起推进教育改革，探索实现《国家中长期教育改革和发展规划纲要（2010—2020年）》中“变革实践，教育创新，为未来社会培养高素质人才”之重任，努力培育具有“服务国家、服务人民的社会责任感、勇于探索的创新精神和善于解决问题的实践能力”的社会主义建设者、接班人。

二、用客观的态度面对学校教育

1982年至今，中国教育经历社会快速发展过程的种种影响，逐步实行改革措施，以适应时代发展变化的需要。中关村中学从教育沃土中的幼苗成长为能荫覆一方土地的大树，这一历程离不开对学校办学条件的客观认识，对自身的客观考量。

在“名校林立”的海淀中关村地区站稳脚跟的中关村中学，30年来，逐步实现了发展战略的转移，由维持性发展转向创新性发展。学校秉持“依法办学，以德治校，以人为本，共同发展”办学理念，在学校文化建设中突出科学化与人文化，以科学精神塑造人，以人文精神熏陶人，形成科学精神与人文精神相互交融的学校文化体系。在学校管理中把关心人、尊重人、理解人、服务人放到头等位置，创造和谐的育人氛围，促进领导、教师和学生之间的相互理解、相互信任，提高学校的凝聚力和向心力，建立了完善的校长负责和民主监督相结合的管理体制，团结和造就了一支“追求卓越，勇创一流”的干部队伍，一支“爱岗敬业，热爱学生，具有较高的职业道德”的教师队伍。学校以“培养具有社会责任感、民族精神和国际视野、具有较高的科学素养和人文素养、具有个性特长、身心健康，做一个堂堂正正的有骨气的中国人”作为育人目标，体现了现代教育理念，在关照人的全面发展的同时，又兼顾社会发展对人才的需要。在创新育人模式方面，学校大胆创新，整合课程、课堂和德育系统，挖掘校内外教育资源，初步构建了丰富多样的艺术、体育和科技课程凸显的课程体系，形成了体现人的发展性的“生命课堂”模式，形成以伟人文化和院士文化为载体的德育特色。总之，先进的办学理念，鲜明的办学特色，整洁美观的校园，现代化的教育手段，宽松、和谐、积极的教育氛围，促进了学生的全面而有个性的发展，校园真正成为了学生尽情展示个性风采、全面发展的广阔舞台。

在我校的发展建设过程中，从来不回避发展的矛盾与自身存在的不足。我们认识到，学校发展所处的形势如逆水行舟，随着社会形势和环境的变化，随着学校改革建设的进程，发展仍然是矛盾的主要方面，主导着学校建设的动力和结果。在名校林立的海淀区，与历史悠久，办学质量稳定，发展水平高的名牌学校相比，我们尤其需要清晰地认识自身，冷静地制定发展策略，持久不懈地探索教育发展规律，开辟学校发展新途径。

在发展的目标和内涵方面，我校已经形成了有个性特征的办学思想和实践方式，然而学校管理者仍需要科学而深刻的战略性思考，完善办学目标定位，制定出更宏观的中长期规划来引领学校的发展。真正发挥教育评估应有的导向功能，充分关注学校的内涵发展，把课程建设、队伍建设作为学校发展的两大战略支柱，使学校从外延式发展转入内涵式发展。在发展的方向和路径方面，学校几代管理者都拥有非常强烈的打造品牌意识，创办中关村中学独具特色教育的意识，抓住契机大力发展艺术、科技、体育项目，打造北京市颇有声名的金帆艺术团、金鹏科技团、武术队等，把学校推到海淀区特色办学的潮头即是如此。然而，承担着海淀义务教育的使命，学校不得不一再扩大办学规模，在生源人数不断增加的情况下，我们如何处理好规模和质量的关系？这是学校管理层要冷静面对的问题。反思学校自身建设时我们意识到，学校所追求的开放办学力度有待加强，仍需思考如何充分有效地利用社会资源实现开放办学。因为家庭、学校和社会联合办学已经日渐成为需要，联合教育能充分锻炼学生，激发其潜能，培养适应社会发展的公民。我们也意识到，学校在教师队伍培养与建设方面已经取得了突出的成绩。然而在教师理念培养方面，仍需要加大力度。让教师首先成为美好德行的示范者而不仅仅是知识的传播者，更进一步增强全员德育意识，加强师德师风建设是学校必须大力贯彻落实的。正如海淀教委张卫光书记曾提出的，教育“要认真研究学生身心发展和自身教育规律，全面提高教师素养。课程改革理念下突出培养学生的社会责任感，创新精神和实践能力。因此就更需要我们不断提升每位教师的师德修养、教学创新能力、人文科学知识和教育科研能力等综合素质。”培养一支师德高尚的教师队伍是实现优质办学的保障。我们还意识到，学校在几十年的探索中，形成了有效的、颇具特色的德育途径和课程建设途径。当前，仍需要拓宽育人途径，尤其是活动育人方面，因为与实践相结合的教育对于培养学生健全的个性，促进学生个体的社会化，提高学生创新能力具有举足轻重的作用。我们还需要发掘更多的社会资源，开辟更多的社会实践基地供学生学习体验。面对课程选择性不多、延续性不够的问题，需要重新设计编排、整合课程，以满足不同学生的发展需要。在特色的定位和提炼方面，将学校现有的传统优势与办学特色相融合，进一步梳理出能够支撑学校整体发展的办学特色。给学生提供适合的教育，尊重学生个体的多样化与个性化，最终实现学校的内涵发展和特色发展。

三、用长远的眼光培育未来公民

社会由人组成，要改善或者推动社会进步都是靠人来完成，而且必须是有思想的人。学校发展最终目的是教育、培养人，培养适合社会需要、国家需要的合格的公民，培养推动社会进步的人。《国家中长期教育改革和发展纲要（2010—2020年）》对义务教育与高中阶段教育提出了明确的培养要求“巩固提高九年义务教育水平。注重品行培养，激发学习兴趣，培育健康体魄，养成良好习惯。提高义务教育质量，深化课程与教学方法改革，逐步推行小班教学”。“加快普及高中阶段教育。注重培养学生自主学习、自强自立和适应社会的能力，克服‘应试教育’倾向……推动普通高中多样化发展。促进办学体制多样化，扩大优质资源。推进培养模式多样化，满足不同潜质学生的发展需要。探索发现和培养创新人才的途径。鼓励普通高中办出特色。探索综合高中发展模式。采取多种方式，为在校生和未升学毕业生提供职业教育”。这其中，既有对学生知识能力的要求，更多的是对品格修养、生活能力的要求。一百年前梁启超先生也曾经讲过：“今日世界之竞争，国民竞争也”，“国之见重于人也，亦不视其国土之大小，人口之众寡，而视其国民之品格”。

中关村中学办学过程中，始终坚持培养“做一个堂堂正正有骨气的中国人”的育人目标；坚持学校教育不只是培养个别优秀社会成员，不只是知识的传授，技能的培养，更应该是公民意识的养成，兼顾德与才；我校坚持育人是办学第一使命的思想理念，贯彻好德育为先、能力为重和全面发展的育人观，以学生为主体，以教师为主导，把促进学生健康成长作为一切工作的出发点和落脚点，培养和造就信念执著、品德优良、知识丰富和本领过硬的高素质人才，培养社会主义核心价值体系和先进思想文化的捍卫者和引领者；坚持把社会主义核心价值体系融入国民教育全过程，加强理想信念教育、加强民族精神和时代精神教育，加强社会主义荣辱观教育，加强公民意识教育。

在育德为先的同时，坚持能力为重。“能力”即指学习、实践和创新的能力，学会知识技能、动手动脑、生存生活和做事做人。学习能力主要是指可持续学习能力，指在学习中发现问题，通过独立思考解决问题的能力及一定的批判思维的能力。创新能力与实践能力则是素质教育的核心，“创新是一个民族的灵魂，是一个国家兴旺发达的不竭动力”，而与实践相结合的教育对于培养学生健全个性、促进学生个体的社会化，帮助学生确立正确的社会定位及提高学生的创新能力具有举足轻重的作用。在人才培养过程中，全面加强和改进德育、智育、体育和美育，坚持文化知识学习和思想品德修养的统一，理论学习与社会实践的统一，全面发展与个性发展的统一。总之，中关村中学将全心全意，不遗余力地培养综合素质全面发展的合格未来公民。

四、用理性的思考促进学校持续发展

在当前的教育背景下，学校必须有上位的发展策略，并在发展策略的导引下积极行为，才能实现学校持续发展。我校在学校办学目标指引下，为实现学校未来十年的可持续发展，群策群力，制定了我校的发展策略。

人本治校。 以人为本的人文主义教育观蕴涵丰富的内容，它强调突出人文关怀，力求在教育活动中做到科学、人文与个性化创造的和谐统一；强调教育要回归生命的整体性；强调广博的知识视野、独立的理性精神、自觉的批判意识和智慧的品格；树立以学生为中心的观念，注重培养富有主体精神和创新精神的人；激发教师的积极性和创造性；确立教师在办学治校中的核心地位，以发扬学术自由精神与独立品格。当前的人文主义教育观体现了其特定的历史情境与时代性要求，它顺应了科学发展观的要求，是中国应对新的世界挑战的现实需要，有助于知识经济时代深化素质教育改革，强化终身学习观念，构建学习型社会。

现代的学校人本管理是建立在对人的基本假设上的，即把人看做是一个追求自我实现能够自我管理的社会人。基于此，我校树立了“以学生发展为本，以教师发展为本”的人本治校理念，把促进师生发展作为学校工作的核心，实现学校发展的人本化。在未来的学校发展中，我们规划将进一步加强以下几个方面的工作，首先坚持“以师生为本”的情感管理理念。“以师生为本”就是要重视师生的参与意识和创造意识，使教师的潜能得到充分发挥，自我价值得到最完美的展示，学生在教师的指导下，充分发挥其自主性，实现其个性发展，奠定其人生轨迹的基础。“以师生为本”就是要重视师生的主体地位，充分发挥师生的主体性作用，最广泛最充分调动人的一切积极因素，发挥师生的自我评价、自我激励和自主管理的主人翁精神。只有当师生富有主人翁精神，才会把自己当做学校的主人，把自己融入学校大局之中，把学校当做大家庭，把工作当做事业，师生同心协力共同努力，并在学生与学生互动、教师与学生互动、师生与学校互动中，实现个人与学校的共同发展。其次，搭建文化治校的平台。古人云“人各有所宜，用得其宜则才著，用非其宜则才晦”。在人本治校的策略下，尊重师生的个性差异，支持他们个体的价值追求，关注他们的终身发展，发展他们的创造潜能，为师生提供施展才能和开发潜能的机会，使学校真正成为教师工作学习和生活的乐园。在人本治校的策略下，坚持公平、公正原则，满足师生合理的心理需要和情感需求，维护师生的合法利益，强调人与人相互关爱、相互尊重、相互信任、相互理解和以诚相待，师生共同营造一个宽松和谐、合作竞争、充满着人文关爱的校园人际氛围。再次，培养学校的群体精神和群体意识。充分发挥师生的主人翁的意识，就学校共同的发展理念、优秀的学校传统、良好的职业道德和行为准则、认同的学校制度和正确的劳动观念等主要因素形成统一的认识，即形成共同的学校价值理念，体现学校全体成员的整体精神、共同的价值标准，增强学校内聚力、向心力和持久力，保证学校行为的合理性，从而推动学校的发展。

文化立校。 文化立校是现代学校管理的最高层次，它代表着学校发展的前进方向，理应成为学校发展过程中的最高追求。学校文化是育人之纲、管理之魂、发展之本。学校文化具有导向作用、规范作用、激励作用、凝聚作用和塑造作用，表征着现代学校的实力、磁力、张力和个性。在深层层面上，先进的学校文化直接决定了现代学校的发展方向、发展路径和发展动力，是现代学校和谐发展和创建名校品牌的核心力量所在。学校文化在本质上是为教育本质服务的、具有个体特点的教育文化，体现了学校的目标、价值观念和行为规范。只有文化特色鲜明、办学理念独特的学校，才能真正培养出具有独特创新理念的学生，才能彰显学校个性。学校的发展应该是通过高品位的学校文化带动教育现代化，从而为培养更多更优秀的人才奠定坚实基础。

学校文化有着极其丰富的内涵，可视为学校一切文化现象的总和。学校文化无处不在，无所不包，我校将要重点建设的学校文化具体可分解为八个层面，精神文化、物质文化、制度文化、人本文化、课程文化、师德文化、科研文化、网络文化。其中，精神文化是学校文化的核心，物质文化是学校文化的外壳，制度文化是学校文化的支柱，人本文化是学校文化的基础，课程文化是学校文化的主线，师德文化是学校文化的内涵，科研文化是学校文化的动力，网络文化是学校文化的形象。

这八种文化的内涵如下。

精神文化——引领价值，塑造精神。创设一种环境，营造一种氛围，培育一种精神，从而使受教育者耳濡目染、潜移默化地受到熏陶，得到启迪，受到教育。

物质文化——奠定基础，提供保障。创造绿色校园，构建数字校园，打造精品校园。

制度文化——有规有纪，提高效能。建立健全科学的管理制度体系，使各项工作有章可循，真正体现依法治教、依法治校，保证学校各项工作的开展与落实，将学校制度文化转化为师生内心规则和外显行为，引导师生自主提升工作和学习的效能。

人本文化——提升素养，强化动力。现代学校文化融入师生的意识和行为，并让每个人鲜明地体现其文化特征，凝聚人心，鼓舞斗志，快乐、健康而幸福的工作、学习和生活，增强其对学校的归属感。

课程文化——优化载体，展现魅力。我校在开齐开足开好国家课程的基础上，积极开发校本教材，丰富和发展学校特色建设内涵，形成富有自身特色的课程文化，引导教师、学生在课程中提高素养，在课程实践中增长才干。

师德文化——榜样垂范，奠基人格。孔子曰“其身正，不令而行；其身不正，虽令不从”。师德是义务、是道德、是态度、是精神、是勤奋，教师用良好师德去改变学生的行为习惯，改变学生的心灵，让它像阳光雨露般滋润着每一位学生。

科研文化——提供动力，促进发展。培育教师研究问题的意识，建立浓厚的科研文化氛围，鼓励教师积极研究教育教学问题，解决困惑，为学校的建设和发展提供原动力。

网络文化——树立形象，示范教育。建立通畅的学校宣传渠道，树立健康的学校形象，展现学校教育的魅力，为地方教育作出贡献。

质量兴校。 学校要想在未来名校林立的中关村立足，必须依靠质量。要以质量立校、兴校，在提高质量中谋求发展。教学质量是学校生存的生命线，学校的发展始终坚持教学的中心地位，把教学质量看做是学校增强实力、提升水平和扩大社会影响力的根本。提高学校质量是个系统工程。我们将继续解放思想，深化改革，不断解决学校发展中遇到的新问题。要坚持以教研促教改，按照教育规律办学校，加强教学研究，加强人才培养，通过全校师生的努力，实现学校新腾飞。

“向教育科研要质量，靠教育科研上水平”是学校未来发展必由之路。学校围绕着“以研促教，全面提高课堂教学效果”这个中心，大力开展教科研活动，更好地实现教育科研与课改实验的有机结合，大力推动教育教学改革的深入开展。同时，通过教育科研，提升教师智慧，增加课堂教学的科技含量，为课改的实施与教育教学质量的提高提供良好的保障。为使教研活动常态化、自觉化，学校将从建立常规性教研工作网络、建立动态性教研网络、建立制度化教研体系三个方面入手，规范教研管理与考核，促进学校教育科研工作有效开展，建立相应的评价激励机制，有效地调动教师参与教研的主动性和积极性。

名师是一所学校质量外显的重要参数，是提升学校社会形象的名片。培养自己的名师团队的过程，就是学校发展的过程。名师团队的形成，在学生发展过程中将起到引领和示范的作用。在未来学校发展过程中，我校将锤炼名师团队作为学校教师队伍建设的首要任务来抓。为此，学校提出建设学习型学校，教师要树立“终身学习”的理念，引导教师争做“学者型”“科研型”教师，以人为本，做强校本培训。同时，学校要想实现可持续发展，建设一支有活动、有发展潜力的教育队伍是十分重要的。在打造名师团队的同时，学校也着手完善后备人才储备，为未来发展奠定基础。

基于当前学校发展的环境和机遇，学校将通过提高学校的办学质量，打造学校教育教学特色，形成区域性的教育品牌学校。积极推进新课程改革，深化课堂教育教学改革与创新，提升课堂教育教学效率，彰显我校品牌教育的力量。

特色强校。 学校要生存、谋发展，就必须做到“有特色”，要形成“人无我有、人有我优、人优我强、人强我特”的办学优势。为了充分发挥学校特色建设在学校建设中的作用，我校在特色建设方面的基本思路是优化、开发和拓展特色项目。

优化已有特色项目。我校当前已有的特色项目主要分成五类，分别是“艺术特色”“传统体育特色”“科技特色”“德育模式特色”。在未来十年，学校将逐步对这些特色项目进行修磨和打造，提炼精品内容和呈现形式，形成特色系统，提升学校传统特色项目的定位层次，奠定学校特色发展基础。

开发时代特色项目。学校特色项目的开发要与时俱进，我校在特色项目开发的未来设想主要着眼于学生发展的时代需求，科学、合理和有效地利用学校所处的科学院园区资源、大学资源和社区资源，突破学校与高校，学校与社会之间的界墙和人们观念的壁垒，做好从基础教育到高等教育，从学校教育到社区教育，从国民教育到国际教育的延伸。构建学校—家庭（社区）—社会（高校）联动机制，采用联合开发、委托开发和协作开发等开放的教育形式，创造课程开发的模式，将教育资源的作用发挥到最大化，形成学校发展过程中新的特色。

拓展疆域特色项目。当前的教育，是民族的教育，也是世界的教育。未来的学生不仅需要具备独特的民族情感，也需要具备世界的眼光。学校在培养学生世界视野的规划中，将在现有世界交流的基础上，逐步建立跨疆域的国际间的校际交流网络，为学生创造更多的交流机会，使学生走向世界的项目规范化、系列化、动态化和发展化。同时，在条件成熟的情况下，开办国际培训学校或国际学校。力争在若干年的探索与实践中，形成我校独具特色的国际交流模式，打造学校特色品牌。

“天行健，君子以自强不息；地势坤，君子以厚德载物”。面对未来，面对挑战，中关村人会在教育事业这块沃土上，躬耕乐道，孜孜不倦，用爱心和汗水滋润、哺育祖国的花蕾，用真情和智慧谱写教育最壮丽的诗篇！

出 版 人　所广一
策划编辑　李　东
责任编辑　周益群
版式设计　沈晓萌
责任校对　贾静芳
责任印制　曲凤玲

图书在版编目（CIP）数据

做堂堂正正的中国人：北京市中关村中学教育创新研究/邢筱萍等著. —北京：教育科学出版社，2012. 10
（“守望者的凝思：读懂学校、读懂校长”系列论丛/裴娣娜主编）
ISBN 978-7-5041-6956-3

Ⅰ. ①做…　Ⅱ. ①邢…　Ⅲ. ①中学教育—教育研究—海淀区　Ⅳ. ①G632. 0

中国版本图书馆 CIP 数据核字（2012）第 222477 号

“守望者的凝思：读懂学校、读懂校长”系列论丛
做堂堂正正的中国人
ZUO TANGTANGZHENGZHENG DE ZHONGGUO REN

出版发行	教育科学出版社		
社　址	北京·朝阳区安慧北里安园甲 9 号	市场部电话	010-64989009
邮　编	100101	编辑部电话	010-64989421
传　真	010-64891796	网　址	http://www.esph.com.cn
经　销	各地新华书店		
制　作	北京博祥图文设计中心		
印　刷	保定市中画美凯印刷有限公司	版　次	2012 年 10 月第 1 版
开　本	169 毫米×239 毫米　16 开	印　次	2012 年 10 月第 1 次印刷
印　张	20	印　数	1—3000 册
字　数	262 千	定　价	45. 00 元